Beiträge zur biblischen Exegese und Theologie BET

Herausgegeben von
Jürgen Becker und Henning Graf Reventlow

Band 8

PETER LANG
Frankfurt am Main · Bern · Las Vegas

Peter Trummer

Die Paulustradition der Pastoralbriefe

PETER LANG
Frankfurt am Main · Bern · Las Vegas

CIP-Kurztitelaufnahme der Deutschen Bibliothek

Trummer, Peter

Die Paulustradition der Pastoralbriefe. – Frankfurt
am Main, Bern, Las Vegas: Lang, 1978.
   (Beiträge zur biblischen Exegese und Theologie;
   Bd. 8)
   ISBN 3-261-02432-1

ISBN 3-261-02432-1

Auflage 300 Ex.

© Verlag Peter Lang GmbH, Frankfurt am Main 1978

Druck: Fotokop Wilhelm Weihert KG, Darmstadt
Titelsatz: Fotosatz Aragall, Wolfsgangstraße 92, Frankfurt am Main.

ΑΓΝΩΣΤΩΙ

ΙΧΝΕΣΙΝ ΠΑΥΛΟΥ

ΑΚΟΛΟΥΘΟΥΝΤΙ

VORWORT

Die vorliegende Arbeit ist die bis Sommer 1977 ergänzte Fassung meiner Habilitationsschrift, die im WS 1976/77 der Katholisch-theologischen Fakultät Graz vorlag. Ihr danke ich für die verliehene Venia für Neues Testament, ebenso den Grazer und Regensburger Professoren Dr. Johannes B. Bauer, Dr. Norbert Brox, Dr. Franz Mußner und DDr. Franz Zehrer, meinem Institutsvorstand. Sie alle haben durch Amt und Charisma entscheidend Anteil an dieser Studie genommen, für deren Durchführung ich allerdings selber hafte.

Den Herausgebern der BET, vor allem Herrn Prof. Dr. Jürgen Becker, danke ich für die Betreuung der Veröffentlichung, die vom Bischöflichen Ordinariat Graz-Seckau, der Steiermärkischen Landesregierung und dem Universitätsförderungsfonds in dankenswerter Weise unterstützt wurde.

Auch meiner Frau und meinem Bruder Hans darf ich an dieser Stelle für viele mit mir getragene Lasten danken.

Die Widmung ist zugleich das Ergebnis meiner Arbeit und ein persönliches Programm einer versuchten Synthese von Kritik und Glauben.

Graz, 26. Januar 1978

INHALTSVERZEICHNIS

Zur Einführung

Der Titel "Die Paulustradition der Pastoralbriefe" bedarf einiger Erläuterung. Diese Themenstellung erhebt den Anspruch, daß die Pastoralbriefe nur dann sachgemäß ausgelegt werden können, wenn auch ihre Autorfrage präzise beantwortet wird. D.h. Exegese der Pastoralbriefe ist nur dann möglich, wenn ihr Charakter als Paulustradition gewürdigt wird. Durch dieses Prinzip unterscheidet sich unsere Themenstellung von jenen Tendenzen einer Literaturwissenschaft, die aus primär formalen Interessen an der Struktur der Literatur die Frage nach dem Autor vernachlässigen wollte. Auch für die Bibelwissenschaft und gegenüber dem breiten Glaubensbewußtsein innerhalb der verschiedenen christlichen Kirchen bedeutet diese Themenstellung noch keine bloße Selbstverständlichkeit. Die Frage nach dem Verhältnis der Pastoralbriefe zu Paulus ist zwar alt, ihre Beantwortung jedoch noch immer recht unterschiedlich, was auf die Dauer untragbar ist.

Um die Frage einer Lösung näherzubringen, wird in dieser Arbeit der Verdacht auf die nichtpaulinische Verfasserschaft, den die historisch-kritische Methode seit nun schon 170 Jahren äußert, voll akzeptiert. Dies geschieht auf dem Hintergrund der Problemgeschichte und zusammen mit ausführlichen Überlegungen zur Pseudepigraphie der Pastoralbriefe. Dadurch läßt sich der Paulinismus der Pastoralbriefe als eine hauptsächlich literarische Beziehung zu den anderen Paulusbriefen begreifen, dahinter wird jedoch auch eine personale und lebendige Komponente in der pseudepigraphen Paulustradition sichtbar. Die Erkenntnis des theologie- und kirchengeschichtlichen Ortes der Pastoralbriefe als Paulustradition ermöglicht dann auch ihr positives Verständnis gerade als nachpaulinischer (+) Schreiben.

+ NB: Abkürzungen im Text: Past = Pastoralbriefe; P = Paulus;
pln = paulinisch.

I. DAS PROBLEM DER PAST

1. Die Vorgeschichte der Kritik

Die Past gehören zum Bestand der "pln" Literatur und sie wären auch - würden sie erst heute und ohne Überschrift gefunden - ohne weiteres als "pln" zu erkennen[1], andererseits hat die moderne Kritik ihre Echtheit dermaßen in Frage gestellt, daß der Beweis ihrer nichtpln Verfasserschaft anscheinend gar nicht mehr geführt zu werden braucht[2]. Gerade angesichts solch extremer zeitgenössischer Urteile muß die Fragestellung wieder einmal aufgenommen werden.

a) Die Past in der alten Kirche

Die Kanonisierung der ntl. Schriften erweist sich als ein langer und bewegter Prozeß. Er erwächst aus der Verbreitung und Benützung einzelner frühchristlicher Schriften und der allmählichen Bildung eines sachlichen, theologischen Urteils. Die Past unterscheiden sich in diesem Prozeß nicht übermäßig von den P-Briefen[3], dennoch darf ihre feststellbare Sonderstellung in diesem Prozeß nicht einfach nivelliert werden. Der Versuch, aus der frühkirchlichen Bezeugung der Past einen massiven Echtheitsbeweis zu konstruieren, muß als gescheitert betrachtet werden. F.WENINGER[4] sollte den Nachweis erbringen, daß die Past in der Kanongeschichte genau so gut bezeugt seien wie die übrigen Paulinen, ja sogar der Bezeugung von Röm und 2 Kor nicht nachstehen[5], doch erweisen sich die beigebrachten Belege meist als so allgemein paränetisches bzw. formelhaftes Gut, daß sie die Beweislast einer Benützungstheorie der Past im 1. und im frühen 2. Jahrhundert nicht tragen können. Dasselbe

---

1)   Vgl. C.SPICQ, Les épîtres pastorales, 4. Aufl. Paris 1969, 186, der diese Überlegung hinsichtlich der Echtheit geltend macht.

2)   Dieses Urteil äußert H.v.CAMPENHAUSEN, Polykarp von Smyrna und die Pastoralbriefe, in: Ders., Aus der Frühzeit des Christentums. Studien zur Kirchengeschichte des ersten und zweiten Jahrhunderts, Tübingen 1963, 197-252; 199.

3)   Vgl. dazu auch C.K.BARRETT, The Pastoral Epistles, Oxford 1963, 3; E.E.ELLIS, Paul and His Recent Interpreters, Grand Rapids 1961, 49.

4)   F.WENINGER, Die Pastoralbriefe in der Kanongeschichte zur Zeit der Patristik, Diss.masch. Wien 1964.

5)   Vgl. ebd. 18.

gilt auch von H.RATHKEs[6] Untersuchung speziell zu Ignatius. RATHKE betont zwar, daß infolge der Eigenart der Verwendung von P-Briefen bei Ignatius eine bewußte Benützung der Past "trotz vieler Anklänge unentschieden bleiben" müsse, behauptet aber trotzdem gleichzeitig, daß Ignatius die Past "sicher" gekannt habe[7].

Allein Polykarp Phil 4,1[8] ist einer näheren Prüfung wert, doch ist gerade auch bei dieser frappanten Parallele[9] zu 1 Tim 6,7.10 mit einer sprichwörtlichen Redensart zu rechnen, die von beiden Autoren unabhängig verwendet wird. Dies gilt sowohl vom kynischen Topos der schädlichen Geldgier[10], wie von dem sehr verwandten Satz von der Armut, mit der ein Mensch geboren wird und stirbt[11], welche in 1 Tim 6 und in Polykarp Phil 4,1 in unmittelbarer Verbindung stehen. Doch auch diese Parallelität ist aus der Bekanntheit und inneren Logik der in beiden Fällen angewandten Argumentation auch nichtliterarisch erklärbar. Jedenfalls wird man auf dieser Parallele nicht die konsequenzenreiche These aufbauen dürfen, Polykarp hätte die Past gekannt und zitiert[12].

Eine besonders umstrittene Position hinsichtlich der Bezeugung der Past nimmt Marcion ein, dessen Kanon die Past nicht enthielt. Die Notiz Tertullians[13], welcher diesen Tatbestand berichtet, bietet jedoch erneut Schwierigkeiten. Aus dem tendenziösen Wortlaut Tertullians nämlich bleibt offen, ob Marcion die Past

---

6)   H.RATHKE, Ignatius von Antiochien und die Paulusbriefe, TU 99, Berlin 1967.

7)   Zitate ebd. 65. Vgl. auch ebd. 39.

8)   Vgl. Polykarp Phil 4,1; ed. F.X.FUNK-K.BIHLMEYER, Die Apostolischen Väter, 2.Aufl. Tübingen 1956, 115, Z. 26ff.

9)   A.T.HANSON, The Pastoral Letters, Cambridge 1966, 7, rechnet mit einem sicheren Zitat.

10) Vgl. H.ALMQVIST, Plutarch und das NT. Ein Beitrag zum Corpus Hellenisticum Novi Testamenti, ASNU 15, Uppsala-Kopenhagen 1946, 126.

11) Vgl. dazu N.BROX, Die Pastoralbriefe, RNT 7/2, 4.Aufl. Regensburg 1969, 27; Ders., Historische und theologische Probleme der Pastoralbriefe des NT. Zur Dokumentation der frühchristlichen Amtsgeschichte: Kairos 11(1969) 81-94; 81f.

12) Gegen WENINGER, Past 94. Vgl. dazu auch K.H.SCHELKLE, Das NT. Seine literarische und theologische Geschichte, 4. Aufl. Kevelaer 1970, 185f; BROX, Past 27.

13) Vgl. Tertullian, Adv.Marc. 5,21,1; ed. Ä.KROYMANN, CChr. SL 1,725, Z. 19ff.

überhaupt nicht kannte[14], was dann entweder zeitlich oder lokal bedingt sein kann, oder ob er sie kannte und zurückwies[14a]. Für eine Datierung der Past wird man also Marcion sowohl positiv als auch negativ ausklammern müssen[15].

Erst in der Supplicatio des Athenagoras 37, 1 findet sich ein Ausdruck, der "mit hoher Wahrscheinlichkeit als Zitat (sc. aus den Past) anzusprechen ist" [16]. An dieser Stelle wird der Zweck des Gebetes der Christen für den Kaiser mit ὅπως ἤρεμον καὶ ἡσύχιον βίον διάγοιμεν angegeben[17], was in der Tat eine sehr auffällige Übereinstimmung mit 1 Tim 2, 2 darstellt. Von diesem Zeitpunkt an[18] läßt sich eine deutliche und dichte Bezeugung der Past konstatieren[19].

Trotz dieser so späten eindeutigen Bezeugung gibt die Kanongeschichte der Past noch zu keinen besonderen Bedenken Anlaß. Die Past sind zwar nicht so früh und so gut bezeugt wie die großen Paulinen, doch dürfte dieser Umstand z. T. auch von ihrer besonderen Thematik herrühren. Daß die uns erhaltene gnostische Literatur des 2. Jahrhunderts keine Belege aus den Past bietet, erklärt sich wohl eher aus ihrer ketzerbestreitenden Tendenz als damit, daß sie noch nicht bekannt gewesen wären. Mit der allgemeinen Konsolidierung des Kanons im 3. und 4. Jahrhundert jedenfalls haben die Past einen festen Platz unter den ntl. Schriften und gelten damit auch fraglos als pln.

---

14) Dieser Ansicht ist W. BAUER, Rechtgläubigkeit und Ketzerei im ältesten Christentum, BHTh 10, 2. Aufl. Tübingen 1964, 225.

14a) M. SYNNES, Om psevdepigrafi og pastoralbrevenes ekthet: TTK 47(1976) 179-200; 179, möchte dies annehmen.

15) Vgl. BROX, Past 28; W. G. KÜMMEL, Einleitung in das NT, 18. Aufl. Heidelberg 1976, 326.

16) BROX, Probleme 82.

17) Zitiert nach J. GEFFCKEN, Zwei griechische Apologeten, Leipzig-Berlin 1907, 154, Z. 29f.

18) Die geläufige Datierung der Supplicatio ist um das Jahr 177. Vgl. BROX, Probleme 82.

19) Vgl. die Belege bei BROX, Probleme 82.

b) Ansätze einer Sachkritik

Die Past gingen ihren Weg in den Kanon jedoch nicht ohne Kritik. Gegenüber den Gemeindebriefen waren sie ja zusammen mit Phlm als an Einzelpersonen gerichtete Schreiben stärkeren Bedenken hinsichtlich einer kanonischen Geltung ausgesetzt[20]. Daß Phlm - obwohl schon im Kanon des Marcion[21] - wegen seiner Kürze und spezifischen Thematik von Irenäus, Hippolyt und Klemens von Alexandrien nicht zitiert wird[22], mag ja weniger wunder nehmen, doch scheinen die Privatbriefe des P insgesamt einen schwierigeren Weg in den Kanon gehabt zu haben als die Gemeindebriefe. Jedenfalls sieht sich der Kanon Muratori veranlaßt, die Past zusammen mit Phlm zu rechtfertigen: Zwar sind diese Briefe zunächst aus der persönlichen Zuneigung des P zu den Empfängern entstanden, doch sie sind "geheiligt" durch ihre Bedeutung für das kirchliche Leben[23].

Auch von Überlegungen zur Inspiration der Schrift her waren die Past der Kritik ausgesetzt. Die Bedenken artikulieren sich dahingehend, daß die Inspiration sich nicht auf alle Teile der Schrift erstrecken könne, sondern während der Abfassung der biblischen Schriften auch dem natürlichen menschlichen Zustand der Schwachheit und des Irrtums gewichen sei. Eine Bemerkung wie die Bitte des P um den Mantel (2 Tim 4,13) könne ja nicht - wie etwa auch der polemische Ausbruch in Gal 5,12 - als Wort des in P redenden Christus verstanden werden[24].

Die Bedenken im Hinblick auf die Schriftinspiration fanden in den Past jedoch noch einen weiteren Ansatzpunkt: Einer Nachricht des Origenes zufolge wurde der 2 Tim wegen seiner vermuteten Anspielung auf das jüdische Apokryphon Jamnes und Mambres (vgl. 2 Tim 3,8) teilweise abgelehnt, was Origenes jedoch als inkonsequent zurückweist, weil ein solches Urteil dann ja auch den 1 Kor treffen müßte, der doch ebenfalls ein außerkanonisches Zitat (sc. 1 Kor 2,9) enthält[25].

---

20)   Vgl. dazu auch K.-H.OHLIG, Die theologische Begründung des ntl. Kanons in der alten Kirche, Düsseldorf 1972, 66.

21)   Vgl. Tertullian, Adv.Marc. 5,21,1.

22)   Vgl. dazu Th.ZAHN, Geschichte des ntl. Kanons 1/1, Erlangen 1888, 265f.

23)   Zu Text und Textkritik des Muratorischen Kanons vgl. ZAHN, Geschichte 2/1 (1890) 7f.

24)   So ein anonymer Kritiker, den Hieronymus, Praef.comm. in epist. ad Philem. ausführlich wiedergibt. Vgl. dazu ZAHN, Geschichte 1 267ff; Text bei ZAHN, Geschichte 2/2 997ff.

25)   Origenes, Mt. Comm.ser. 117; ed. E.KLOSTERMANN, GCS 38, 250, Z. 3-12. Vgl. dazu auch H.v.CAMPENHAUSEN, Die Entstehung der christlichen Bibel, BHTh 39, Tübingen 1968, 272.

In ketzerischen Kreisen waren die Past immer schon verdächtigt worden[26], was seinen Grund in ihrer ketzerbekämpfenden Tendenz hat[27]. Hieronymus berichtet, daß Tatian, der "Patriarch der Enkratiten", einige P-Briefe ablehnte[28], wobei vielleicht auch die beiden Timotheusbriefe eingeschlossen waren[29], während er dem Bericht des Hieronymus zufolge am Tit festhielt[30]. Die Kritik an den Past begnügte sich aber nicht nur damit, ihre kanonische Geltung anzufechten, sondern stellte darüber hinaus auch ihre pln Verfasserschaft in Frage[31], ein Angriff, der jedoch seltsamerweise in der kirchlichen Verteidigung überhaupt keine Reaktion hervorruft.

Trotz dieser von verschiedenen Seiten her vorgebrachten Kritik erlangten die Past ihre kanonische Stellung und galten bis in die Neuzeit unangefochten als Schreiben des P.

2. Die moderne Kritik an den Past

a) Kritik

Die eigentliche Kritik an den Past setzt erst mit der Aufklärung ein. War zuvor - zumindest nach dem Verständnis der Neuerer - die Auslegung der Bibel einem dogmatisch-lehrhaften System untergeordnet, so schärft sich jetzt der Blick für das historische Detail. Diese Denkweise, welche die gesamte biblische Fragestellung revolutionierte und zum Wegbereiter der modernen Bibelwissenschaft wurde, versuchte sich auch an den pln Schriften.

---

26)   Vgl. Klemens, Strom. 2, 52, 5f; ed. O. STÄHLIN, GCS 52 (15), 3. Aufl. Berlin 1960, 141, Z. 19f; Hieronymus, Praef.comm. in epist. ad Titum; PL 26, 589f.

27)   Vgl. CAMPENHAUSEN, Entstehung 272.

28)   Vgl. Hieronymus, Praef.comm. in epist. ad Titum; PL 26, 590.

29)   Vgl. CAMPENHAUSEN, Entstehung 210, Anm. 159.

30)   Vgl. Hieronymus, Praef.comm. in epist. ad Titum; PL 26, 590. Vgl. BAUER, Rechtgläubigkeit 225 Anm. 2.

31)   Vgl. Hieronymus, Praef.comm. in epist. ad Titum; PL 26, 589. Vgl. dazu auch ZAHN, Geschichte 1 269.

Als erster[32] äußerte J.E.Ch.SCHMIDT[33] Bedenken auf Grund der schwer zu harmonisierenden Reisenachrichten der Past im Vergleich mit den übrigen P-Briefen und der Apg: So soll Timotheus einerseits von Ephesus aus (vgl. 1 Kor 16,8.10) seinen Auftrag in Korinth ausführen, sich anderseits bei der Abfassung des 2 Kor wieder bei P aufhalten (vgl. 2 Kor 1,1) und schließlich als Bischof in Ephesus zurückgelassen worden sein[34]. Nach den Gefangenschaftsbriefen (vgl. Phil 1,1; Kol 1,1; Phlm 1,1) wiederum ist Timotheus an der Seite des P, während er nach der Apg nicht Reisebegleiter des P ist[35]. SCHMIDT zieht aus seinen Beobachtungen noch keine näheren Konsequenzen und möchte an der Echtheit der Past festhalten[36].

Wenig später untersucht F.SCHLEIERMACHER[37] den 1 Tim und konstatiert dessen Besonderheit gegenüber P, wobei er jedoch 2 Tim und Tit noch als genuin pln einstuft. SCHLEIERMACHER weist auf den wortmäßigen und stilistischen Unterschied des 1 Tim zu P hin[38], zeigt seine schwer im Leben des P unterzubringende Situation[39] und innere Zusammenhanglosigkeit auf[40], und beobachtet bereits eine gewisse sachliche Differenz zu P[41].

So bemerkt SCHLEIERMACHER, daß im 1 Tim die Gegner mit anderen Waffen bekämpft werden als in der antijudaistischen Polemik des P[42], oder er beob-

---

32) Zur meist undeutlich wiedergegebenen Forschungsgeschichte vgl. auch meinen Aufsatz: "Mantel und Schriften" (2 Tim 4,13). Zur Interpretation einer persönlichen Notiz in den Pastoralbriefen: BZ 18 (1974) 193-207; 193 Anm. 2.

33) J.E.Ch.SCHMIDT, Historisch-kritische Einleitung in's NT 1, Gießen 1804.

34) Vgl. SCHMIDT, Einleitung 259ff.

35) Vgl. ebd. 262f.

36) Vgl. ebd. 259-262.

37) Vgl. F.SCHLEIERMACHER, Über den sogenannten ersten Brief des Paulos an Timotheos. Ein kritisches Sendschreiben an J.C.Gass, Berlin 1807 (= Ders., Sämmtliche Werke, 1. Abt.: Zur Theologie 2, Berlin 1836, 221-320).

38) Ebd. 29-104.

39) Ebd. 115-127.

40) Ebd. 127-133.

41) Anders urteilt W.G.KÜMMEL, Das NT. Geschichte der Erforschung seiner Probleme, München 1958, 100: Bei SCHLEIERMACHER würde "ein sachlicher Unterschied zu Paulus noch nicht festgestellt".

42) Vgl. SCHLEIERMACHER, 1 Tim 33, 155, 162.

achtet, daß die Beteuerung des Apostels als κῆρυξ und διδάσκαλος
(vgl. 1 Tim 2,7) gegenüber seinem Schüler verwunderlich sei[43]. Auf Grund
seiner Untersuchung bestreitet SCHLEIERMACHER die Echtheit des 1 Tim
ausdrücklich, bleibt aber insofern auf halbem Wege stehen, als er die beiden
übrigen Briefe nicht in seine Kritik mit einbezieht.
Erst J.G.EICHHORN[44] dehnt seine Kritik auf alle drei Briefe aus: Sie stammen auf Grund innerer Verwandtschaft von einem und demselben Verfasser[45],
welcher jedoch "schwerlich" P sein kann[46].
Als eigentlicher Begründer des modernen kritischen Urteils über die Past darf
jedoch F.Ch.BAUR gelten[47]. BAUR allerdings rückte die Past zu weit von P
ab und hielt sie nur von der Gnosis des 2. Jahrhunderts her für verstehbar[48].

Ihre zusammenfassende und vielfach auch heute noch geltende Darstellung erhielt die Kritik an den Past schließlich durch H.J.HOLTZMANN[49]. Danach
sind die Past in dem uns bekannten Leben des P nicht unterzubringen. Zwar
erinnere z.B. 1 Tim 1,3 an die Situation während der korinthischen Korrespondenz, doch sträube sich 1 Tim als ganzer gegen eine so frühe Abfassung,
da in ihm schon die Situation einer bereits länger bestehenden Gemeinde vorausgesetzt sei[50]. Ähnliche Schwierigkeiten ergeben sich auch bezüglich einer
Mission des P auf Kreta, wie sie in Tit vorausgesetzt sei[51], und hinsicht-

---

43) Ebd. 98.

44) J.G.EICHHORN, Einleitung in das NT 3/1, Leipzig 1812.

45) Ebd. 315ff.

46) Ebd. 317.

47) Vgl. F.Ch.BAUR, Die sogenannten Pastoralbriefe des Apostels Paulus
aufs neue kritisch untersucht, Stuttgart-Tübingen 1835.

48) BAUR stellt seiner Schrift "alle jene Kriterien" voran, "die es uns
unmöglich machen, für diese Briefe eine andere Zeit der Abfassung
anzunehmen, als die uns durch sie selbst factisch bezeichnete." Ebd.
Vs. Rückschauend formuliert er noch präziser: "Meine Untersuchungen
über die Gnosis führten mich den Pastoralbriefen zu und hatten für mich
das ... Ergebnis, daß diese Briefe unmöglich vom Apostel Paulus verfaßt sein können, sondern ihre Entstehung aus denselben Parteitenden-
zen zu erklären sei, welche im Laufe des zweiten Jahrhunderts das be-
wegende Princip der sich gestaltenden christlichen Kirchen waren."
F.Ch.BAUR, Die Einleitung in das NT als theologische Wissenschaft:
ThJb(T) 10(1851) 294-296. Zitiert nach KÜMMEL, NT 157.

49) H.J.HOLTZMANN, Die Pastoralbriefe kritisch und exegetisch behandelt,
Leipzig 1880.

50) Vgl. ebd. 15ff.

51) Vgl. ebd. 21-25.

lich der Zuordnung von 2 Tim zu den Gefangenschaftsbriefen[52]. Diesen
Schwierigkeiten gegenüber bestehe der Ausweg, die Past im unbekannten Teil
der Vita Pauli anzusetzen, doch wird auch dieser Ausweg von HOLTZMANN
angefochten. Die Verteidigung der Echtheit beruft sich zwar auf eine Nachricht des Eusebius[53], doch bleibt bei angenommener Echtheit der Past die
Schwierigkeit, daß P nach seiner Freilassung aus der ersten römischen Gefangenschaft ein ungemein großes Programm zu bewältigen gehabt hätte. Einerseits nämlich sollte er dem Verständnis von 1 Klemens 5, 7 zufolge noch Spanien missioniert haben, die Past jedoch setzen eine erneute Tätigkeit im Osten
voraus, während die Abschiedsrede des P in Milet einen endgültigen Abschied
vom östlichen Missionsraum bedeute (vgl. Apg 20, 25)[54]. Die Nachricht des
Eusebius von einer zweiten römischen Gefangenschaft des P beruhe allein auf
einer Konstruktion aus den Past, während die Past selbst keine solche Nachricht von einer zweiten Gefangenschaft geben[55]. HOLTZMANN zeigte ferner
bereits deutlich die künstliche Gestaltung der Situation der Past: Nirgendwo
werde ein wirkliches Lebensmoment des P getroffen, sondern alles bleibe im
Unbestimmten und Allgemeinen, während die echten Paulinen ganz im Boden der
Zeit wurzeln und nicht den geringsten Zweifel an ihrer geschichtlichen Stellung
zulassen. HOLTZMANN erkannte positiv, daß die Paränesen der Past kaum der
geschichtlichen Situation der Adressaten entsprechen, sondern daß die Er-
mahnungen über die Adressaten hinaus einem größeren Kreis, ja allen Christen
gelten[56].
HOLTZMANN vervollständigte auch die vor ihm getätigten sprachlichen Beobachtungen. Er untersuchte den eigentümlichen Wortbestand der einzelnen Briefe
und aller drei zusammen, einschließlich seiner Verteilung über die einzelnen
Kapitel[57], hielt jedoch trotz der verschiedenen Befunde an einem einzigen Verfasser für alle drei Briefe fest[58]. Außerdem sammelte er die "Sprachliebhabe-
reien"[59] der Past, konstatierte eingehend das Fehlen wichtiger pln Wörter,
Wortfamilien und syntaktischer Eigentümlichkeiten und rückte die Past im Vergleich mit der pln, deuteropln und nachpln Literatur in die Nähe von Lk, Apg

---

52)   Vgl. ebd. 25.

53)   Eusebius HE 2, 22, 1f; ed. E.SCHWARTZ, GCS 9/1, 162. Vgl. HOLTZ-
      MANN, Past 38.

54)   Ebd. 37-45.

55)   Ebd. 49. Anders F.R.M.HITCHCOCK, The Pastorals and a Second
      Trial of Paul: ET 41(1929f.)20-23.

56)   HOLTZMANN, Past 54ff, 65-83.

57)   Ebd. 86ff.

58)   Ebd. 88-91.

59)   Ebd. 91.

und Hebr[60]. Dabei charakterisierte er den Verfasser als "secundären Schrift-
steller und pedissequus Pauli"[61], zu dessen Vorbildern nicht nur die echten
Briefe des P, sondern sämtliche unter seinem Namen in Umlauf gesetzte
Schriften einschließlich des Eph gehören[62].

Die Past sind ferner, nach HOLTZMANNs Erkenntnis, zur Gänze nachpln
Schriften, während ihm die Vorstellung von der Verwendung kleinerer, authentischer pln Schreiben bei der Erstellung der unechten Briefe (Fragmentenhypothese) schwer nachvollziehbar ist. Die persönlichen Notizen der Past erklären
sich ihm meist als Nachbildung pln bzw. lk Stellen; sie geben ihren sekundären
Charakter jedoch durch ihre Widersprüchlichkeit zu erkennen[63]. Im Anschluß
an SCHLEIERMACHER[64] hält HOLTZMANN nähere Auskünfte über die Person
des Verfassers für unmöglich und müßig[65], versucht ihn jedoch zeitlich etwa
zwei Menschenalter nach dem Tod des P anzusiedeln[66]. Er versteht die Past
als das Produkt der 1. Hälfte des 2. Jahrhunderts, somit einer Zeit entstam-
mend, in welcher nicht mehr der Judaismus, sondern die andrängende Gnosis
das Problem für die Kirche gewesen ist[67], und die Geschichte des ntl. Kanons
bereits begonnen hat[68]. Auf Grund der gegenüber P weniger hebraisierenden
Sprache sucht HOLTZMANN den Verfasser der Past in heidenchristlichen Kreisen[69], am ehesten in Rom, von wo aus der 2 Tim ja auch geschrieben sein
will (vgl. 2 Tim 1,17)[70]. HOLTZMANN beurteilt 1 Klemens und die Past als
Erzeugnisse derselben Werkstätte, wenngleich zu verschiedenen Zeiten und von
verschiedenen Meistern ausgearbeitet[71].

Neben diesen historischen Erkenntnissen beeinflußt HOLTZMANN auch das
theologische Urteil der Folgezeit: Er gesteht dem unbekannten Verfasser zu,
in guter Absicht gehandelt zu haben, um manch echt Christlichem eine höhere

---

60) Ebd. 91-118.

61) Ebd. 109.

62) Ebd. 110.

63) Ebd. 119-126.

64) Vgl. SCHLEIERMACHER, 1 Tim 236: "Was aber die Person des Ver-
     fassers betrifft, so wäre es wol(!) lächerlich etwas darüber festsezen(!)
     zu wollen".

65) HOLTZMANN, Past 274.

66) Ebd. 277.

67) Ebd. 157f.

68) Ebd. 266.

69) Ebd. 274f.

70) Ebd. 271.

71) Ebd. 259.

Autorität zu verschaffen[72], wobei er das literarische Verfahren der Pseudonymität in der antiken Literatur als nicht befremdend einstuft[73]. Zusammen
mit seinem Bruder O.HOLTZMANN[74], ohne dessen Vorarbeiten sein eigenes
Werk nicht zustande gekommen wäre[75], hält er den religiösen Wert der Past
für "völlig unabhängig" von der Frage ihrer Entstehung[76], doch beeinflußt
der von ihm konstatierte n a c h pln Charakter der Past sein eigenes theologisches Urteil nachhaltig. Er zeiht den Verfasser der "Abflachung der paulinischen Gedankenwelt" und spricht von einem "kirchlich verfestigten und katho-
lisch temperirten (!) Paulinismus"[77]. Dieser "epigonenartige Paulinismus"[78]
sei wohl oft aus pln Formeln zusammengesetzt, aber es fehle ihnen der pln
Sinn und Geist[79], ja er sei bisweilen "nichts weniger als antipaulinisch"[80].
Während nach HOLTZMANNs Urteil in den Past die theologische Lehre des P,
die pln Dialektik und Argumentation zurücktreten und jedes tiefere Eindringen
in die Eigentümlichkeit des pln Lehrbegriffes fehle, liege ihr Wert auch weniger in ihrem Paulinismus als in ihrer homiletischen und katechetischen Orientierung, wobei sie darin manchem Kapitel der echten Briefe überlegen seien[81].
Trotz ihrer in den kirchlichen Strukturen vielfach katholisierenden Tendenz[82]
seien die Past jedoch auch dem Protestantismus wertvoll, z.B. durch die Konsolidierung des auch für die protestantischen Kirchen grundlegenden Lehramtes
und vor allem dadurch, daß die von den Past "empfohlene Rechtgläubigkeit
doch überall unmittelbar in praktische Frömmigkeit übergeht"[83].
Trotz seiner im einzelnen oft zu korrigierenden Ergebnisse ist HOLTZMANN
doch auch für das gegenwärtige kritische Urteil über die Past bestimmend geworden.

---

72) Ebd. 276.

73) Ebd. 276.

74) Vgl. auch O.HOLTZMANN, Der zweite Timotheusbrief und der neueste,
    mit ihm vorgenommene Rettungsversuch: ZWTh 26(1883) 45-72.

75) HOLTZMANN, Past IV.

76) So die 6.These O.HOLTZMANNs bei seinem Vortrag vor dem wissen-
    schaftlichen Predigerverein in Karlsruhe am 16.6.1877, mitgeteilt bei
    HOLTZMANN, Past IV-VI; Zitat VI.

77) HOLTZMANN, Past 159.

78) Ebd. 159.

79) Ebd. 166, 175.

80) Ebd. 181.

81) Ebd. 281f.

82) Ebd. 277-280.

83) Ebd. 280.

Bevor jedoch die Kritik und die neuere Forschungsgeschichte weiter verfolgt werden können, ist zuvor bereits einmal die Gegenseite zu hören. Sie hat sich auf katholischer Seite durch das kirchliche Lehramt artikuliert, ohne daß diese Erklärung nur für den Katholizismus repräsentativ wäre. Da die Erklärung der Bibelkommission jedoch zu einem beachtlichen Teil auch den gewissen Nachholbedarf der katholischen Bibelwissenschaft im Hinblick auf die positiven Möglichkeiten einer Auslegung der Past als nachpln Schreiben mitverantwortet, sei sie hier näher mitgeteilt.

b) Reaktion

Die päpstliche Bibelkommission nahm in ihrer Erklärung vom 12. Juni 1913[84] neben Fragen zur Abfassung und historischen Wahrheit der Apg auch zu den Past Stellung. Darin wird
e r s t e n s gegen den Versuch "gewisser Häretiker", die Past als ihrer Lehrmeinung entgegenstehend und ohne dargelegten Grund aus der Zahl der pln Briefe zu streichen, festgehalten, daß die Past entsprechend der alten, universalen und festen kirchlichen Tradition als v o n P s e l b s t g e s c h r i e b e n und als genuin und bleibend kanonisch zu bewerten sind[85].
Z w e i t e n s werden die verschiedenen Formen der F r a g m e n t e n h y p o t h e s e, welche von den neueren Kritikern erfunden und verschieden vorgebracht werden und welche übrigens keinen probablen Grund haben und zudem unter sich streiten, zurückgewiesen. Die Past als pln Brieffragmente oder als Überreste verlorener P-Briefe zu erklären, welche später von unbekannten Autoren zusammengestellt und merklich vermehrt worden wären, bedeutet, irgendein schnelles V o r u r t e i l gegen das deutliche und ganz sichere Zeugnis der Tradition zu stellen[86].
D r i t t e n s wird ausdrücklich v e r n e i n t, daß die S c h w i e r i g k e i t e n, welche gewöhnlich aus dem Stil und der Sprache des Autors, aus den Irrtümern besonders der Gnostiker, oder aus dem schon als entwickelt angenommenen Stand der kirchlichen Hierarchie vorgebracht werden, die A u t h e n t i z i t ä t der Past in irgendeiner Weise a b s c h w ä c h e n [87].
V i e r t e n s [88] wird nicht minder aus historischen Gründen wie aus der kirchlichen Tradition sowie aus den Indizien selbst, wie sie aus dem abrupten Abbruch der Apg und den in Rom geschriebenen P-Briefen und besonders aus

---

84)   Text s. AAS 5(1913) 292f.

85)   Vgl. ebd. 292.

86)   Vgl. ebd. 292f.

87)   Vgl. ebd. 293.

88)   V (ebd. 293) ist offensichtlicher Druckfehler für IV!

dem 2 Tim leicht eruiert werden können, die Ansicht von der zweifachen
römischen Gefangenschaft des P für sicher erklärt und der Zeitraum
von der Befreiung aus der ersten Gefangenschaft und dem Tod des Apostels
für die Abfassungszeit der Past bestimmt.

Durch diese von L.JANSSENS unterzeichnete Erklärung[89] des kirchlichen
Lehramtes unter Pius X. waren der katholischen Forschung die Hände nachhaltig gebunden. Dadurch wurde die Kritik an den Past zu einer außerkatholi-
schen Domäne und erhielt dort ihre Argumente und ihre Darstellung, während
die katholische Bibelwissenschaft auf die Widerlegung der Kritik festgelegt war.
Dabei wollte die Erklärung der Bibelkommission in ihrer Antwort sicherlich
nicht ein besseres Verständnis der Past unterbinden, sondern war bestimmt
von der Sorge um deren Wertschätzung. Diese Intention wurde jedoch in zu
traditioneller Weise mit der Authentizität verknüpft. Diese Verkettung führte
dazu, daß das Problem einer möglichen Pseudonymität bzw. Pseudepigraphie
im Kanon nicht in genügender Weise ausgesprochen werden konnte. Dadurch
fehlte im katholischen Bereich zu lange jede Reflexion über die Vereinbar-
keit dieser Literaturgattung mit der Bibel, und freie historisch-kritische Forschung an den Past war a priori verdächtig. Erst "Divino afflante spiritu" er-
löste die katholische Bibelwissenschaft aus diesem verhängnisvollen Zustand[90].

c) Auswirkungen

Die Antworten der Bibelkommission hatten langfristige Auswirkungen auf die
katholische Auslegung der Past. Meist ist es nur die Art und Weise, wie die
Gegenargumente besprochen werden, welche auch unter den katholischen Exegeten ein weiterentwickeltes Problembewußtsein zeigt. So findet es schon F.
MAIER schwer, "der negativen Kritik den giftigen Stachel zu nehmen"[91], anderseits bedeutet ihm auch "die vielgepriesene Pseudonymität... nicht das
Allheilmittel, um ntl Probleme zu lösen."[92]
Diese vorsichtige Grundstimmung hält im allgemeinen[93] bis in die neuesten
katholischen Einleitungen und Forschungsberichte an. So berichtet K.H.

---

89)   Ebd. 293.

90)   Nach dem Brief der Bibelkommission vom 16.1.1948 möchten die frühe-
       ren Antworten einer erneuten wissenschaftlichen Prüfung nicht im Wege
       stehen. Vgl. dazu z.B. J.DUPONT, A propos du nouvel enchiridion
       biblicum: RB 62(1956) 414-419; 415; E.VOGT, De decretis commissionis
       biblicae distinguendis: Bib. 36(1955) 564f.

91)   Vgl. F.MAIER, Die Hauptprobleme der Pastoralbriefe Pauli, BZfr 3/12,
       Münster 1910, 27.

92)   Ebd. 52.

93)   Vgl. jedoch J.SCHMID, Zeit und Ort der paulinischen Gefangenschafts-
       briefe. Mit einem Anhang über die Datierung der Pastoralbriefe, Frei-
       burg 1931, 148f.

SCHELKLE von den zunehmenden Andeutungen katholischer Exegeten, "daß ihnen die Frage unbeantwortet scheint, in welchem Verhältnis die Pastoral- briefe zu Paulus stehen. Die Annahme nachpaulinischer Entstehung wird auch von ihnen zunehmend vertreten. Dabei tun sich freilich nicht wenige Fragen auf, die noch vieler Überlegung und Erörterung bedürfen"[94]. In Abwägung aller Momente "muß man doch wohl zum Ergebnis kommen, daß die Pastoral- briefe schwerlich in gleich unmittelbarem Verhältnis zu Paulus stehen können wie die großen Paulusbriefe"[95], wobei SCHELKLE zur Frage stellt, ob sie ein Schüler im "Auftrag des Paulus gefertigt" hat, oder ob ein Späterer spricht, "der sich des Mittels der Pseudepigraphie bedient"[96].

Über den aufgeworfenen Fragen bleibt die katholische Exegese allzulange un- schlüssig und praktiziert eine Art Stillhalteabkommen. R.SCHNACKENBURG, welcher die Eigenart der Past durchaus betont, läßt jedoch "den schwierigen Fragenkomplex der Entstehung und literarischen Eigenart lieber beiseite"[97]. Charakteristisch ist auch die Auskunft von L.CERFAUX, der keinen Grund sieht, von der Entscheidung der Bibelkommission abzuweichen, jedoch in rein wissenschaftlichen Arbeiten die Past nicht ohne Umsicht für verwendbar hält[98]. Dem "weisen und bescheidenen Urteil" von L.CERFAUX schließt sich auch B. RIGAUX in seinem Forschungsbericht an[99].

Soweit ich sehe, war E.PAX der erste katholische Autor, der, durch besondere sprachwissenschaftliche Studien geschult, in seiner Untersuchung zum Begriff der Epiphanie[100] nach Abwägung aller theologischen und sprachlichen Krite- rien zum Ergebnis kommt, "daß ein Schüler oder Freund des Apostels etwa eine

---

94)   SCHELKLE, NT 185.

95)   Ebd. 189.

96)   Ebd. 190.

97)   R.SCHNACKENBURG, Die Kirche im NT, QD 14, 3.Aufl. Freiburg
       1961, 86. Vgl. auch Ders., Ntl. Theologie. Der Stand der Forschung,
       BiH 1, 2.Aufl. München 1965, 125.

98)   Vgl. L.CERFAUX, Les épîtres pastorales, in: A.ROBERT-A.FEUILLET
       (Hg.), Introduction à la Bible 2, Tournai 1959, 515-530; 529: "Il y a
       lieu cependant, dans les travaux de pure érudition, de ne pas utiliser les
       Pastorales sans la prudence voulue, soit qu'il s'agisse de définir la
       théologie de l'Apôtre, soit qu'on veuille reconstruire l'histoire du
       christianisme primitif."

99)   B.RIGAUX, Paulus und seine Briefe. Der Stand der Forschung, BiH 2,
       München 1964, 154.

100)   Vgl. E.PAX, ΕΠΙΦΑΝΕΙΑ. Ein religionsgeschichtlicher Beitrag zur
       biblischen Theologie, MThS 1/10, München 1955.

Generation später die Briefe verfaßt haben wird"[101]. PAX deckt jedoch seine faktische Erklärung der Unechtheit der Past sofort durch den Nachsatz ab: "Da sie also unter der Autorität des Apostels, zumindest aber in seinem Geiste geschrieben sind", können sie "als dem Corpus Paulinum zugehörig betrachtet werden"[102].

Trotz dieses wichtigen Ergebnisses von PAX vermißt man in der Folgezeit noch lange katholische Kommentare, welche den nachpln Ansatz in der Gesamtinterpretation der Past durchführen. Erst Th.C.de KRUIJF[103], F.J.SCHIERSE[104] und N.BROX[105] waren die ersten katholischen Kommentatoren, welche unabhängig voneinander in ihrer Erklärung nicht mehr die Echtheit der Past voraussetzen.

3. Ausbau der Argumentation

a) Die Sprache der Past

Das Hauptgewicht in der Frage nach der Echtheit der Past trägt der sprachliche Befund. Aus diesem Grund konzentrierte sich die Kritik vor allem auf die Sprache der Past, aber auch die Verteidigung der Echtheit leistete auf diesem Feld Beachtliches. Nach H.J.HOLTZMANN untersuchte P.N.HARRISON[106] ausführlich das Problem der Past und zeigte dabei den Unterschied ihrer Sprache von der des P auf, indem er z.B. auf den geringen Gebrauch der Partikeln und die bei P nicht vorkommenden Worte der Past hinwies[107]. Auf Grund seiner Studien suchte HARRISON den Verfasser der Past, den er als einen devoten, ehrlichen und aufrichtigen Paulinisten bezeichnet, im 2. Jahr-

---

101)   Ebd. 250.

102)   Ebd. 250.

103)   Th.C.de KRUIJF, De pastorale brieven, Roermond-Maaseik 1966.

104)   F.J.SCHIERSE, Die Pastoralbriefe, WB 10, Düsseldorf 1968. Vgl. auch dessen Referat auf der Neutestamentler-Tagung in Würzburg 1959. Vgl. dazu den Bericht in VD 37(1959) 306.

105)   BROX, Past (1969).

106)   Vgl. P.N.HARRISON, The Problem of the Pastoral Epistles, Oxford 1921; Ders., Important Hypotheses Reconsidered. The Authorship of the Pastoral Epistles: ET 67(1955f.) 77-81; Ders., Paulines and Pastorals, London 1964.

107)   Vgl. HARRISON, Paulines 16f, 22f. Vgl. dazu auch KÜMMEL, Einleitung 327f.

hundert, näherhin in den späten Jahren des Trajan oder in den frühen des Hadrian, anzusiedeln. Nach HARRISON kannte der Verfasser jeden der 10 Paulinen, hatte aber darüber hinaus noch Zugang zu einigen persönlichen Notizen des P, welche er in seine eigene Schöpfung einbaute[108].

HARRISONs statistische Methode allerdings stieß auf beträchtlichen Widerstand, weil die beschränkte Kenntnis der Literatur des 1. Jahrhunderts keine exakte sprachwissenschaftliche Ortung eines Einzeltextes zulasse, zu späte Texte als Parallelen beigezogen seien und Computer und Diagramme der semantischen Evolution einer lebendigen Sprache nicht Rechnung tragen können[109]. W. MICHAELIS kritisierte an HARRISONs imponierenden Resultaten die angewandte Methode, welche die falschen Zahlen vergleiche und deswegen zwar eindeutige, aber unrichtige Ergebnisse produziere[110]. In der Tat verglich HARRISON für seine Diagramme zu mechanisch das durchschnittliche Vorkommen der Hapaxlegomena einzelner Textseiten statt ganzer Briefe miteinander[111] und setzte sie damit im Verhältnis zum Gesamtwortbestand eines Textes in ein falsches Licht. Dagegen wies MICHAELIS darauf hin, daß die Hapaxlegomena sich recht ungleich über die Past verteilen und deswegen nicht vom Wortschatz des Verfassers, sondern von der jeweils verschiedenen Situation her erklärt werden müßten[112]. Seine Einwände führen MICHAELIS letztlich zum Verdikt, daß HARRISONs statistisches Verfahren, das mit dem Anspruch auf mathematische Sicherheit auftritt, versagt, weshalb er davor warnt, den Wert statistischer Untersuchungen zur Sprache der Past zu überschätzen[113]. Auch SPICQ gehört zu den Kritikern der sprachlichen Kritik. Er bemängelt an der Darstellung HARRISONs, welcher die Sprache der Past in das 2. Jahrhundert rücken möchte[114], die Vernachlässigung der LXX[115]; er reduziert dessen

---

108) Vgl. HARRISON, Paulines 13.

109) Vgl. die Kritik bei SPICQ, Past 183f.

110) Vgl. W. MICHAELIS, Pastoralbriefe und Wortstatistik: ZNW 28(1929) 69-76.

111) Vgl. dazu auch KÜMMEL, Einleitung 328.

112) Vgl. MICHAELIS, Past und Wortstatistik 72ff.

113) Ebd. 75f.

114) Vgl. HARRISON, Paulines 17ff, passim.

115) Vgl. SPICQ, Past 186, unter Hinweis auf D. GUTHRIE, The Pastoral Epistles and the Mind of Paul, London 1956, 12. (Dieser Titel war mir leider nicht greifbar). Vgl. jedoch Ders., The Pastoral Epistles, London 1957 (1964); Ders., NT Introduction, 3. Aufl. London 1970, 584-634; 600.

Liste der Hapaxlegomena durch den Hinweis auf verwandte Wörter[116] und kommt so in den Past schließlich auf ein Minimum von in der biblischen Literatur völlig ungewohnten Ausdrücken[117]. Diesem Faktum sei aber angesichts der in jedem authentischen Brief verschiedenen linguistischen Eigenheiten kein besonderes Gewicht beizumessen, sondern es erkläre sich aus der psychologischen und lehrmäßigen Entwicklung des P und den neu gestellten Themen[118]. Hinsichtlich der Past verschärfe sich die auch sonst konstatierbare Differenz zwischen den einzelnen pln Briefen noch dadurch, daß die neue Sprache und Umgebung die Ausdrucksweise des alternden P geformt habe. Die von M. HITCHCOCK[119] aufgezeigten latinistischen Einflüsse der Past erklären sich nach SPICQ aus der römischen Gefangenschaft des P, aus seinen Missionsplänen für Spanien und der besonderen Eignung des Lateinischen für Organisationsfragen, also auch für die kirchliche Organisation[120].

Nicht zuletzt ist für SPICQ die Eigenheit der Sprache der Past aus ihrer Adresse an Mitarbeiter bedingt, denen gegenüber der Stil notwendigerweise ein technischer sei, so daß seiner Ansicht nach so ziemlich alles Unterschiedliche der Past aus den neu behandelten Gegenständen und von den neuen Situationen her verständlich wird[121]. Obwohl SPICQ Stil und Vokabular als das einzig gewichtige Argument gegen die Authentizität bezeichnet[122], hält er eine statistische Auswertung der Sprache für die Verfasserschaftsfrage letztlich für unzulässig, weil dies eine Vermengung von Geschichte und Psychologie mit Logik und Mathematik darstelle[123].

Auch B.M.METZGER[124] äußerte Bedenken gegen die Anwendung der statistischen Methode für die Klärung der Autorfrage der Past. METZGER formu-

---

116)   Vgl. SPICQ, Past 186.

117)   Ebd. 187.

118)   Ebd. 188. Vgl. dazu auch F.TORM, Über die Sprache in den Pastoral-
        briefen: ZNW 18(1917f.) 225-243.

119)   Vgl. M.HITCHCOCK, Latinity of the Pastorals: ET 39(1927f.) 347-
        352.

120)   Vgl. SPICQ, Past 191-194.

121)   Ebd. 194.

122)   Ebd. 179.

123)   Ebd. 197.

124)   Vgl. B.M.METZGER, A Reconsideration of Certain Arguments Against
        the Pauline Authorship of the Pastoral Epistles: ET 70(1958) 91-94.

lierte seine Kritik unter Hinweis auf den Statistiker G.U.YULE[125], nach welchem ein statistisch verläßliches Resultat erst ab einer Summe von 10.000 Wörtern gegeben sei, während die Past mit einer Totalsumme von 3482 Wörtern[126] weit unter dieser Norm liegen. Abgesehen von der Untersuchungs- menge seien aber auch in der Statistik Toleranzen hinsichtlich des behandel- ten Subjektes und der literarischen Form geltend zu machen[127].
Tatsächlich wurde die statistische Methode im einzelnen oft recht unkontrol- liert angewandt. So wollten A.Q.MORTON und J.MACLEMAN[128] auf Grund der Frequenz des καί als einer im Stil griechischer Autoren relativ konstan- ten Größe auch den ntl. Autorfragen beikommen. Jedoch erwiesen sich in die- ser Untersuchungsmethode nur 1/2 Kor, Gal, Röm und möglicherweise auch Phlm als authentisch[129], so daß dieses Verfahren großer Zurückhaltung und Kritik begegnete[130], besonders deswegen, weil das gewählte Kriterium zu mechanisch war und die Abgrenzung griechischer Sätze[131] infolge der scriptio

---

125)   G.U.YULE, The Statistical Study of Literary Vocabulary, Cambridge 1944, 281. Nach METZGER, Reconsideration 93f.

126)   Nach R.MORGENTHALER, Statistik des ntl. Wortschatzes, Zürich 1958, 23.

127)   METZGER, Reconsideration 93f.

128)   Vgl. A.Q.MORTON-J.MACLEMAN, Christianity and the Computer Age, London 1964. Nach SPICQ, Past 197. Vgl. auch M.LEVISON-A.Q. MORTON-W.C.WAKE, On Certain Statistical Features of the Pauline Epistles: PhJ(E) 3/2(1966) 129-148; S.MICHAELSON-A.Q.MORTON, Last Words. A Test of Authorship for Greek Writers: NTS 18(1971f.) 192-208.

129)   Vgl. SPICQ, Past 197.

130)   Zur sehr breiten Diskussion vgl. z.B. E.HALSALL, Hunt the Author. Statistics, Literature and St. Paul: WisR 238(1964) 131-137; R. SCHIPPERS, Paul and the Computer: ChrTo 9(1964) 223-225; H.K. MCARTHUR, Computer Criticism: ET 76(1965) 367-370; Ders., A Further Note on Paul and the Computers: ET 77(1966) 350; M.C. NIEBOER, The Statistical Analysis of A.Q.MORTON and the Authenticity of the Pauline Epistles: CTJ 5(1970) 64-80; J.R.MOORE, Computer Analysis and the Pauline Corpus. A Case of Deus ex Machina: BS 130 (1973) 41-49; P.F.JOHNSON, The Use of Statistics in the Analysis of the Characteristics of Pauline Writing: NTS 20(1974) 92-100.

131)   So betrachtet W.C.WAKE, Sentence-Length Distribution of Greek Authors: Journal of the Royal Statistical Society. Ser.A 12(London 1957) 331-346, die Satzlänge bei griechischen Autoren als ein objektives Kriterium zur Bestimmung der Autorschaft. Vgl. ebd. 345.

continua vor allem eine Entscheidung der H e r a u s g e b e r darstellt und somit nicht als sicheres stilistisches Kennzeichen der A u t o r e n gelten kann[132].

Doch ließ sich mit solch berechtigter Kritik der eigenartige sprachliche Befund
der Past nicht aus der Welt schaffen und auch die statistische Methode wurde
für die Anwendung in Verfasserschaftsfragen noch weiter reflektiert und ver-
feinert.
So ersetzten K.GRAYSTON und G.HERDAN[133] HARRISONs inadäquate Methode
der Wort- und Seitenzählung dadurch, daß sie die Sondergutvokabeln und die
allen Teilen gemeinsamen Worte mit dem Grundvokabular eines zu untersuchen-
den Textes verglichen. Die dadurch gewonnenen Verhältniszahlen erwiesen sich
innerhalb der Past als relativ konstant, was eine Homogenität in der Benützung
des Vokabulars bedeute. Durch diesen Befund unterscheiden sich die Past bemerkenswert von den katholischen Briefen, die in dieser Untersuchungsmethode
eine deutliche Verschiedenheit des Stils aufweisen, was möglicherweise auch
eine verschiedene Autorschaft impliziert[134]. Die für die Past und P errechne-
ten Zahlen zeigen einen sehr geringen Vokabelzusammenhang der Past mit P,
was sichtlich für die Hypothese einer nichtpln Autorschaft spricht[135]. Besonders deutlich wird dieses Ergebnis erst, wenn man auch die Längen der ver-
glichenen Texte in Rechnung setzt und die Logarithmen von Wortschatz und Textlänge errechnet, wobei die Werte der Past im einzelnen und auch zusammen
erheblich von den pln Werten abweichen[136].
Wie MORGENTHALER[137] sind auch GRAYSTON und HERDAN in der Formulierung ihres Verfasserschaftsurteiles von statistischen Beobachtungen her vor-
sichtig. Aus der Wortstatistik ist nicht mehr zu entnehmen, als daß der Stil
der Past erheblich von den übrigen Paulinen abweicht. Wie weit aus dem statistischen Befund Urteile über die Verfasserschaft gewonnen werden können,
hängt weitgehendst davon ab, welchen Stellenwert man - aus nichtstatistischen
Überlegungen - dem Stil in der menschlichen Personalität zuerkennt[138]. Statistische Befunde können jedoch auf jeder Ebene sprachwissenschaftlicher Untersuchung den Evidenzgrad von Hypothesen berechnen[139].

---

132)   Schon die Zählung innerhalb des Röm differiert von 361 bis 578 Sätzen.
       Vgl. die Belege bei SPICQ, Past 198 Anm. 1.

133)   Vgl. K.GRAYSTON-G.HERDAN, The Authorship of the Pastorals in the
       Light of Statistical Linguistics: NTS 6(1959) 1-15.

134)   Ebd. 8f.

135)   Ebd. 10.

136)   Ebd. 12f.

137)   Vgl. MORGENTHALER, Statistik 39.

138)   Vgl. GRAYSTON-HERDAN, Authorship 14f.

139)   Vgl. z.B. G.HERDAN, The Calculus of Linguistic Observations, (Janua
       Linguarum Series Maior 9), 'S-Gravenhage 1962, 17.

Bei aller Einschränkung und Bescheidung in bezug auf den Beweiswert der statistischen Ergebnisse bleibt der sprachliche Befund doch das praktikabelste und objektivste Kriterium, das die Besonderheit der Past gegenüber P vor Augen führen kann[140]. Mit einem Gesamtwortbestand von 3484 Wörtern[141] weisen die Past eine Sondergutwortzahl von 335 auf, das sind über 50 mehr als im doppelt so langen Röm. Diesem positiven Unterschied gegenüber P entspricht auch der negative Befund, daß in den Past zahlreiche kurze Wörter, welche von P sonst häufig verwendet werden, fehlen[142], wobei besonders ins Gewicht fällt, daß solche Wörter meist unterbewußt verwendet werden. Dazu kommt, daß P und die Past für die gleiche Sache verschiedene Begriffe verwenden oder Begriffe, die bei P überhaupt nicht vorkommen, in den Past häufig verwendet werden[143], von den theologischen Eigentümlichkeiten ganz zu schweigen.

Das wortstatistische Material wurde noch durch weitere Untersuchungen zum Stil der Past ergänzt[144]. So zeigte K.BEYER, daß sich das Verhältnis von griechischen und semitisierenden Konditionalsätzen in den Past gegenüber den P-Briefen eindeutig zugunsten der Graezismen verschoben hat und die Past 10-20 mal soviele Graezismen aufweisen wie P[145]. Will man diese Besonderheiten nicht aus der Weite des pln Denkens und Stils, dem Alter des P u.ä. erklären, ist nur mehr mit der Möglichkeit einer nichtpln Verfasserschaft zu rechnen[146]. Mit den sprachlichen Beobachtungen allein läßt sich allerdings noch wenig über die zeitliche und sachliche Nähe bzw. über den Abstand der Past von P ausmachen. Der erste sprachliche Befund aber rechtfertigt bzw.

---

140) Vgl. dazu bereits das ausgewogene Urteil von Th.NÄGELI, Der Wortschatz des Apostels Paulus. Beitrag zur sprachgeschichtlichen Erforschung des NT, Göttingen 1905, 85f.

141) Nach MORGENTHALER, Statistik 38. Die hier angegebene Totalsumme differiert unerheblich von der ebd. 23 genannten.

142) Vgl. die Zusammenstellung bei KÜMMEL, Einleitung 329.

143) Vgl. ebd. 329.

144) Sie wurden bereits durch W.NAUCK, Die Herkunft des Verfassers der Pastoralbriefe. Ein Beitrag zur Frage der Auslegung der Pastoralbriefe, Diss.masch. Göttingen 1950, 24, gefordert.

145) Vgl. K.BEYER, Semitische Syntax im NT 1/1, 2.Aufl. Göttingen 1968, 232, 294f, 298.

146) Anders jedoch J.J.O'ROURKE, Some Considerations about Attempts at Statistical Analysis of the Pauline Corpus: CBQ 35(1973) 483-490. Nach O'ROURKE sind wortstatistische und stilistische Argumente unkorrekt und nicht stichhältig.

fordert sogar den Versuch, entschieden in Richtung auf den nichtpln bzw. pseudepigraphen Charakter der Past weiterzufragen[147].

b) Verteidigung der Echtheit

Trotz des in der Kritik so massiv herausgestellten Unterschiedes zwischen P und den Past führte die Sorge um ihre Kanonizität - auch in nichtkatholischen Kreisen - zu einer verstärkten Verteidigung ihrer Echtheit[148]. Die dafür aufgebotenen Arbeiten waren enorm, denn weder unter der Voraussetzung der Authentizität noch der Pseudonymität bzw. Pseudepigraphie ließen sich die aufgebrochenen Fragen endgültig und eindeutig bereinigen. Hand in Hand mit den philologischen Vergleichen gingen auch die historischen Fragen zur möglichen nichtpln Autorschaft und vor allem die Fragen einer theologischen Wertung. So kam es auf Grund der weitverzweigten Probleme bis heute zu keiner abgerundeten und allgemein akzeptablen Lösung im Verständnis der Past, ja ihr Rätsel erschien bisweilen als so groß, daß es kategorisch und bleibend für unlösbar erklärt wurde[149]. Diese erklärte Unlösbarkeit führte allerdings nicht zu einer Kapitulation in der Forschung, sondern eher noch zu einer Radikalisierung auf beiden Fronten der Diskussion.
W.MICHAELIS, der schon die Anwendung der statistischen Methode kritisiert hatte[150], führte auch auf anderem Wege die Diskussion zugunsten der Echt-

---

147) Bezeichnend ist vielleicht die Haltung von J.JEREMIAS, der nach einem langen Kampf für die Echtheit der Past davor warnt, den Wert der Statistik zu überschätzen und dem doch gerade wieder die sprachlichen Beobachtungen darauf hindeuten, daß in den Past eine andere Hand die Feder geführt hat als in den älteren P-Briefen. Vgl. J.JEREMIAS-A. STROBEL, Die Briefe an Timotheus und Titus. Der Brief an die Hebräer, NTD 9, 11.Aufl. Göttingen 1975, 6.

148) Auf eine ausführliche Darstellung der früheren Kommentare und Studien kann verzichtet werden. Vgl. dazu die umfangreiche chronologische Bibliographie bei SPICQ, Past 17-27.

149) So A.v.HARNACK, Die Briefsammlung des Apostels Paulus und die anderen vorkonstantinischen Briefsammlungen, Leipzig 1926, 14: "Das Rätsel, das über diesen Briefen (sc. den Past) schwebt, hat noch niemand wirklich gelöst und ist auch mit unseren geschichtlichen Hilfsmitteln unlösbar".

150) Vgl. S. 29.

heit der Past weiter[151]. Dabei stützte er sich auf Untersuchungen zur Chronologie der Vita Pauli, die er aus dem Itinerar des P und seiner Mitarbeiter zu rekonstruieren suchte[152]. Der Angelpunkt der Argumentation für die Echtheit der Past liegt in seiner These von der ephesinischen Gefangenschaft des P, welcher er die Gefangenschaftsbriefe zuordnet. Durch die Frühdatierung der Gefangenschaftsbriefe versucht MICHAELIS, Raum zu schaffen für die Abfassung der Past in römischer Gefangenschaft, jedoch jenseits von Apg 28,31. Damit soll der äußeren Kritik aus den unvereinbaren Situationsangaben der Past und Apg der Boden entzogen werden[153]. Die inneren Gründe allein sind ihm dann nicht mehr stark genug, um die Situationsangaben der Past für fiktiv erklären zu können[154].

Anders als MICHAELIS versuchte der Philologe G.THÖRNELL[155], die Echtheit der Past zu sichern, indem er "ein Hauptargument gegen die Echtheit der Pastoralbriefe", ihre gegenüber den übrigen Paulinen verschiedene sprachliche Form, einer Prüfung unterzieht[156]. Das sprachliche Problem der Past ist nach THÖRNELL nicht durch die Wortstatistik zu bewältigen, sondern erfordert "eine methodische Untersuchung der Disposition, des Zusammenhanges und der Verbindung der Sätze, der Konstruktion und Wortfolge, der Eigentümlichkeiten in der Wortanwendung und -zusammenstellung, schließlich der Stilbrüche und Anakoluthe"[157]. Dabei versucht er zu zeigen, daß der Stil der

---

151) Vgl. W.MICHAELIS, Die Gefangenschaft des Paulus in Ephesus und das Itinerar des Timotheus, NTF 1/3, Gütersloh 1925; Ders., Pastoralbriefe und Gefangenschaftsbriefe, NTF 1/6, Gütersloh 1930.

152) Auch neuerdings wird für die Rekonstruktion der authentischen pln Korrespondenz dieser Weg wieder beschritten. Vgl. A.SUHL, Paulus und seine Briefe, StNT 11, Gütersloh 1975.

153) Vgl. MICHAELIS, Past und Gefangenschaftsbriefe 2f, 155f; Ders., Gefangenschaft 184-187. Ähnlich argumentiert auch wieder SYNNES, Psevdepigrafi 181.

154) Vgl. MICHAELIS, Past und Gefangenschaftsbriefe 158.

155) Vgl. G.THÖRNELL, Pastoralbrevens äkthet, (Svenskt arkiv för humanistiska avhandlingar 3), Göteborg 1931. THÖRNELLs Arbeit ist für Nichtkenner des Schwedischen nur recht ansatzweise zugänglich, weshalb sie im folgenden näher dargestellt wird. Die beste Besprechung bietet P.GÄCHTER: ZkTh 75(1933) 109ff. H.LIETZMANNs Anzeige: ZNW 31(1932) 90, ist zu kurz, um wirklich Einblick zu geben. Ähnliches gilt auch für E.v.DOBSCHÜTZ: ThStKr 104(1932) 121ff.

156) THÖRNELL, Äkthet 7. (Übersetzung vom Verf.).

157) Ebd. 8.

Past mit den Eigentümlichkeiten des P vereinbar ist, wobei vor allem jene Partien des P zu vergleichen sind, in denen er verschiedene spezielle Vorschriften gibt[158]. Im einzelnen bietet THÖRNELL dann eine "Zusammenstellung von negativen und positiven Ausdrücken" (Antithesen)[159], dokumentiert die pln "anknüpfende Wiederholung und Häufung desselben Wortes"[160], die "alternierende Wiederholung und Wiederaufnahme von Gedanken und Formen"[161], das "Streben nach Symmetrie und Klangfiguren"[162] und den "Wechsel und die Konsequenz in der Frage nach der Wortwahl"[163]. Obwohl THÖRNELL sich auch der inhaltlichen Interpretation der Past widmet und einen vollständigen Kommentar bietet[164], geht seine Untersuchung überwiegend von stilistischen Beobachtungen aus und begnügt sich mit dem Aufweis syntaktischer Parallelen. So nützlich nun seine Studie zur Kenntnis des pln Stils auch ist und so sehr sich in seinen stilistischen Untersuchungen auch die Einheit der Past und ihres Verfassers ergibt[165], sein Schluß hinsichtlich der Echtheit der Past gelingt wenig überzeugend. Zum einen nämlich ist THÖRNELLs Auseinandersetzung mit den Echtheitsbestreitern zu pauschal und auch zu polemisch[166], zum anderen ist seine eigene Untersuchungsmethode zu wenig reflektiert. In seinem Stilvergleich zieht er alle P-Briefe einschließlich der Gefangenschaftsbriefe bei und prüft zu wenig die Möglichkeit einer Imitation des pln Stils in den Past. Folglich gilt ihm der Stil der Past als Beweis dafür, daß sie P selber zum Verfasser haben müssen[167]. Die Abweichungen von den übrigen Paulinen erklären sich ihm, wie schon anderen, hinreichend aus der Eigenart und den Adressaten der Past, aus dem fortgeschrittenen Alter des P und schließlich sei auch mit der Möglichkeit zu rechnen, "daß diese Briefe, als an Vertraute des Apostels gerichtet, nicht diktiert, sondern mit eigener Hand geschrieben sind"[168].

---

158) Ebd. 8.

159) Ebd. 11-14.

160) Ebd. 15-27.

161) Ebd. 28-42.

162) Vgl. ebd. 43-56.

163) Ebd. 57-66.

164) Ebd. 67-233.

165) Ebd. 9.

166) Ebd. 1-7, 43.

167) Ebd. 58.

168) Ebd. 8.

Die Arbeit THÖRNELLs, deren breitere Kenntnis für die pln Stilistik durchaus wünschenswert wäre, trägt aus den angedeuteten Mängeln wenig zur Erhärtung der angefochtenen Echtheit der Past bei.

Einen zweiten skandinavischen Beitrag zur Verteidigung der Echtheit bilden die Studien des Kopenhagener Exegeten F.TORM, der sich schon früh der sprachlichen Kritik an den Past widersetzte[169]. TORM versuchte, den Gegensatz zwischen P und den Past durch eine bessere Klassifikation innerhalb des Corpus paulinum zu mildern. Dabei unterschied er vier Gruppen: 1/2 Thess, die vier Großen Briefe, die Gefangenschaftsbriefe und die Past. Durch diese Einteilung wollte er den Variationsreichtum des pln Ausdrucks, die Dominanz bestimmter Worte in der einen Schriftengruppe und ihr Verschwinden in der anderen demonstrieren[170]. Die großen Stilunterschiede in diesen vier Schriftengruppen sind nach TORM aus der "Seelenstimmung" eines "so ausgeprägten Stimmungsmenschen wie Paulus"[171] herzuleiten. Bei dem "großen sprachlichen Variationstalent"[172] des P lassen sich größere Unterschiede von den vier Großen Briefen zu den Gefangenschaftsbriefen als zu den Past feststellen[173], so daß vom sprachlichen Gefälle her keine schwerwiegenden Einwände mehr gegen die Echtheit der Past erhoben werden können[174].
In einer weiteren Abhandlung[175] setzt sich TORM grundsätzlich skeptisch mit dem Phänomen der Pseudonymität in den biblischen Schriften auseinander. Pseudonymität ist ihm aus psychologischen und historischen Bedenken in der ntl. Literatur fast a priori unvorstellbar. Speziell hinsichtlich der Past[176] bleibt TORM die Pseudonymität unverständlich: Es erscheint ihm als besonders gefährlich, unter dem Namen einer so bekannten und literarisch profilierten Persönlichkeit wie der des P - noch dazu so kurz nach seinem Tod - aufzutreten. TORM kann auch nicht sehen, welche Interessen ein pseudonymer Autor damit verfolgen sollte, die er nicht auch im eigenen Namen erreicht hätte, denn Ketzerbekämpfung oder Kirchenordnung bedürfen wohl kaum einer (pseud)-

---

169) Vgl. TORM, Sprache 225-243.

170) Von den ca 2500 Wörtern des P kommt die Hälfte jeweils nur in einem einzigen Brief vor. Vgl. TORM, Sprache 229.

171) Ebd. 241.

172) Ebd. 231.

173) Ebd. 235, 241ff.

174) Vgl. dazu auch F.TORM, Paulus' breve til Timoteus og Titus indledede og fortolkede, 2.Aufl. Kopenhagen 1932, 32-60.

175) Vgl. F.TORM, Die Psychologie der Pseudonymität im Hinblick auf die Literatur des Urchristentums, SLA 2, Gütersloh 1932.

176) Ebd. 47-53.

apostolischen Autorisierung. Weiters spricht nach TORM gegen die Pseudonymität der Past, daß ihnen die Tendenz, den Apostel zu verherrlichen, wie sie in den Apokryphen begegnet, fehle[177]; daß es sich bei den Past um B r i e f e handelt, deren pseudonyme Schöpfung ein besonders entwickeltes Bewußtsein hinsichtlich der Pseudonymität voraussetze[178], und pseudonyme Briefliteratur überhaupt selten sei[179]. Unerklärlich sei auch, daß es d r e i Briefe sind, obwohl der Autor sein Vorhaben auch durch ein einziges Schreiben hätte erreichen können und die Past als pseudonyme Briefe an Einzelpersonen sich selber die kanonische Anerkennung erschwert hätten[180]. Schließlich und vor allem sind es "alle die kleinen, schönen, ganz persönlichen Einzelzüge"[181], welche unter Voraussetzung der Pseudonymität unerklärlich seien, oder der Verfasser der Past sei "als ein hervorragender (52) Künstler zu beurteilen"[182]. TORM aber kann sich keinen pseudonymen Verfasser der Past vorstellen, "der zu gleicher Zeit ein ethischer Reformator der Gemeinde, ein Ketzerbekämpfer und ein Verfasser eines schönen Dramas in drei Akten sein will, - und zwar unter einem fremden Namen schreibend und mit vollem Bewußtsein seine künstlerischen Gaben dazu benützend, den Paulus in raffinierter Weise nachzuahmen, um seine christlichen Brüder zu täuschen. Es scheint mir, daß diese Auffassung der Briefe, sie seien ein mit ethischen Zwecken und mit raffinierter Berechnung erdichtetes Drama in drei Akten, uns eine Verfasserpersönlichkeit vorführt, die psychologisch nicht faßbar ist. Ein so sonderbarer Mensch hat niemals gelebt."[183]

TORMs Bedenken argumentieren zu stark von der Psychologie her, doch stellt er mit seinen Einwänden auch für die heutige Fragestellung zur Pseudonymität einen nicht zu unterschätzenden und unterspielbaren Partner dar. Die Idee von der Authentizität der Past ist jedoch für TORM so fix, daß er sachliche Unterschiede gegenüber P nicht gelten lassen kann[184]. Dieselbe Tendenz verfolgt auch J.KOHL[185], der sich vor allem der Theologie der Past widmet und dabei zeigen möchte, daß sie "durchaus keine 'Seitenlinie' der paulinischen Theo-

---

177)   Ebd. 49.

178)   Ebd. 54.

179)   Ebd. 37ff.

180)   Ebd. 49f.

181)   Ebd. 50.

182)   Ebd. 51f.

183)   Ebd. 52.

184)   Vgl. ebd. 52f.

185)   Vgl. J.KOHL, Verfasser und Entstehungszeit der Pastoralbriefe im Lichte der neueren Kritik, Diss.masch. Wien 1962.

logie bildet..., sondern... ohne große Schwierigkeit mit der der übrigen Paulinen in Einklang gebracht werden kann."[186] Das apologetische Interesse an der Echtheit überwiegt jedoch bei KOHL so stark, daß er die Fragestellung nach der Verfasserschaft nicht wirklich voranbringen kann. Die Past bleiben für ihn gegen alle Kritik eindeutig pln: An der Theologie des P der Past hat sich nichts geändert, sie hat sich nur etwas weiterentwickelt[187].

Das profundeste Werk in der Verteidigung der Echtheit stellt SPICQs umfangreicher Kommentar[188] dar. Doch auch sein Harmonisierungsversuch zwischen P und den Past kann beiden Problemkreisen nicht mehr ganz gerecht werden. Die Past bleiben als authentische Paulinen auch nach SPICQs erneutem Plädoyer fragwürdig. Dennoch behält die Authentizität bis in die neueste Zeit hinein ihre Vertreter[189].

c) CAMPENHAUSENs Polykarpthese

Auch in Richtung auf den nichtpln Charakter der Past wurden weitere Erklärungsversuche unternommen. Am weitesten exponierte sich diesbezüglich H.v. CAMPENHAUSEN mit seiner These, Polykarp von Smyrna sei der Verfasser der Past[190]. CAMPENHAUSEN geht von der ihm völlig und genügend bewiesenen nichtpln Verfasserschaft der Past aus[191]. Entscheidend für seine sichere Annahme der Unechtheit sind dabei nicht die Einzelargumente, welche gegen die pln Verfasserschaft geltend gemacht werden können, "sondern ihre vollkommene, allseitige Konvergenz, der keine Gegengründe von nennenswertem Gewicht entgegenstehen."[192] CAMPENHAUSEN möchte zwar die Möglichkeit nicht absolut ausschließen, daß der Verfasser der Past für gewisse persönliche Angaben echte P-Briefe oder Brieffragmente zur Verfügung gehabt haben könnte, doch ist ihm diese Möglichkeit äußerst unwahrscheinlich. Vielmehr dürften auch die biographischen - sachlich wenig ergiebigen - Notizen auf die

---

186)   Ebd. 62.

187)   Vgl. ebd. 88.

188)   Vgl. SPICQ, Past.

189)   Vgl. z.B. H.RIDDERBOS, De pastorale brieven, Kampen 1967, 19, 31f; G.SCIOTTI, Autenticità, data e luogo di stesura: RBR 7(1972) 11-30; 29f; H.BÜRKI, Der erste Brief des Paulus an Timotheus, Wuppertal 1974, 27, passim; A.COUSINEAU, Les Pastorales, Paris 1976, 22ff; R.A.WARD, Commentary on 1/2 Timothy and Titus, Waco (Texas) 1974, 9-13.

190)   Vgl. CAMPENHAUSEN, Polykarp.

191)   Ebd. 199.

192)   Ebd. 200.

Person des Fälschers zurückzuführen sein, welcher damit seiner Fälschung
einen möglichst überzeugenden Schein des Echten und Ursprünglichen zu geben
versuchte[193]. Obwohl die Briefe, wenn sie nichtpln sind, wenig über die Person des Verfassers aussagen, ist CAMPENHAUSEN zuversichtlich bei einer
näheren Identifizierung des Verfassers, der nach den Aussagen der Briefe in
der Asia, näherhin in Ephesus zu suchen sei, während Kreta, das bis ins 4.
Jahrhundert kirchliches Randgebiet bleibt, dafür nicht in Frage komme. Für
eine Lokalisierung des Autors in Kleinasien spreche ferner auch, daß aus diesem Raum schon sehr früh auch andere Pseudepigrapha, wie 1/2 Petr, Kol und
der sogenannte 3. Korintherbrief in den Acta Pauli, bekannt sind[194].

Keines Beweises bedarf es nach CAMPENHAUSEN, daß der Verfasser der Past
"eine ungewöhnliche, geistig überraschende Persönlichkeit gewesen sein muß".
Doch verglichen mit Ignatius oder mit den Sendschreiben der Apk erscheine er
"als eine etwas blassere, konventionelle Gestalt", als "kein sehr origineller
Geist", nicht nur was seine Anlehnung an P betrifft, sondern auch sonst be-
wege sich der Verfasser "gern in traditionellen Geleisen"[195].
Trotz der Entwicklung der Past in Richtung auf eine "christliche Bürgerlichkeit"[196] und trotz einer antignostisch gemeinten Hervorhebung des schöpfungs-
mäßig Gegebenen und Geordneten bescheinigt CAMPENHAUSEN den Past eine
"lebendige, freie und reine Kraft" und eine "Nähe, in der sie trotz allem zu
gewissen Grundgedanken des Paulus verharren". Dies beweise "ihre geistige
und geistliche Bedeutung" und sei um so erstaunlicher, "je tiefer man sie in
das zweite Jahrhundert heraufrücken muß."[197]
Der Verfasser der Past sei entschiedener Pauliner, denn soviel auch "die paulinische Botschaft... von ihrer ursprünglichen Radikalität... verloren haben
mag - es gibt im zweiten Jahrhundert kein zweites Dokument, das Paulus innerlich noch so nahe stände und bestimmte Tendenzen seiner Theologie so verhältnismäßig rein (211) zum Ausdruck gebracht hätte wie die Pastoralbriefe."[198] CAMPENHAUSEN nennt dafür die "Betonung der Gnade im Gegensatz zu den Werken, die verpflichtende Bedeutung des gegenwärtigen Heils, das
Verständnis des Glaubens in seiner Einheit mit dem sittlichen Tun und anderes
mehr"[199]. Auf Grund seiner antijüdischen Polemik in Tit 1,10 könne der Ver-

---

193) Ebd. 200f.

194) Vgl. ebd. 202, bes. Anm. 16.

195) Ebd. 207.

196) Zu diesem Begriff s. M.DIBELIUS-H.CONZELMANN, Die Pastoralbriefe,
      HNT 13, 4.Aufl. Tübingen 1966, 32f.

197) CAMPENHAUSEN, Polykarp 207.

198) Ebd. 210f.

199) Ebd. 211, unter Hinweis auf R.BULTMANN, Art. Pastoralbriefe: RGG^2 4,
      993-997; 996.

fasser kein Judenchrist gewesen sein[200], sondern erweise sich durch die Wertschätzung frommer Abstammung und Erziehung[201] wahrscheinlich als ein Kind christlicher Eltern[202]. Sein Eintreten für Ordnung und Gemeindeleitung zeige ihn deutlich als einen, "der die Fragen des Amts auch von innen her gesehen und dessen Schwierigkeiten selber erfahren hat"[203].

Da CAMPENHAUSEN sich den Verfasser "am ehesten als Vertreter einer älteren Zeit und Generation vorstellen" möchte[204], geht er hinsichtlich der Ortung des Verfassers und Amtsträgers noch einen Schritt weiter und vermutet hinter ihm schon einen monarchischen Bischof, da es unwahrscheinlich sei, daß die den Apostelschülern empfohlene Sorge für die Gesamtgemeinde nicht auch ein konkretes Amt in der Gegenwart des Verfassers mit im Auge haben sollte[205]. Dabei sei der Bischof der Past noch ein primus inter pares, was ihn von Ignatius und seiner betont monarchischen Stellung unterscheide[206]. Doch gehen die Past im Rückgriff auf die feste apostolische Überlieferung und hinsichtlich der "katholischen" Entwicklung über die Verhältnisse des Ignatius oder der johanneischen Schriften hinaus[207]. Hinsichtlich der kirchengeschichtlichen Ortung und Identifizierung bietet sich CAMPENHAUSEN Polykarp als die bekannteste und am meisten geschätzte Persönlichkeit des angepeilten örtlichen und zeitlichen Raumes an, da Polykarp neben seiner Sorge für die Gemeinde auch eine wichtige Figur in der Auseinandersetzung mit den Gegnern darstelle und darin der Tendenz der Past entspreche[208].

So vieles nun an der grundsätzlichen Überlegung CAMPENHAUSENs in bezug auf die Stellung, wenn auch nicht auf die zeitliche Einordnung des Verfassers richtig ist, so wenig kann ihm unter den gegebenen Verhältnissen der literarische Nachweis seiner These gelingen. Polykarps Philipperbrief als dessen einzig erhaltener literarischer Nachlaß bietet keine Möglichkeit, über einen Auf-

---

200) Nach der These von NAUCK, Herkunft, allerdings stammt der Verfasser "mit völliger Gewißheit" aus dem Judentum. Vgl. ebd. 103ff; Zitat 103.

201) Vgl. 2 Tim 1,3; 3,15.

202) CAMPENHAUSEN, Polykarp 207.

203) Ebd. 208.

204) Ebd. 207.

205) Ebd. 208f.

206) Ebd. 210. Vgl. auch Ders., Kirchliches Amt und geistliche Vollmacht in den ersten drei Jahrhunderten, BHTh 14, 2.Aufl. Tübingen 1963, 117.

207) CAMPENHAUSEN, Polykarp 212.

208) Ebd. 212-216.

weis einer allgemeinen Verwandtschaft in Situation und Sprache hinauszukommen. Bei aller Ähnlichkeit des kirchlichen Milieus und der in beiden Fällen traditionellen Sprache[209] läßt sich keine literarische Verbindung zwischen den Past und Polykarp wahrscheinlich machen. Die sprichwörtliche Wendung in Pol Phil 4,1 (vgl. 1 Tim 6,7.10) war schon bei der Bezeugung[210] als nicht beweiskräftig abzulehnen und muß dies auch für Verfasserschaftsfrage bleiben. Die von CAMPENHAUSEN gezählten vier gemeinsamen Hapaxlegomena[211] gründen in dem gemeinsamen polemischen bzw. katalogischen Kontext. Bemerkenswert ist allein die stilistische Gemeinsamkeit in der Bezeichnung des gegenwärtigen Äons als ὁ νῦν αἰών [212], welche sonst in der frühchristlichen Literatur nicht begegnet[213]. Eine identische Verfasserschaft läßt sich aber durch die ähnliche paränetische Struktur, die breite Entfaltung der Haustafeln, die Einschätzung des kirchlichen Amtes oder die Ketzerpolemik nicht begründen[214], zumal auch Anzeichen dafür vorzuliegen scheinen, daß es sich in beiden Fällen bisweilen um verschiedene Traditionsbearbeitungen handelt[215]. Stilistisch unterscheiden sich die Past und Polykarps Philipperbrief, wie CAMPENHAUSEN selber zugesteht, erheblich: Gegenüber Polykarp "ist die Sprache der Pastoralbriefe wesentlich reicher, flüssiger und gepflegter."[216] Dazu kommt, daß die Past von ihrer Anlage her noch weniger echte Briefe sind als der ohnehin sehr traditionelle Philipperbrief Polykarps, der dagegen eine konkrete Situation erkennen läßt[217].

Die wichtigste Verbindungslinie zwischen den Past und Polykarp besteht für CAMPENHAUSEN in ihrer analogen Stellung zu P: Das "Merkwürdigste an der theologischen Stellung Polykarps" ist sein Wagnis, angesichts der gnostischen

---

209) Vgl. ebd. 220 Anm. 93.

210) Vgl. S. 16.

211) Vgl. CAMPENHAUSEN, Polykarp 222 Anm. 99.

212) Vgl. Pol Phil 5,2; 9,2 mit 1 Tim 6,17; 2 Tim 4,10; Tit 2,12.
Vgl. CAMPENHAUSEN, Polykarp 222f.

213) Vgl. ebd. 223. Vgl. H.KRAFT, Clavis patrum apostolicorum, Darmstadt 1963, 18f.

214) Gegen CAMPENHAUSEN, Polykarp 226-239.

215) Vgl. H.W.BARTSCH, Die Anfänge urchristlicher Rechtsbildungen. Studien zu den Pastoralbriefen, ThF 34, Hamburg 1965, 116, der auf die Verschiedenheit der Witwenregel in Pol Phil 4,3 und 1 Tim 5,3-16 hinweist.

216) Vgl. CAMPENHAUSEN, Polykarp 221.

217) Ebd. 226. Zur Situation von Pol Phil vgl. auch die Teilungshypothese von P.N.HARRISON, Polycarp's Two Epistles to the Philippians, Cambridge 1936, 15.

und besonders marcionitischen Berufung auf P, "gerade diesen Apostel zum bevorzugten Kronzeugen der in der Kirche (241) herrschenden katholischen Lehre zu machen."[218] Auffälligerweise erwähnt Polykarp in seinem relativ kurzen Schreiben P dreimal[219], was sich vor allem durch die äußere Beziehung des Apostels zu dieser Gemeinde erklärt, doch weist CAMPENHAUSEN auch auf die sachliche Gemeinsamkeit in der P-Tradition hin: Er nennt die "stark vereinfachte paulinische Gnadenlehre"[220] und dieselbe theologische Haltung, in welcher P als der "eigentliche Vater des werdenden Katholizismus" erscheint[221], als die Gesichtspunkte, welche seinen Schluß auf gleiche Verfasserschaft nahelegen. Mit dieser ausgesprochenen P-Tradition unterscheiden sich die Past und Polykarp charakteristisch vom johanneischen Schrifttum oder vom Schweigen eines Hegesipp, Papias oder Justin bezüglich des P[222]. Diese beiderseitige Betonung des Paulinismus ist für CAMPENHAUSEN so bezeichnend, daß er gegen die philologischen Bedenken aus historischen Überlegungen so sehr an die Person Polykarps herangeführt wird, daß man die Gestalt Polykarps geradezu "verdoppeln" müßte, wollte man ihm selber die Past nicht zuschreiben[223]. Eventuell käme auch ein Mann aus seinem Klerus in Frage, doch Polykarp hat einen unbestrittenen Ruf als Lehrer und diesen könne sein Philipperbrief allein nicht begründen. Also seien ihm die Past, die ebenfalls einen großen Lehrer und Kirchenmann hinter sich haben müssen, gleich besser selber zuzuschreiben[224].

CAMPENHAUSENs These hat vielfach Kritik und fast nur Ablehnung[225] erfahren als eine "Hypothese, die mehr Fragen weckt als sie, ohne zu befriedigen, zu lösen versucht."[226] Vor allem scheitert sie neben den philologischen Unwahrscheinlichkeiten an der fast a priori ausgemachten Spätdatierung, aus deren Konsequenz sich dann die Gestalt Polykarps anbietet. Jedoch hängt gerade die Spätdatierung der Past ausschließlich an der problematischen Verknüpfung

---

218)   Vgl. CAMPENHAUSEN, Polykarp 240f.

219)   Vgl. Pol Phil 3, 2; 9, 1; 11, 2f.

220)   Vgl. dazu Pol Phil 1, 3 mit Tit 3, 5.

221)   Vgl. CAMPENHAUSEN, Polykarp 242.

222)   Ebd. 242ff.

223)   Ebd. 252.

224)   Ebd. 246-252.

225)   Die mündliche Zustimmung von G.SCHMIDT gegenüber H.KRAFT (bei CAMPENHAUSEN, Polykarp 218 Anm.89a) hat keine verwertbaren Anhaltspunkte in SCHMIDTs Nachlaß gefunden.

226)   So J.A.FISCHER (Hg.), Die Apostolischen Väter, 6.Aufl. Darmstadt 1970, 238.

der Past mit der großkirchlichen Polemik gegen Marcion, wonach die ἀντι-
θέσεις τῆς ψευδωνύμου γνώσεως in 1 Tim 6,20 gegen Marcions Hauptwerk
gerichtet sein sollen[227]. CAMPENHAUSEN unterspielt bei richtigen methodischen Überlegungen zum kirchlichen Milieu der Past doch die weitverzweigten Fragen einer pln Pseudepigraphie und wird damit weder der besonderen P-
Tradition der Past gerecht, noch der Person Polykarps, den man sich schwer
als Fälscher vorstellen kann. Polykarps Paulinismus resultiert vielmehr aus
ähnlichen Verhältnissen, wie sie auch die Past zu erkennen geben[228].
CAMPENHAUSEN kommt jedoch das Verdienst zu, die Diskussion um die Frage der Verfasserschaft der Past beachtlich angeregt zu haben.

d) Lukas und die Past

Während CAMPENHAUSEN mit seinen Überlegungen zu Polykarp als Verfasser
der Past sehr weit vom NT abrückte, gibt es auch vielfältige Versuche, den
nichtpln Charakter der Past zwar zuzugestehen, jedoch die nichtpln Verfasserschaft noch innerhalb der ntl. Autoren zu fixieren. Bereits H.A.SCHOTT[229]
äußerte 1830 die Vermutung, Lukas sei möglicherweise der Verfasser der
Past, und diese Vermutung wurde seither vielfach wiederholt.
Am ausführlichsten hat zuletzt A.STROBEL[230] - ohne sich ausdrücklich zu
deklarieren - die Aufmerksamkeit auf Lukas als den Verfasser der Past zu len-
ken gesucht. Auf Grund sprachlicher Vergleiche zwischen der Apg und den Past
sieht STROBEL als eigentlich unausweichliches Ergebnis, "daß Vokabular,
Sprachstil und klare Sachzusammenhänge dazu nötigen, die Möglichkeit einer
lukanischen Abfassung - wie sie 2.Tim IV.11 andeutet - ernsthaft zu erwä-

227) So schon BAUR, Past 25-28. Vgl. auch BAUER, Rechtgläubigkeit 229;
      K.L.CARROLL, The Expansion of the Pauline Corpus: JBL 72(1953)
      230-238; 233f; M.RIST, Pseudepigraphic Refutations of Marcionism:
      JR 22(1942) 39-62; 57; Ders., Pseudepigraphy and the Early Christians,
      in: Studies in NT and Early Christian Literature, (Fs. A.P.WIKGREN),
      NT.S 33, Leiden 1972, 75-91; 76.

228) Vgl. E.KÄSEMANN, Ein ntl. Überblick: VF. Theologischer Jahresbe-
      richt 1949f. 191-218; 215.

229) Vgl. H.A.SCHOTT, Isagoge historica-critica in libros Novi Foederis
      sacros, Jena 1830, 324f. SCHOTT äußert Zweifel an der pln Verfasser-
      schaft, möchte die Autorenfrage jedoch so verstehen: "Vir quidem
      apostolicus, unus ex sodalibus Pauli (forsitan Lucas) ipsius Apostoli...
      (325)... nomine et auctoritate has litteras exaravit."

230) A.STROBEL, Schreiben des Lukas? Zum sprachlichen Problem der
      Pastoralbriefe: NTS 15(1968f.) 191-210.

gen."[231] Zur Stützung seiner These bietet STROBEL Listen von Wörtern, die dem lk Schrifttum und den Past gemeinsam sind und konstatiert dabei eine eindeutig pln-lk Färbung des Wortschatzes der Past[232]. Aus 1 Tim 1,15 (vgl. Lk 19,10), 1 Tim 5,18 (vgl. Lk 10,7), 2 Tim 2,11f. (vgl. Lk 12,9; 22,29), 2 Tim 2,19 (vgl. Lk 6,46) u.ä. versucht STROBEL zu folgern, "daß lukanische Überlieferungen z.T. w ö r t l i c h (Hervorhebung vom Verf.) in die Past Eingang gefunden haben."[233]

STROBEL erklärt mit seiner Behauptung jedoch nicht das eigenartige Verhältnis der Situationsangaben der Past zu denen der Apg, welche sich bei vordergründiger Ähnlichkeit doch nicht als dieselben erweisen lassen[234]; er unterspielt die pln Tradition der Past zugunsten seiner lk Alternative, setzt frühchristliches Spruchgut wie 1 Tim 1,15 allzu suggestiv auf eine literarische Abhängigkeit von Lukas[235] und subsumiert unter dem Titel "Hellenismus" eine Reihe von theologischen Parallelen zwischen Lk-Apg und den Past, so den "hellenistischen" Christusglauben, die Frömmigkeit, Eschatologie, Auferstehungstheologie u.a.[236]. STROBEL übersieht jedoch die deutlichen sachlichen Differenzen zwischen Lukas und den Past, so vor allem die verschiedene Beurteilung des P und seines Apostolates, welcher in der Apg ein Apostel unter anderen ist, während er den Past als der Apostel schlechthin gilt[237]. Ebenso ist schwer zu sehen, wie die Abschiedsrede des P in Ephesus (Apg 20,18-35) offensichtlich an einen endgültigen Abschied des P im Osten denken kann, während 1 Tim 1,3 und Tit 1,5 - jedoch bei gleichem Verfasser(!) - doch wohl eine erneute Wirksamkeit des P im Osten voraussetzen. Angesichts dieser Schwierigkeiten vermag die persönliche Notiz in 2 Tim 4,11 den Beweis für eine lk Verfasserschaft in den Past überhaupt nicht zu erbringen, sondern

---

231) Ebd. 205.

232) Ebd. 194-197.

233) Ebd. 201-205; Zitat 201.

234) Zur Kritik an STROBEL vgl. besonders N. BROX, Lukas als Verfasser der Pastoralbriefe?: JAC 13(1970) 62-77.

235) STROBEL, Schreiben 201. Vgl. dazu BROX, Lukas 66.

236) Vgl. STROBEL, Schreiben 205-210; BROX, Lukas 69.

237) Lukas engt den Apostelbegriff auf die Zwölf ein. Die Apostelbezeichnung für P in Apg 14,14 geht auf Konto der lk Quelle. Zur Stellung des P vgl. auch BROX, Lukas 70; C.K. BARRETT, Besprechung zu BROX, Past: Erasmus 22(1970) 205ff; 206. Vgl. auch Ch. BURCHARD, Der dreizehnte Zeuge. Traditions- und kompositionsgeschichtliche Untersuchung zu Lukas' Darstellung der Frühzeit des Paulus, FRLANT 103, Göttingen 1970, 170, passim.

auch diese Notiz muß als fiktiver Brieftopos gedeutet werden[238].

Völlig ungeklärt bleibt bei STROBEL, in welcher Weise eigentlich der Anteil des Lukas für die Abfassung der Past zu verstehen sei, denn seine These der lk Verfasserschaft steht ziemlich unvermittelt neben der Vermutung von authentischem pln Material, ja sogar eines authentischen 1 Tim[239]! Solche Inkonsequenz zeigt nur zu deutlich, daß das Problem der Past nicht mit der Auskunft zu bereinigen ist, der Amanuensis oder Pseudepigraph des P sei vielleicht Lukas gewesen. Vielmehr haben beide Schriftengruppen ihren Sitz im Leben in der nachapostolischen bzw. nachpln Zeit, doch können die Ähnlichkeiten zwischen beiden nicht im Sinne einer gleichen Verfasserschaft interpretiert werden. Jedenfalls sind in sprachlichen Untersuchungen leichter die Differenz, aber auch die Abhängigkeit der Past vom pln Schrifttum einsichtig zu machen als die Vermutung einer lk Verfasserschaft auch nur einigermaßen zu erhärten. Sowohl Lukas als auch die Past haben die Absicht einer Sammlung und Bewahrung apostolischer Tradition. Diese Tendenz spricht sich in den Past u. a. auch in der Formel πιστὸς ὁ λόγος aus. Jedoch deswegen in den Past das Werk des Lukas zu sehen, "just because he was the type of man who would collect and utilize such items"[240], bedeutet, die allgemeine und grundsätzliche nachapostolische Situation der spätntl. Schriften zu verkennen.

Die Beliebtheit der Lukasthese[241] scheint darin begründet, daß sie das Problem der pln Pseudepigraphie anscheinend entschärft. Lukas bietet sich vielen als die angenehmste Lösung an, die Eigenheit der Past in ihrer Abweichung von P zuzugestehen, mit den Verfasserschaftsfragen jedoch innerhalb der anerkannten und kanonischen Autoren des NT zu bleiben. So taucht seine Figur immer wieder auf - auch in der Variante eines über den Sekretär hinausgehenden Redaktors der Past[242]. Doch wird das mit dem Phänomen der Pseudepigraphie gestellte Problem nicht dadurch gelöst, daß an Stelle des P andere ntl. Autoren zum Verfasser der Past erklärt werden. Dagegen spricht schon das jeweilige Verständnis von Verfasserschaft in beiden Schriftengruppen. Lk und die Apg sind je ein Genus für sich - wobei die lk Verfasserschaft sich nicht

---

238) Vgl. BROX, Lukas 72ff.

239) STROBEL, Schreiben 204. Zur Kritik vgl. BROX, Lukas 70f.

240) G. W. KNIGHT III., The Faithful Sayings in the Pastoral Letters, Kampen 1968, 150.

241   Für sie plädiert auch C. F. D. MOULE, The Problem of the Pastoral Epistles. A Reappraisal: BJRL 47(1964f.) 430-452; 434. Danach schrieb Lukas die Past, jedoch noch zu Lebzeiten des P, z. T. sogar nach Diktat.

242) Vgl. S. 51ff.

literarisch ausspricht, sondern ein Zeugnis der Tradition darstellt[243]. Das lk Doppelwerk ist zu den Anonyma zu rechnen, hingegen setzt die Entwicklung hin zur Pseudonymität ein ganz anderes Verständnis von Verfasserschaft voraus und ist ein zu großer Schritt, als daß einige stilistische oder situative Gemeinsamkeiten den Schluß auf den gleichen Verfasser von lk Geschichtswerk und den Past erlauben könnten.

e) Sekretärs- und Fragmentenhypothese

Nach Polykarp und Lukas als den bekanntesten namentlichen Identifizierungsversuchen ist das weitere Spektrum der dazwischenliegenden Vermutungen zur Verfasserschaft vorzustellen. Es reicht vom beauftragten Sekretär und Amanuensis über die Annahme eines späteren Redaktors echter pln Fragmente (Fragmentenhypothese) bis zur Kombination beider Erklärungsversuche.

Die S e k r e t ä r s h y p o t h e s e stützt sich vor allem auf O.ROLLERs[244] umfangreiche Arbeit zur Erforschung des antiken Briefwesens. ROLLER wies dabei auf die Verwendung von Sekretären hin[245] und wollte mit dem Gruß des Tertius in Röm 16,22 den Nachweis führen, daß wenigstens dieser Vers n i c h t von P d i k t i e r t, sondern von Tertius s e l b e r k o n z i p i e r t sei[246]. Dieser eigenständige Gruß des Sekretärs dient ROLLER als Anhaltspunkt, die Frage nach der grundsätzlichen Freiheit des Sekretärs bei der Briefabfassung zu stellen. Zugespitzt wird diese Frage für 2 Tim, der als Brief des gefangenen P unmöglich von ihm selber geschrieben worden sein könne, wenn man sich die Lage eines antiken Gefangenen vergegenwärtige[247]. Seine Überlegungen führen ROLLER fast zwingend zur Annahme, "daß der Brief (sc. 2 Tim) nach Angaben des Apostels, vielleicht auch mit kurzen Notizen auf einem Wachstäfelchen von einem Dritten entworfen und das Konzept von Paulus genehmigt, vielleicht auch korrigiert und die Briefausfertigung dann

---

243)   Vgl. KÜMMEL, Einleitung 116.

244)   O.ROLLER, Das Formular der paulinischen Briefe. Ein Beitrag zur Lehre vom antiken Briefe, BWANT 4/6 (58), Stuttgart 1933.

245)   Ebd. 14ff.

246)   Ebd. 22.

247)   "Und nun stelle man sich... den gefangenen Apostel dar, wie er, mit Ketten beladen, in seinen Bewegungen dadurch gehemmt, im Halbdunkel irgendwo am schmutzstarrenden Boden kauernd, ohne genügenden Platz im Gedränge der Gefangenen einen langen Brief schreibt oder entwirft oder auch nur diktiert, etwa dem treuen Lukas, oder wer es sonst war." Ebd. 20. Dieser Argumentation folgt auch JEREMIAS, Past[11] 6.

von ihm unterschrieben wurde."[248]. Habe man aber wenigstens bei einem Brief mit einem Sekretär zu rechnen, dann sei dies auch für alle anderen nicht mehr auszuschließen und die Sekretärshypothese ist als Erklärungsmöglichkeit beizuziehen, wenn Stilverschiedenheiten bei P-Briefen auftreten, was dann nicht mehr als Beweis einer Unechtheit gelten darf[249]. ROLLERs Auffassung jedoch kann die Verfasserschaftsprobleme im Corpus paulinum nicht wirklich bereinigen. Die von ihm rekonstruierten Schreibgeschwindigkeiten übersehen die Tatsache, daß auch die Antike bereits stenographische Techniken kannte[250]. Dadurch gesteht er dem Sekretär Freiheiten in der Formulierung zu, die mit P als Verfasser nicht mehr in Einklang zu bringen sind. Außerdem kann ROLLER nicht erklären, wie bei verschiedenen Sekretären und ihrer Freiheit doch noch eine so einheitliche Größe wie die P-Briefe zustandekommen konnte[251].

Der pln Stil und die Schlußgrüße[252] sprechen ganz eindeutig dafür, daß die P-Briefe wirklich diktiert wurden. Für ROLLER aber sind Anakoluthe und Unebenheiten des Stils Anzeichen für die durch P erfolgte Endkorrektur der Sekretärsarbeit[253]. Daß die Past insgesamt einen anderen Stil als die anderen P-Briefe zeigen, erklärt sich für ihn u.a. daraus, daß darin Timotheus als Adressat nicht als Sekretär tätig gewesen sein konnte und somit der sonst aus den Paulinen vertraute "Timotheisch-Paulinische Mischstil" fehle und es sich bei den Past um Beglaubigungsschreiben handle, die von der bisherigen Art der pln Gemeindebriefe abweichen[254].

Während ROLLER sich mit dem pauschalen Echtheitsnachweis der 13 P-Briefe mittels seiner Sekretärshypothese begnügte[255], führten andere Versuche einer Unterscheidung von Sekretärshand und P zu den merkwürdigsten Quellen-

---

248) ROLLER, Formular 21.

249) Ebd. 21.

250) Vgl. die Kritik bei St.LYONNET, De arte litteras exarandi apud antiquos: VD 34(1954) 3-11. Vgl. auch G.J.BAHR, Paul and Letter Writing in the Fifth(!) Century: CBQ 28(1961) 465-477; 471-474.

251) Vgl. KÜMMEL, Einleitung 216, 329.

252) Vgl. 1 Kor 16,21; Gal 6,11; Phlm 19.

253) Vgl. ROLLER, Formular 21f.

254) Ebd. 148.

255) Ebd. 122f, 149.

theorien, etwa mit Hilfe der Schallanalyse[256].

H. LOEWE[257] rekonstruiert eine authentische Fassung der Past aus der Zeit der 3. Missionsreise, während sich die willkürlichen Überarbeitungen und Veränderungen des Fälschers, der P entstellt hat, als sekundär entlarven lassen[258].

So phantastisch wie die Abgrenzungsversuche zwischen Autor und Sekretär bzw. Überarbeiter ausfallen, so willkürlich sind auch die Namen des vermuteten Sekretärs bzw. Redaktors. W.HARTKE nennt Silas/Silvanus[259], J. JEREMIAS[260] vermutet unter Hinweis auf 2 Tim 4,12 und Tit 3,12 Tychikus, die beliebteste Figur aber bleibt Lukas[261].

Das Raten um die Person des nichtpln Compagnon bringt jedoch für die Interpretation der Past nichts ein. Die Sekretärshypothese möchte zwar den Unterschied der Past von P positiv erklären, sie entbehrt jedoch der verläßlichen Kriterien, das geistige Eigentum des P und eines Sekretärs voneinander abzugrenzen und näher einzuordnen. Sie wird nur allzu leicht zum kuriosen Spiel, ein selbstgeschnittenes Puzzle wieder zusammenzusetzen.

Dieses Urteil gilt im Grunde genommen auch für die Fragmentenhypothese, obwohl sie auf den ersten Blick als verlockend und aussichtsreich er-

---

256) E.SIEVERS, Die paulinischen Briefe klanglich untersucht und herausgegeben, Leipzig 1926, peilt zuversichtlich die Stimmen des Timotheus und Sosthenes in den P-Briefen an, scheidet Interpolationen und Scholien aus und sieht hinter dem Verfasser der Past, die er für echt halten möchte, einen metrischen Schriftsteller (Sigel Y), von dem sich fremde Eingriffe leicht abheben lassen. Insgesamt zählt SIEVERS bei seinen Untersuchungen der P-Briefe abgesehen von Y noch 184(!) Hände. Vgl. 7-17.

257) Vgl. H. LOEWE, Die Pastoralbriefe des Apostels Paulus in ihrer ursprünglichen Fassung wieder hergestellt, Köln 1929.

258) Ebd. 14ff.

259) W.HARTKE, Die Sammlung und die ältesten Ausgaben der Paulusbriefe, Bonn 1917. Nach HARTKE ist Silas der Herausgeber der ersten katholischen P-Ausgabe, welche das altpln Corpus des Timotheus ersetzte. Vgl. ebd. 59f, 70-84.

260) J.JEREMIAS-H.STRATHMANN, Die Briefe an Timotheus und Titus. Der Brief an die Hebräer, NTD 9, 9.Aufl. Göttingen 1968, 8. Vgl. jedoch das bei weitem zurückhaltendere Urteil in der Neuauflage: JEREMIAS, Past[11] 10.

261) Vgl. den Bericht bei A.LEMAIRE, Pastoral Epistles. Redaction and Theology: BTB 2(1972) 25-42; 26. Vgl. auch KÜMMEL, Einleitung 330 Anm. 24.

scheint. Sie erfreut sich besonders im englischen Sprachraum großer Beliebtheit[262], wird aber auch darüber hinaus des öfteren als Lösung des Problems
der Past angesehen[263].
Vor allem sind es die persönlichen Notizen, die zur Fragmentenhypothese Anlaß geben. Dabei ist sicherlich nicht die Möglichkeit auszuschließen, sondern
im Gegenteil eher wahrscheinlich, daß P neben den bekannten Gemeindebriefen noch eine Reihe von persönlichen Mitteilungen in Briefform verfaßte, doch
ihre versuchte Ortung in den Past unterliegt erheblichen Schwierigkeiten. Auch
bleibt undurchschaubar, was einen Besitzer von echten Fragmenten wohl dazu
berechtigen könnte, aus diesen pseudepigraphe Briefe zu gestalten[264], oder
wieso der "Redaktor" der Past gerade auf solche vielfach recht nebensächlich
erscheinende Notizen zurückgegriffen[265] und sie dann so sonderbar über sein
eigenes Opus verteilt haben sollte[266].
Diesen Schwierigkeiten zum Trotz versuchte H. BINDER, ursprüngliche P-Briefe an Timotheus und Titus vorauszusetzen, welche später eine kirchliche Ergänzung erfahren haben sollten. Mit pseudonymen Voraussetzungen zu rechnen,
scheint BINDER undenkbar, da damit wohl ein Brief, aber nicht drei Briefe
erklärt werden könnten[267].
Die einzelnen von BINDER als authentisch erklärten Fragmente werden dann
in die bekannte Vita Pauli eingeordnet: Tit datiert noch vor Röm, 2 Tim 4, 9-
22 und die authentischen Passagen aus 1 Tim stammen aus der Gefangenschaft
in Cäsarea, die restlichen Abschnitte aus 2 Tim sind "des Paulus letztes
Schreiben überhaupt, kurz vor seinem Marty-(83)rertod, also etwa im Früh-
sommer 64, verfaßt."[268] Um die unmittelbare Herkunft seiner Fragmente von

---

262) Vgl. C.VAUGHAN, A Selected Bibliography For The Study Of The Pastoral Epistles: SWJT 2(1959) 7-18; 18: "almost everyone (Hervorhebung vom Verf.) admits that genuine Pauline fragments are contained
in the Pastorals." Vgl. auch HARRISON, Hypotheses 77. Vgl. auch die
Literatur bei LEMAIRE, Epistles 26.

263) Vgl. G.HOLTZ, Die Pastoralbriefe, ThHK 13, Berlin 1965, 13-16;
W.SCHMITHALS, Art. Pastoralbriefe: RGG^3 5, 144-148; 146f.

264) Vgl. dazu GUTHRIE, Past 52.

265) Die vermuteten Fragmente enthalten ja keine wirklich lehrhaften Passagen, was die Frage ihrer Funktion für die Theologie der Past umso
schwieriger macht. Vgl. dazu auch J.N.D.KELLY, A Commentary on
the Pastoral Epistles, London 1963, 28.

266) Zur Kritik vgl. BROX, Past 56; KÜMMEL, Einleitung 331f; SCHIERSE,
Past 18.

267) Vgl. H.BINDER, Die historische Situation der Pastoralbriefe, in: Geschichtswirklichkeit und Glaubensbewährung, (Fs. F.MÜLLER), Stuttgart 1967, 70-83; 71f.

268) Ebd. 76-83; Zitat 82f.

P zu halten, muß BINDER einerseits bisweilen recht merkwürdige Exegesen veranstalten[269], anderseits bleibt er die Kriterien für die Redaktion dieser Fragmente schuldig und nennt nur recht allgemein die von P abweichende Sprache und das gegenüber P weiterentwickelte Stadium kirchlichen Lebens als Hinweise auf eine spätere Überarbeitung[270]. Die Exegese der Past wird unter diesen Voraussetzungen zu dem schwierigen Unterfangen, das Pln und Deuteropln voneinander abzugrenzen, obwohl die Past nach BINDERs eigener Feststellung leichter als ganz pln oder als ganz nachpln zu interpretieren wären[271]. Wie die historischen Notizen einerseits und die angenommenen späteren Überarbeitungen anderseits zueinander stehen und für die Auslegung der Past fruchtbar gemacht werden können, darüber gibt BINDER nicht näher Auskunft. Sein Versuch, eine teilweise pln Autorschaft unmittelbar festzuhalten, zeigt in der konkreten Durchführung nur zu anschaulich, daß die Fragmentenhypothese dem spezifischen Charakter der Past nicht gerecht werden kann[272].

Obwohl nun sowohl die Sekretärshypothese als auch die Fragmentenhypothese über Vermutungen nicht hinauskommen[273], begegnen sie sogar in Zwischenschattierungen und in Kombination, ohne daß sich damit die Tragfähigkeit der

---

269) Weil bei einer Datierung von Tit vor Röm keine Missionstätigkeit des P auf Kreta unterzubringen ist, bevorzugt BINDER in Tit 1,5 die Lesart ἀπέλειπον vor ἀπέλιπον und liest daraus, daß P Kreta nicht selbst missioniert, sondern Titus für die kretische Mission "zur Verfügung gestellt" habe. Vgl. ebd. 77. Mit der πρώτη ἀπολογία in 2 Tim 4,16 "kann nur das Verhör gelegentlich der (80) Gefangennahme in Jerusalem (Pfingsten 58) gemeint sein." Ebd. 79f. 2 Tim 4,10 bedeute ἐγκατέλιπεν, daß Demas von der Liebe Gottes zu diesem Äon in den Missionsdienst nach Thessaloniki getrieben worden sei; das ἀσθενεῖν des Trophimus in 2 Tim 4,20 besage, daß er der Missionssituation nicht mehr Herr werden konnte. Ebd. 80f. Zur Kritik vgl. auch BROX, Past 56; KÜMMEL, Einleitung 331f.

270) Vgl. BINDER, Situation 70f.

271) Ebd. 83.

272) Die Schwächen der Fragmentenhypothese sind z.T. bereits bei HOLTZMANN, Past 125, klar erkannt. TORM, Breve 69, bezeichnet sie "als die unwahrscheinlichste von allen Meinungen" (Übersetzung vom Verf.).

273) Dagegen sieht J.J. GUNTHER, Paul. Messenger and Exile. A Study in the Chronology of His Life and Letters, Valley Forge 1972, 163, in der Fragmentenhypothese - in Verbindung mit den ausgeführten pln Spanienplänen (ebd. 139-149) - eine Erklärungsmöglichkeit für die Past.

Argumente erhöhte.

P.DORNIER[274] hat neuerdings eine solche Kombination als Erklärung angeboten. Dabei möchte er die unleugbaren Differenzen der Past zu P eingestehen, jedoch das dazwischenliegende zeitliche Intervall als nicht zu groß einschätzen. Während jedoch die Fragmentenhypothese nach seinem eigenen Urteil über die Bestimmung von Anzahl, Länge und Entstehung der Fragmente in die Klemme gerät, bietet DORNIER selber eine ähnliche Hypothese an. Zuerst greift er auf die Sekretärshypothese zurück, die ihm notwendig erscheint, um die stilistischen und semantischen Eigenarten der Past zu erklären. Doch lassen sich für DORNIER trotz der dem Sekretär bei der Anfertigung des Konzeptes gewährten Freiheit noch nicht alle Schwierigkeiten bereinigen. Um nämlich der in den Past reflektierten kirchlichen Situation Rechnung zu tragen, muß man das Band zwischen P und den Past etwas mehr lockern als dies in der Sekretärshypothese bei einem zu Lebzeiten des P schreibenden Sekretär gedacht werden kann. Die Lösung, die DORNIER anbietet, sieht dann folgendermaßen aus: P hat zwei Briefe an Timotheus und einen an Titus geschrieben. Diese heute verlorene Edition war zweifelsohne kürzer, mehr spontan und mehr repräsentativ für die Theologie des Apostels. Nach seinem Tod hat ein Schüler, welcher der römischen Kirche angehörte, ungefähr in den Jahren 70 - 80 auf die drei Briefe zurückgegriffen und ihnen eine Edition gegeben, welche mehr entwickelt war und besser den Bedürfnissen der Kirche seiner Zeit entsprach. Mit dieser These versucht DORNIER, dem Verdacht einer Fälschung zu entgehen und die Past als eine "nouvelle rédaction d'écrits authentiquement pauliniens" zu erweisen[275]. In seiner Konstruktion sieht DORNIER allen Schwierigkeiten der Past Rechnung getragen. In der Einzelauslegung jedoch hält er seine Entstehungstheorie nicht durch und erklärt die Past weiterhin als authentisch[276]. Abgesehen davon, daß solche Einleitungsfragen für die Auslegung nichts einbringen, hält DORNIERs Rekonstruktion einer näheren Hinterfragung nicht stand. So bleibt es völlig unklar, wie etwa drei authentische Paulinen durch eine neue Edition haben ersetzt werden können; ebenso aussichtslos ist es für DORNIER selbst, die Person des Redaktors zu bestimmen[277].

---

274) P.DORNIER, Les épîtres pastorales, Paris 1969. Vgl. Ders., Les épîtres de saint Paul à Timothée et à Tite, SB(J), 2.Aufl. Paris 1958; Ders., Les épîtres pastorales. Paul apôtre, in: Le ministère et les ministères selon le NT, hg.v. J.DELORME u.a., Paris 1974, 93-101; 93.

275) Vgl. DORNIER, Past 24f; Zitat 25.

276) Zur Kritik vgl. auch N.BROX, Besprechung zu DORNIER, Past, in: ThRv 66(1970) 289-293; 291f.

277) DORNIER, Past 25.

Wie DORNIER überlegt auch J.STĘPIEŃ[278] eine kombinierte Sekretärs-Re-
dakteurs-Version. Die stilistische Verwandtschaft mit Lukas und die Nachricht
in 2 Tim 4,11 machen ihm die Sekretärshypothese in der Person des Lukas
für 2 Tim wahrscheinlich, während er die Autors- bzw. Sekretärsfrage für 1
Tim und Tit offenläßt. Stehe aber Lukas als Sekretär für 2 Tim fest, dann sei
sein Anteil auch an der Redaktion von 1 Tim und Tit gelten zu lassen, oder
präziser: dann sei er die letzte Hand von 1 Tim und Tit, wahrscheinlich zu
einer Zeit, als die Past mit dem Corpus paulinum verbunden wurden. In dieser
Zeit der Kanonisierung der Past würden dann auch die konkreten Bedürfnisse
der Kirche von Ephesus und Kreta besser verständlich als zu Lebzeiten des P,
jedoch weise die Situation der Redaktion kaum weiter hinunter als zum Ende
des 1. Jahrhunderts. STĘPIEŃ hält mit seiner Theorie einerseits die Ähnlichkeit der Past untereinander, anderseits auch ihre Differenz von den anderen
Paulinen für erklärlich[279], er scheitert aber an denselben Schwierigkeiten
wie DORNIER. Die Lösung der Verfasserfrage der Past muß also auf einem
anderen Weg gesucht werden.

f) Zur neuesten Diskussion

1) B.REICKE[280]

Erst während der Reinschrift erschien ein neuer Beitrag zur Verteidigung der
Echtheit der Past. R., der sich als Fachmann besonders historisch-exegeti-
scher Fragen schon mehrfach zur Authentizität der Gefangenschaftsbriefe ge-
äußert hat[281], plädiert jetzt auch entschieden für die Echtheit der Past. R.
möchte die Past nicht in eine Zeit nach Apg 28 verlegen und datiert deswegen
den 1 Tim zwischen 1 und 2 Kor (ebd. 85), den Tit anläßlich der Kollektenreise des P nach Jerusalem (ebd. 88), und den 2 Tim läßt er als Gefangen-
schaftsbrief von Cäsarea aus geschrieben sein (ebd. 89f.). Dieser chronologische Versuch gelingt noch am besten hinsichtlich der Situationsangaben des
1 Tim, während er bei Tit und 2 Tim doch nur wenig stringent ausfallen
kann[282].

278) Vgl. J.STĘPIEŃ, Problem autorstwa listów pasterskich: STV 6(1968)
     157-199. Vgl. das französische Résumée, ebd. 198f.

279) Ebd. 199.

280) B.REICKE, Chronologie der Pastoralbriefe: ThLZ 101(1976) 81-94.

281) Vgl. z.B. B.REICKE, The Historical Setting of Colossians: RExp
     70(1973) 429-438.

282) In Tit 1,5 bedeutet ἀπέλιπον nach R. "ich ließ dich bleiben"
     (ebd. 86); nach 2 Tim 1,16f. erwartete Onesiphoros P vergeblich
     in Rom und fand ihn nach eifrigem Suchen in Cäsarea (ebd. 90).

R. geht davon aus, daß die persönlichen Notizen der Past nur dann für Fälschungen sprechen würden, wenn sie ein unmögliches historisches Bild ergäben (ebd. 89). Da er aber die geographischen Angaben und Namen der Past teilweise mit Nachrichten aus den P-Briefen bzw. mit der Apg in Verbindung bringen kann, teilweise dort Lücken zu finden glaubt, in welche besonders Tit passen könnte, sind für ihn "Fälschungen" (ebd. 81) in den Past ausgeschlossen. Andere Bedenken gegen die Echtheit der Past aus Sprache, Theologie u.a. vermögen gegen eine solch historische Sicherung der Chronologie nicht mehr ernstlich anzugehen (ebd. 92); die Unterscheidung von Privatbrief und Epistel ist ohnehin fragwürdig und so wurden die Past "als persönliche Botschaften präsentiert und jedoch als rhetorische Kundgebungen stilisiert." (ebd. 83) Bei allen drei Briefen - auch bei 2 Tim - handelt es sich also um öffentliche Botschaften an Gemeinden (ebd. 88f.). Die Situations- und Personenangaben müssen also echt sein, denn ihre Erfindung bedeute einen "primitiven Anachronismus" (ebd. 83), oder setze ein "beispielloses Raffinement" voraus (ebd. 92).

R. ist zuzugeben, daß eine literarische Erklärung der persönlichen Notizen nicht immer leicht oder gerade angenehm ist, grundsätzlich aber lassen sich auch solche Notizen wie die Briefe überhaupt erfinden, während R. die Möglichkeit einer Imitation unterschätzt. Die Past sind ja gerade als Pseudepigrapha keine so banalen Fälschungen, wie R. in seiner Alternative zur Echtheit meint, sondern literarische (und auch theologische!) Leistungen höchsten Ranges. Es ist nicht zu bestreiten, daß der pseudepigraphe Verfasser auch hinsichtlich seines Briefrahmens sich durchaus den authentischen Briefen (und auch der Apg?) anpassen konnte, und insofern sind R.s Überlegungen auch für die nachpln Betrachtung der Past z.T. recht aufschlußreich, wenngleich sie auch dabei bereits den z.T. nachpln Charakter deutlich werden lassen.

Die Bedeutung der anderen Argumente gegen die Echtheit unterspielt R: P und "seine literarischen Helfer" könnten sich bei den Past ja eines besonderen Briefstils, des feierlichen "Asianismus" bedient haben (ebd. 93f.); für die Entwicklung der Gemeindeämter lasse sich kein Maßstab festlegen, und auch die Ähnlichkeit der judaistischen Strömungen in Gal und Kol weise in Richtung einer Authentizität (ebd. 93f.). Hier zeigen sich freilich auch klar die Grenzen von R.s Apologie. Der theologische Unterschied der Past zu P läßt sich nicht mit rein chronologischen Überlegungen beseitigen. Aber auch die chronologische Argumentation kommt dort an ihr Ende, wo die neronische Verfolgung als terminus ante quem für die Gebetsaufforderung von 1 Tim 2,1-6 angegeben wird. Dabei sind die Past für R. auch deswegen authentisch, denn nach 65 n.Chr. "könnte ein solcher Optimismus gegenüber dem Imperium einem christlichen Verfasser nicht mehr am Herzen liegen." (ebd. 94) Ein solches Urteil heißt wohl, im Namen der Historie die theologischen Intentionen der Past zu verkennen.

Einen zweiten Versuch zur Echtheitsverteidigung bildet M. mit seiner kleinen
monographischen Abhandlung, in der er das Itinerar der letzten Reise des
Apostels untersucht. Da M. die Past jenseits von Apg 28 ansiedelt, bereitet
es ihm offensichtlich keine zu großen Schwierigkeiten, aus den Ortsnamen der
Past eine Reiseroute zu rekonstruieren: Danach habe P nach seiner Freilassung aus der ersten römischen Gefangenschaft die Spanienpläne zugunsten
einer erneuten - die Reise des Gefangenen nach Rom eingerechnet - 5. und
letzten Reise in den Osten aufgegeben (ebd. 18ff), sei über Kreta, Milet, zunächst an Ephesus vorbei nach Troas, Makedonien und Nikopolis, um schließlich doch in Ephesus verhaftet und als jetzt schwerbewachter Gefangener nach
Rom gebracht zu werden, wo er noch vor der Neronischen Verfolgung das Mar-
tyrium erleidet (29-59).
Allerdings muß M. auch unter Voraussetzung dieses Itinerars Zuflucht bei der
Sekretärshypothese suchen und einem solchen Sekretär eine große Freiheit und
den "Rang einer selbständigen Persönlichkeit" zuerkennen (10), wobei er diesen am ehesten mit Tychikus identifizieren möchte (14ff, 24). M.s
"Arbeitshypothese" (59) enthält zu viel Unvergleichbares bzw. zuviele Unbekannte, als daß sie das Problem der Past entscheidend vorantreiben könnte[284].
Da M. die Frage ihres religiösen Gehaltes ohnedies als gegeben ausklammert
(vgl. ebd. 59), bleibt die Bedeutung und der Nutzen seiner Reiserekonstruktion
fraglich.

3) S. de LESTAPIS[285]

Ähnlich wie REICKE versucht auch L. dem "Rätsel der Past" beizukommen.
Dabei dienen ihm die "Personalia" der Past als mögliche Indizien ihrer Echtheit und als Hinweis für ihre Datierung. Die Berührung und teilweise gewalt-
same Identifizierung der Namen in den Past mit denen der Apg und den beiden Korintherbriefen (vgl. ebd. 115-128) sprechen nach L. für die Abfassung
von Tit und 1 Tim noch während der Kollektenreise des P und von 2 Tim zu
Beginn der römischen Gefangenschaft (83, passim), wobei die Ähnlichkeit der
Themen in den Past und in der Apg und die persönliche Bemerkung in 2 Tim
4, 10 eine Assistenz des Lukas bei der Abfassung aller drei Past nahelegen

---

283) W. METZGER, Die letzte Reise des Apostels Paulus. Beobachtungen
und Erwägungen zu seinem Itinerar nach den Pastoralbriefen, AzTh
59, Stuttgart 1976.

284) Vgl. auch G. GEIGER, Besprechung zu METZGER, Reise, in: BiLi 50
(1977) 141ff.

285) S. de LESTAPIS, L'énigme des Pastorales de Saint Paul, Paris 1976.

(vgl. 136-149). Diese Frühdatierung der Past sieht L. auch durch die theologische Entwicklung im Corpus paulinum bestätigt (313-389): 1 Tim und Tit stehen noch im Rahmen der frühen Paulinen, 2 Tim schon in der Nähe der Gefangenschaftsbriefe, während bei einer Spätdatierung der Past nach den Gefangenschaftsbriefen ihre Ekklesiologie als eine Art spiritueller Rückschritt bezeichnet werden müßte (315). Die Past bilden so nach L. einen Block zwischen den großen Paulinen und den Gefangenschaftsbriefen aus den Jahren 58 bis Anfang 61 und zeigen in einer neuen katholischen Lektüre die Kollekte und die Etablierung einer rudimentären Hierarchie als die zwei großen kirchlichen Initiativen des P (408f).

In diesem Rahmen ist nicht der Ort für eine ausführliche Kritik von L.s Arbeitsweise, doch sei ein grundsätzliches Bedenken angemerkt: So sehr man ein solches Bemühen um eine positive Wertung der Past auch teilen kann, die notwendige und fruchtbringende Auseinandersetzung mit der Kritik an der Echtheit der Past unterbleibt weitgehendst. Für L. heißt die Alternative zu authentisch offensichtlich "deuterokanonisch" (vgl. 12ff, 34, 177). Es bleibt zu hoffen, daß das Gespräch über die positiven Möglichkeiten einer nachpln Interpretation der Past durch eine solch verkürzte Betrachtungsweise nicht allzu sehr belastet wird.

II. ZUR PSEUDEPIGRAPHIE DER PAST

Vorbemerkung

Der gegenwärtige Diskussionsstand erlaubt es nicht, sich mit der festgestellten Insuffizienz der bisher besprochenen Lösungen zufrieden zu geben. Um die Past allerdings als pln Pseudepigrapha verständlich zu machen, bedarf es aber doch einer näheren Auseinandersetzung, als dies im Rahmen der biblischen Einleitung üblicherweise geschieht[1].

1. Zum Problem der Pseudepigraphie

a) Pseudepigraphie und Kanon

Die Exegese als Interpretation von Literatur ist immer auch an einer historischen Einordnung der von ihr auszulegenden Texte interessiert. Seit jeher behandelte daher die sogenannte biblische Einleitungswissenschaft ausführlich die Fragen der Verfasserschaft, der Abfassungszeit und des Abfassungsortes, um dadurch die zu interpretierenden Texte näher zu situieren und ihre vom Autor intendierte Bedeutung und ihre Funktion für die Adressaten besser zu erfassen. Diese seit alters geübte Methode der biblischen Einleitung[2] erhielt jedoch seit dem Durchbruch der historisch-kritischen Forschung in der Bibelwissenschaft einen neuen Stellenwert. Die vielfältige Kritik der historisch-kritischen Fragestellung an der traditionellen exegetischen Position unterzog auch die behaupteten und überlieferten Verfasserschaftsangaben einer strengen Prüfung. Untersuchungen zu Sprache, Stil und den vorausgesetzten Entstehungsverhältnissen der Texte und vor allem innere Sachkritik machten auch vor dem Kanon der biblischen Schriften nicht halt. Harmonierten die in den Texten auszumachenden historischen, stilistischen und thematisch-inhaltlichen Details nicht mit der in den Verfasserschaftsangaben vorausgesetzten geschichtlichen und objektiven Situation, sah sich die moderne Kritik veranlaßt, selber die Ent-

---

1) Mittlerweile schließt N. BROX, Falsche Verfasserangaben. Zur Erklärung der frühchristlichen Pseudepigraphie, SBS 79, Stuttgart 1975, auch für die Bibelwissenschaft eine empfindliche Lücke in der Diskussion. Vgl. auch Ders., Einleitung, in: N. BROX (Hg), Pseudepigraphie in der heidnischen und christlich-jüdischen Antike, (Wege der Forschung 484), Darmstadt 1977, 1-7.

2) Vgl. die Prologe zu den Evangelien und den P-Briefen. Vgl. dazu KÜMMEL, Einleitung 6.

stehungsverhältnisse aufzuklären. Eine nähere literarkritische Untersuchung hatte dann zu entscheiden, in welchem Ausmaß die traditionelle Verfasserschaftsangabe zu korrigieren war: ob originales, authentisches Material zugrunde lag, das eine oder mehrere Überarbeitungen erfahren hatte, oder ob es sich bei dem betreffenden Text in der Gesamtheit um das Produkt einer oder mehrerer fremder Hände handelte; ob die kritisierte Verfasserschaftsangabe von Anfang an mit der Schrift verbunden war oder erst später - irrtümlich oder bewußt - ins Werk eingetragen wurde u.s.w.

Während die Evangelien, Apg und Hebr zu den anonymen Schriften gehören, deren traditionelle Überschriften jedoch keine Verfasserangaben im strengen Sinn machen wollen, fallen die Past bei Verdacht auf nichtpln Verfasserschaft unter die Kategorie der "literarischen Fälschung", der "Pseudonymität" oder "Pseudepigraphie" und sind mit der ganzen Problematik eines ψεῦδος innerhalb des biblischen Kanons behaftet. Ein erstes Problembewußtsein eröffnete weittragende Perspektiven: In welcher Weise vertrugen sich eine mehr oder weniger berechtigte Verfasserschaftskritik mit der traditionellen kanonischen Wertschätzung einer Schrift? Hatte nicht ein ψεῦδος in Verfasserschaftsfragen auch die Frage nach dem Wahrheitsanspruch einer biblischen Schrift und ihrer Berechtigung im Kanon zur Folge?[3] Aus diesen Sorgen erklären sich sowohl die teilweise recht unbeirrbar klingenden Erklärungen der Bibelkommission zu biblischen Verfasserschaftsfragen[4] als auch die Zurückhaltung z.T. auch noch zeitgenössischer Gelehrter aus allen Lagern, welche lieber historische Schwierigkeiten durch fragliche Verfassernamen in Kauf nehmen wollen, als einzelne biblische Schriften in die Nähe von Klassifizierungen wie Lüge, Fälschung oder Anrüchigkeit zu rücken. Auch ausgedehnte form- und traditionsgeschichtliche Hypothesen versuchen u.U., das Problem einer möglichen Pseudepigraphie zu umgehen[5].

Doch auch der Weg einer Pseudepigrapheninterpretation sollte sich keineswegs als bequem erweisen. In der Tat sind viele mit der Pseudepigraphie verbundene Fragen, wie z.B. die hauptsächlich psychologisch-ethisch moti-

---

3) So z.B. ausdrücklich F.V.FILSON, Which Books Belong in the Bible. A Study of the Canon, Philadelphia 1957, 131ff. Nach E.E.ELLIS, Paul... Interpreters 57. Vgl. auch Ders., The Authorship of the Pastorals. A Résumé and Assessment of Current Trends: EvQ 32 (1960) 151-161; 161.

4) Vgl. S. 25f.

5) Vgl. dazu M.SMITH, Pseudepigraphy in the Israelite Literary Tradition, in: Pseudepigrapha 1, 189-215; 192f.

vierten Bedenken von F.TORM[6], bis heute noch nicht völlig zu entkräften gewesen[7]. Höchstens für apokalyptische Schriften konnte TORM einräumen, daß sich in ekstatisch-inspiratorischen Erlebnissen die Person des Verfassers mit einer anderen Gestalt identifizierte[8]. Ein bewußtes ψεῦδος innerhalb des Kanons erschien jedoch von dogmatischen Axiomen her untragbar[9].

Die historische Kritik ihrerseits versuchte Wertfragen weitgehendst auszuklammern und zeigte sich im Gefolge von F.Ch.BAUR auch ziemlich unkritisch in bezug auf die mit der Pseudepigraphie verbundenen Sachfragen. Nicht ganz zu Unrecht behauptet die Skepsis, "that New Testament criticism in attempting to solve one type of problem has created another which it has never satisfactorily solved."[10]

Der Versuch, die Past unter Voraussetzung der Pseudepigraphie zu interpretieren, erfordert also eine Stellungnahme zu den offenen Fragen.
Als das Minimum darf dabei festgehalten werden, daß Pseudepigraphie im Bereich des biblischen Kanons nicht mehr a priori auszuschließen ist[11]. Die ursprüngliche lehramtliche Skepsis hinsichtlich der biblischen Verfasserschaftsfragen ist einer neuen Toleranz gewichen. Die neuen kirchlichen Dokumente verpflichten sogar den Ausleger der Schrift darauf, genau auf die vorgegebenen umweltbedingten Denk-, Sprach- und Erzählformen, die zur Zeit des Verfassers herrschten, zu achten[12]. Dies beinhaltet auch eine grundsätzliche Offenheit für unsere Verfasserschaftsfragen, vorausgesetzt, Pseudepigraphie läßt sich als ein Genus antiker Literatur verständlich machen.
Eine erste Entschärfung der Pseudepigraphendiskussion innerhalb des Kanons bot sich in der Erkenntnis, daß die Kanonizität einer Schrift ja nicht unmittel-

---

6)   Vgl. S. 37f.

7)   Vgl. z.B. die kritischen Äußerungen bei J.MCRAY, The Authorship of the Pastoral Epistles. A Consideration of Certain Adverse Arguments To Pauline Authorship: RestQ 7(1963) 2-18; 17f; E.E.ELLIS, The Problem of Authorship. First and Second Timothy: RExp 56(1959) 343-354; 353f. Auch für GUTHRIE, Past 52, stellt die Pseudonymität noch größere Probleme als die Authentizität.

8)   TORM, Psychologie 14.

9)   Vgl. dazu D.GUTHRIE, The Development of the Idea of Canonical Pseudepigrapha in NT Criticism: VoxEv 1(1962) 43-59; 51.

10)   GUTHRIE, Development 57.

11)   Vgl. auch B.M.METZGER, Literary Forgeries and Canonical Pseudepigrapha: JBL 91(1972) 3-24; 22.

12)   Vgl. Pius XII, Divino afflante spiritu; Enchiridion biblicum, 4.Aufl. Neapel-Rom 1965, §§ 557-562. Vgl. Dei Verbum 12; LThK Erg.Bd. 2, 550-556.

bar mit der Frage nach der literarischen Verfasserschaft verknüpft sei. Zwar hatte die Alte Kirche bei der Kanonisierung der P-Briefe auf Grund der ihr zur Verfügung stehenden Kriterien die Past als authentische pln Schreiben kanonisiert, doch waren für sie die Kriterien der Kanonizität und der authentischen Verfasserschaft nicht einfach identisch[13], wie sich z.B an der Kanongeschichte des Hebr[14] deutlich zeigt.

Mit der - sich auch im breiteren kirchlichen Bewußtsein durchsetzenden - Entflechtung der Begriffe einer literarischen Verfasserschaft und der Kanonizität eröffneten sich für die historisch-kritische Forschung neue Möglichkeiten einer unvoreingenommenen Beurteilung literarischer Sachverhalte. War aber die Gefahr einer äußeren Beeinflussung der Exegese gebannt, stellte sich nur um so dringlicher die Frage einer sachgemäßen Interpretation des jeweiligen Verfasserschaftsproblems, auch innerhalb des Kanons. Eine Einordnung der biblischen Pseudonymität und verwandter Phänomene setzt allerdings eine profunde Kenntnis der literarischen Praxis in der Umwelt der Bibel und im NT speziell des Urchristentums voraus. Soll aber die literarische Fälschung im Altertum als solche dargestellt werden, kommt dies fast dem Unternehmen gleich, die gesamte alte Literaturgeschichte neu zu schreiben.

b) Vorarbeiten

Die einschlägigen exegetischen Studien hatten konsequenterweise bei der Umwelt der Bibel anzusetzen. Angeregt durch die Echtheitsfragen des NT, beschäftigte sich der allzu früh verstorbene Innsbrucker Exeget J.A.SINT monographisch mit dem Problem der antiken Pseudonymität[15]. SINT wollte das Problem nicht dadurch vereinfachen, daß er die Pseudonymität zu einem gängigen und allgemein akzeptierten Phänomen erklärte, sondern er versuchte, die Frage im Sinne der TORMschen Einwände ernst zu nehmen und die Motive darzustellen, unter denen ein Autor unter fremdem Namen zur Feder greifen konnte. Im Grunde auf die biblischen Probleme blickend, kämpft SINT auf einem ihm fremden Gebiet; anstatt primärer Quellenstudien bietet er oft Auskünfte aus zweiter Hand[16], und seine Beurteilung der Sachverhalte fällt - wahrscheinlich vom exegetischen Hintergrund her - zu apologetisch aus. Die

---

13) Vgl. dazu OHLIG, Begründung 66-75; N.BROX, Zum Problemstand in der Erforschung der altkirchlichen Pseudepigraphie: Kairos 15(1973) 10-23; 14; CAMPENHAUSEN, Entstehung 380f.

14) Vgl. dazu KÜMMEL, Einleitung 346.

15) Vgl. J.A.SINT, Pseudonymität im Altertum. Ihre Formen und ihre Gründe, (Commentationes Aenipontanae 15), Innsbruck 1960.

16) Vgl. dazu auch die Kritik von M.FORDERER in seiner Besprechung zu SINT, Pseudonymität: Gnomon 33(1961) 440-445; 445.

pseudonyme Briefliteratur, die für die Past besonders vergleichenswert wäre, betrachtet SINT als Resultat des griechischen Bildungswesens und seiner Lehrer-Schüler-Bindung und als beliebte und häufige Form der literarischen Einkleidung[17]. Das die Bibelwissenschaft interessierende zentrale Problem der Pseudonymität, das pseudonyme r e l i g i ö s e Schrifttum[18], erklärt SINT aus mythischem Denken und echter religiöser Ergriffenheit. Dadurch gewinne der pseudonyme Verfasser für sein Vorgehen eine solche Überzeugungskraft, daß von bewußter Täuschung keine Rede sein könne. Die moralische Wahrheitsfrage, derentwegen er vielleicht seine Entlarvung hätte fürchten müssen, sei ihm so gar nicht zum Problem geworden[19].

SINT wollte in der Umwelt der Bibel die Kategorien für eine Beurteilung der Pseudonymität innerhalb des Kanons erarbeiten, sein Unternehmen krankt jedoch am Tatbestand, daß eine angemessene Bewertung von Pseudonymität nicht so allgemein erfolgen kann, sondern nur eingehende literarkritische Studien und Sachkritik das Ausmaß und den Charakter der Pseudonymität einer zur Frage stehenden Schrift bestimmen können.

Am eingehendsten hat sich bislang W.SPEYER mit dem weitverzweigten Problemkreis der Pseudonymität befaßt[20]. Durch das von SPEYER vor allem in seinem indispensablen Handbuch gesammelte Material wird erst richtig ersichtlich, in welchem Ausmaß Pseudonymität im Altertum wirklich praktiziert wurde[21], und daß die Antike für pseudonyme Produkte s e h r z u g ä n g l i c h war. Die Erklärung dafür liegt im antiken Buchwesen selber, in der Leichtgläubigkeit der Adressaten, dem niedrigen Bildungsstand u.ä.[22]. Doch zeigen SPEYERs Untersuchungen ebenso deutlich, daß schon die Antike auch E c h t h e i t s k r i t i k zu üben gelernt hatte. Die Komponenten, aus denen sie erwuchs, sind das Erleben der schöpferischen Individualität bei den Griechen, die Entwicklung der Schrift und des schriftstellerischen Schaffens und damit die Entdeckung des Begriffs eines literarischen Eigentums, die Errichtung der großen

---

17)   Vgl. SINT, Pseudonymität 98ff, 110-114, 159.

18)   Ebd. 159.

19)   Ebd. 163.

20)   W.SPEYER, Religiöse Pseudepigraphie und literarische Fälschung im Altertum: JAC 8/9 (1965f.) 88-125; Ders., Bücherfunde in der Glaubenswerbung der Antike. Mit einem Ausblick auf Mittelalter und Neuzeit, (Hypomnemata 24), Göttingen 1970; Ders., Die literarische Fälschung im heidnischen und christlichen Altertum. Ein Versuch ihrer Deutung, HAW 1/2, München 1971; Ders., Fälschung, pseudepigraphische freie Erfindung und "echte religiöse Pseudepigraphie", in: Pseudepigrapha 1, 331-366.

21)   SPEYER, Fälschung 57, passim.

22)   Ebd. 84-88.

Bibliotheken und die kritische Arbeit der Grammatiker, welche durch innere und äußere Kritik Echtes von Unterschobenem und Zweifelhaftem zu trennen suchten[23].

So zeigt sich bereits im profanen Bereich ein breites Spektrum von literarischer Fälschung, dem ein ebenso breites Verhalten auf seiten der Getäuschten entspricht. So reichen die Reaktionen auf literarische Fälschungen von kategorischer kapitaler Bestrafung bis zur geübten und akzeptierten Erfindung etwa der Rhetorenschulen[24].

c) Religiöse Pseudepigraphie

Problematisch wird auch für SPEYER das Thema Pseudonymität im religiösen und christlichen Milieu, wo er die "mythische" oder "echte religiöse" Pseudepigraphie[25] als Konsequenz aus dem Inspirationsdenken bestimmt[26] und davon die pseudepigraphisch eingekleidete literarische Erfindung unterscheidet, die zwar einer Fälschung ähnlich sieht, aber zur Unterhaltung oder zur Erbauung geschrieben ist[27]. Ganz im Bereich des ψεῦδος steht die "unechte religiöse Pseudepigraphie", die "entweder bewußte Fälschung oder eine erstarrte Stilform rein literarisch gedachter freier Erfindung" ist[28]. Für die Beurteilung der religiösen Pseudepigraphie stellt SPEYER folgende Fragen: Wie weit war ihr Verfasser mit der rationalen Deutung seines Schaffens bei den Griechen und ihren Erben, den Römern, vertraut? Wie weit zeigt eine Schrift religiöse Ergriffenheit und Inspirationsglauben?[29]

Während innerhalb des Judentums mit seinem Traditions- und Offenbarungsdenken die Frage der Pseudepigraphie nie so dringlich wird[30], stellt sich die Frage in aller Schwere innerhalb des griechischen Kulturkreises. Dabei ist die Prüfung des Zweckes eines Pseudepigraphons "die Grundlage jeder

---

23) Ebd. 111-128.

24) Vgl. ebd. 130, 32.

25) Vgl. SPEYER, Pseudepigraphie 88-125; Ders., Fälschung 6.

26) Vgl. SPEYER, Fälschung 35f.

27) Vgl. SPEYER, Fälschung, Erfindung 335.

28) SPEYER, Fälschung 37. Vgl. Ders., Fälschung, Erfindung 340.

29) Vgl. SPEYER, Fälschung 36.

30) Zum Judentum vgl. M.HENGEL, Anonymität, Pseudepigraphie und "literarische Fälschung" in der jüdisch-hellenistischen Literatur, in: Pseudepigrapha 1, 229-308. Vgl. auch SPEYER, Fälschung 36, 150ff; SMITH, Pseudepigraphy 189-215.

'Fälschungskritik'"[31]. Liegen nichtliterarische Interessen vor, gerät ein Pseudepigraphon in den Verdacht einer Fälschung, welcher um so stärker wird, je mehr Absicht eine Schrift verrät: Je mehr ein religiöses Pseudepigraphon "z.B. merkantile, rechtliche, (362) politische, kultische, apologetische, verherrlichende, verleumderische, kirchenpolitische, disziplinäre Absichten durchzusetzen sucht, um so eher wird von Fälschung zu sprechen sein."[32] Zur Fälschung gehört der dolus malus; wird die Fälschung als solche entlarvt, verliert sie ihre Wirkkraft[33].

Auf die Past angewandt, können sich SPEYERs Kriterien nicht ganz bewähren: Ob man bei den Past von Fälschungen reden kann, ist ihm "mindestens umstritten"[34]; "nach der Meinung verschiedener Gelehrter der neuesten Zeit" gehören sie "in die Reihe der ketzerbestreitenden Fälschungen."[35] Nach SPEYERs eigenem Dafürhalten sind die Past - wie die meisten christlichen Pseudepigrapha der ersten drei Jahrhunderte - Fälschungen, da die prophetische oder apokalyptische Rede, welche sie zu echten religiösen Pseudepigrapha machen würde, in ihnen fehle[36]. Die christlichen Pseudepigrapha entstehen nach SPEYER in einer Umwelt, welche sehr gut über die sittliche Verwerflichkeit von Lüge und Täuschung unterrichtet war, so daß eine Entschuldigung für sie höchstens durch das Motiv der Gegenfälschung gegen die häretische Praxis oder ähnlichem gesucht werden könnte[37].

SPEYERs Bewertung der religiösen und speziell der christlichen Pseudepigrapha gelingt nach seinen bisher vorgelegten Kriterien noch wenig zufriedenstellend[38], wohl aber liefert er auch der ntl. Forschung notwendiges Vergleichsmaterial und gibt Anstöße zur Weiterarbeit und zu vermehrter Koordination einschlägiger Bemühungen auch von seiten der Theologie.
So wird heute in den Einleitungswerken z.T. schon recht deutlich ausgespro-

---

31)   SPEYER, Fälschung 104.

32)   Vgl. SPEYER, Fälschung, Erfindung 361f.

33)   Ebd. 335.

34)   SPEYER, Fälschung 222 Anm. 7, mit Hinweis auf BROX, Past 60-77.

35)   SPEYER, Fälschung 279 Anm. 4, mit Hinweis auf BAUER, Rechtgläubigkeit 80, 228, u.a. Vgl. SPEYERs erneuten Hinweis auf BROX, Past 60-66.

36)   SPEYER, Fälschung, Erfindung 365.

37)   Ebd. 365f.

38)   Vgl. BROX, Besprechung zu SPEYER, Bücherfunde: JAC 13(1970) 100ff; Ders., Problemstand 10-23; J.GRIBOMONT, De la notion de "Faux" en littérature populaire: Bib. 54(1973) 434-437.

chen, daß es sich bei der Pseudepigraphie um ein auch für die Bibel relevantes Phänomen handelt[39], was einen erheblichen Bewußtseinsfortschritt gegenüber früher bedeutet. In der Beurteilung der Frage jedoch herrscht noch wenig Konsens in der theologischen Forschung[40].

d) Sachfragen

Zu einem großen Teil rührt die Unsicherheit in der Beurteilung der Pseudonymität und angrenzender Phänomene auch davon, daß in der Beantwortung der sie betreffenden Sachfragen zu wenig Genauigkeit geübt wurde. Zu leicht nämlich hatte sich die biblische Exegese bei vermuteter Pseudepigraphie mit der Auskunft zufriedengegeben, daß diese als gängiges antikes Stilmittel ohne weiters akzeptiert worden wäre. Doch bei aller Leichtgläubigkeit, dem allgemein geringen Bildungsstand, besonders in frühchristlichen Gemeinden u.ä. zeigen sich Ansätze einer antiken E c h t h e i t s k r i t i k [41], auch in christlichen Kreisen[42]. So gilt die Manipulation der Heiligen Schrift als die schlimmste Sünde, fürchterlicher als die Herstellung des goldenen Kalbes, als das Kinderopfer an Dämonen und die Ermordung von Propheten[43]. Die Kirchenväter wissen sehr wohl zwischen Homologumena, Antilegomena und gefälschten ($\psi\epsilon\upsilon\delta\tilde{\eta}$, $\nu\delta\vartheta\alpha$) Schriften zu unterscheiden[44]. Auch die bekannte Affäre um den kleinasiatischen Presbyter und Verfasser der Acta Pauli zeigt, daß Pseudepigraphie nicht in jedem Falle mit dem Gelingen rechnen konnte: Der Autor der Acta Pauli wurde seines Amtes enthoben, obwohl er sein Werk damit zu rechtfertigen versuch-

---

39) Vgl. z.B. KÜMMEL, Einleitung 318ff. (im Anschluß an Eph) und A.WIKENHAUSER-J.SCHMID, Einleitung in das NT, 6.Aufl. Freiburg-Basel-Wien 1973, 538-541 (im Anschluß an die Past).

40) Für KÜMMEL, Einleitung 320, ist die Frage "noch nicht ausreichend geklärt". Auch nach P.STUHLMACHER, Christliche Verantwortung bei Paulus und seinen Schülern: EvTh 28(1968) 165-186; 181 Anm. 26, ist das Problem "noch ganz ungeklärt". RIST, Pseudepigraphy 91, bedauert noch zu diesem Zeitpunkt(!) das Fehlen eines systematischen Versuches, die Praxis der Pseudepigraphie zu überlegen.

41) Vgl. dazu SPEYER, Fälschung 112-130.

42) Ebd. 179-218.

43) Vgl. Justin, Dial. 73,4f; hg.v. Ph.HAEUSER, BKV 1/33, 120. Vgl. SPEYER, Fälschung 173.

44) Vgl. dazu CAMPENHAUSEN, Entstehung 370f; SPEYER, Fälschung 185f.

te: "id se amore Pauli fecisse"[45].

Darüber hinaus kennt die Kanongeschichte genug Beispiele eines recht kritischen Verhaltens gegenüber eindeutigen Fälschungen: Auch die obskursten Manipulationen bezüglich ihrer Auffindung konnten einem Werk wie der apokryphen P-Apokalypse nicht die kanonische Anerkennung einbringen[46], und auch letztlich kanonisierte Schriften mußten eine Echtheitskritik über sich ergehen lassen, der sie nicht immer standzuhalten vermochten[47].

Selbst das NT hat bereits einige Andeutungen in Richtung einer Kritik an Fälschungen. So verbietet der Schluß der Apk Hinzufügungen und Abtrennungen mit der Androhung der im Buch beschriebenen Plagen und mit dem Verlust des "Anteils am Holz des Lebens" (Apk 22,18f.). Auch 2 Thess 2,2 - obwohl selbst wahrscheinlich ein pln Pseudepigraphon[48] - enthält möglicherweise bereits eine Replik auf eine Fälschung: Darin wird die Gemeinde gebeten, sich nicht verwirren zu lassen "weder durch einen Geist noch durch ein Wort noch durch einen Brief ὡς δι' ἡμῶν "[49].

Wie Echtheitskritik und Pseudepigraphie auf h i s t o r i s c h e r Ebene zusammengehen konnten, darüber gibt es bis heute keine zufriedenstellenden Antworten, und doch ist gerade dieser Fragenkreis nicht zu vernachlässigen, soll es zu einer gerechten Bewertung im Einzelfall kommen. Wie konnten sich Pseudepigrapha trotz des kritischen Auges der Kirche in solch breitem Ausmaß - wie die biblische Verfasserschaftskritik allenthalben vermutet - durchsetzen?

P.N.HARRISON wollte als Erklärung anbieten, daß der Autor der Past mit seiner literarischen Fiktion nie beabsichtigt hätte, seine Briefe als P-Briefe anerkennt zu sehen, sondern daß die Idee, die Past stammten von P selber, erst zu einer Zeit entstanden wäre, als ihr wirklicher Autor dies nicht mehr korrigieren konnte[50]. Doch ist mit Recht dagegen einzuwenden, daß ein Pseud-

---

45) Vgl. die Nachricht bei Tertullian, De bapt. 17,5; ed. J.G.Ph. BORLEFFS, CCL 1,292, Z. 27f.

46) Vgl. dazu den Bericht bei Sozomenos, HE 7,19,10f; ed. J.BIDEZ, GCS 50,331f.

47) Vgl. SPEYER, Fälschung 172, Anm. 1.

48) Vgl. S. 89f.

49) Vgl. dagegen H.HEGERMANN, Der geschichtliche Ort der Pastoralbriefe, in: Theologische Versuche 2, hg.v. J.ROGGE u. G.SCHILLE, Berlin 1970, 47-64. HEGERMANN bezieht ὡς δι' ἡμῶν zu μηδὲ θροεῖσθαι und übersetzt - unter Bevorzugung der Echtheit - ὡς δι' ἡμῶν als "wie d u r c h uns". Danach stelle P bei der Aufzählung der möglichen Ursachen der Verwirrung den Brief mit sich selber gleich. Vgl. ebd. 50.

50) Vgl. HARRISON, Paulines 35.

epigraphon schwerlich mit der Absicht geschrieben worden wäre, durch-
schaut zu werden[51]. Aber auch die anderen bisher vorgelegten Erklärungsversuche in Richtung auf eine prinzipielle Pseudepigraphie befriedigen
noch nicht.
K.ALAND[52] und H.HEGERMANN[53] versuchen eine so grundsätzliche und
weitgehende Rechtfertigung des Phänomens der biblischen Pseudonymität[54],
daß auch eine unproblematische Verbreitungsform derartiger Schriften gewährleistet erscheint. Nach HEGERMANN ist Pseudonymität ein so planmäßi-
ges theologisches Verfahren, daß es auch von den urchristlichen Gemeinden
voll akzeptiert wurde[55]. Doch wird man gut daran tun, auch in historischen
Fragen das NT nicht von seiner Umwelt zu isolieren[56], oder das Problem
nur im Einzelfall für klärbar zu halten[57]. Vor allem aber bereinigt eine
solch prinzipielle Theoriebildung zur biblischen Pseudepigraphie bei weitem
noch nicht alle anstehenden Fragen. Wie die Benützung der literarischen Form
bedeutet auch die Anerkennung der Pseudepigraphie noch keine Selbstverständlichkeit, sondern die Bedingungen für die Durchsetzung pseudepigraphischer
Produkte sind vielmehr möglichst hart anzusetzen. Der Zufall könnte zwar
vereinzelt als Erklärung für eine geglückte Pseudepigraphie herangezogen
werden, doch ist dies bei der ganzen Breite des Verdachtes auf ntl. Pseudepigraphie keine statthafte Auskunft.
Die einzige, auch im Bereich der Historie annähernd plausible Erklärung für
die Durchsetzung von Pseudepigraphie scheint m.E. nur unter ganz bestimmten Konstellationen gegeben zu sein. Man wird zwar im allgemeinen einerseits
sicherlich damit zu rechnen haben, daß die Wahl der literarischen Form eines
Pseudepigraphons eher bei bescheidenen als gewichtigen Autoritäten nahe-
liegt[58], hinsichtlich der Verbreitungsmöglichkeiten der Pseudepi-

---

51)   Vgl. BROX, Past 65.

52)   Vgl. K.ALAND, Das Problem der Anonymität und Pseudonymität in
        der christlichen Literatur der ersten drei Jahrhunderte, in: Ders.,
        Studien zur Überlieferung des NT und seines Textes, ANTT 2, Berlin
        1967, 24-34.

53)   Vgl. HEGERMANN, Ort 47-64.

54)   Ähnlich bereits A.MEYER, Religiöse Pseudepigraphie als ethisch-
        psychologisches Problem: ZNW 35(1936) 262-279.

55)   Vgl. HEGERMANN, Ort 50f.

56)   ALAND, Problem 33, bestreitet eine Parallelisierung der kanonischen
        Anonymität und Pseudonymität mit entsprechender Profanliteratur.

57)   Vgl. HEGERMANN, Ort 47.

58)   So BROX, Problemstand 20.

graphie jedoch wird man andererseits den nachschreibenden Autoren eine gewisse S c h l ü s s e l p o s i t i o n und Schaltstellung nicht absprechen dürfen. Gerade in Zusammenschau mit dem Gesamtphänomen der Pseudepigraphie, angefangen von einer bloßen literarischen Übung bis hin zur Pseudepigraphie als Manipulation, gerät man hinsichtlich der ntl. Pseudepigrapha entschieden in die Z e i t und den U m k r e i s der K a n o n b i l d u n g und der sie betreibenden p e r s o n a l e n Kräfte. Ohne Pseudepigraphie damit zu einem biblischen Verfasserschaftsprinzip erklären zu wollen, wird man bedenken müssen, daß gerade engagierte Verkündiger und Tradenten auch die Möglichkeit einer Publikation und Durchsetzung ihrer nachgeschriebenen Schriften wahrnehmen konnten[59].

e) Werturteile

Schon bei den Überlegungen der historischen Fragen zur Pseudepigraphie zeigte sich das eigenartige Phänomen einer Spannung zwischen eigenständiger und abgeleiteter Autorität, welche die Voraussetzung für die Abfassung und Verbreitung pseudepigrapher Schriften darstellt.
Das breite Feld dieser Spannung führt denn auch zu sehr verschiedenen Wertungen und Akzentsetzungen, wobei die Schwerpunkte in der Beurteilung - innerhalb des ganzen Kanons oder der kanonischen Einzelschrift - einmal stärker auf der positiven und dann wieder auf der negativen Seite des ψεῦδος gesetzt werden.

ALAND versuchte entgegen den TORMschen Bedenken, die Frage der Pseudonymität aus den psychologisch-ethischen Kategorien zu lösen und Anonymität bzw. Pseudonymität als die eigentlich adäquate urchristliche Literaturform zu erklären, die aus dem besonderen Geistbesitz der ntl. Schriftsteller und aus der Verlagerung von der mündlichen zur schriftlichen Botschaft resultiere[60]. Danach bedürfe nicht das Phänomen der Pseudonymität, sondern das Auftreten o r t h o n y m e r biblischer Literatur einer Erklärung[61]. Die pln Briefe versucht ALAND als e c h t e Briefe, die aus der Natur der Sache immer schon mit dem Namen des Schreibers verbunden sind, aus dem Problemkreis auszuklammern, während er die Deuteropaulinen nach DEISSMANNs Unterscheidung[62] zu den E p i s t e l n rechnet[63]. Bei den Past jedoch schwankt er mit seiner Be-

---

59) Vgl. auch S. 68f, 100-104.

60) Vgl. ALAND, Problem 24-29, passim.

61) Ebd. 26, 30.

62) Vgl. A.DEISSMANN, Licht vom Osten. Das NT und die neuentdeckten Texte der hellenistisch-römischen Welt, 4.Aufl. Tübingen 1923, 194ff.

63) ALAND, Problem 26.

urteilung, ob sie noch zu den Deuteropaulinen zu zählen sind oder ob sie, und besonders 2 Tim, nicht "vielleicht Vorboten bzw. Bestandteile einer Entwicklung" sind, "die wir abgeschlossen in den apokryphen Akten der Apostel vorfinden"[64], also bereits zu jener Literatur zu rechnen sind, welche als Romanschriftstellerei der Befriedigung frommer Bedürfnisse dient[65].

Noch entschiedener als ALAND führt HEGERMANN die Frage der Pseudonymität in Richtung auf eine theologische Deutung weiter, ohne jedoch bei ALANDs ganzheitlicher Methode einer Erklärung ntl. Schriftstellerei zu verbleiben. HEGERMANN versucht dem Problem von den Past ausgehend beizukommen[66]. Er führt die Frage nicht im Sinne der Geisttheologie ALANDs weiter, wonach die Pseudonymität die "logische Folge aus der Voraussetzung" sei, "daß der Geist selbst der Verfasser ist", welcher entweder durch die Apostel im allgemeinen oder durch die bedeutendsten von ihnen spricht[67], sondern HEGERMANN betrachtet das literarische Verfahren der Pseudonymität als Konsequenz des besonderen urchristlichen Sendungsbewußtseins, das nicht im eigenen Namen sprechen kann, sondern seine Kompetenz apostolisch begründet[68].

Die allgemeine literaturwissenschaftliche Bezeichnung der Pseudonymität bzw. Pseudepigraphie wird nach HEGERMANN den ntl. Verhältnissen so wenig gerecht, daß man besser von "Autorfiktion" im Urchristentum reden sollte, da der ntl. Schriftstellerei jede Form von ψεῦδος fern liege[69]. Dies begründet HEGERMANN folgendermaßen: Trotz der gerade in der neueren form- und traditionsgeschichtlichen Forschung sichtbar gewordenen starken theologischen Persönlichkeiten, welche hinter den Evangelien stehen, bleiben diese grundsätzlich anonym. Diese Verfasser konnten aber nicht nur die überlieferte Tradition, sondern auch ihre Vermehrung und Deutung dieser Tradition Jesus in den Mund legen. Dieses Verfahren würde von den Gemeinden voll anerkannt, weil es dem besonderen Sendungsbewußtsein und den Gemeindeverhältnissen der ntl. Autoren entspreche, wonach Jünger und Meister gleichgesetzt werden (vgl. Mt 10,40; 23,8)[70].
Dieselbe Funktion wie Jesus für die Evangelisten nimmt für P das Evangelium ein. Er kann jedoch als der Erstverkündiger in seinem Missionsgebiet nicht anonym bleiben, sondern setzt seinen Namen nachdrücklich neben und unter sein

---

64)   Ebd. 31.

65)   Ebd. 33.

66)   HEGERMANN, Ort 47.

67)   ALAND, Problem 30.

68)   HEGERMANN, Ort 51.

69)   Ebd. 48, passim.

70)   Ebd. 50f.

Evangelium[71] und benutzt seine Briefe als die Verlängerung seiner apostolischen Autorität. Diese Funktion nehmen auch die deuteropln Autoren wahr und begründen ihre "Autorfiktion" in Analogie zu den synoptischen Evangelisten, "nun aber unter den besonderen Bedingungen der Paulustradition"[72]. Die Past können demnach nicht den apokryphen Apostelromanen der Frühzeit zugeordnet werden[73], sondern stellen eine literarische Verlängerung der P-Tradition dar, die nur von einem Verfasser wahrgenommen werden konnte, "der ein anerkannter, führender Vertreter der Paulustradition"[74] war.

HEGERMANNs Position, die hinsichtlich der Past unten noch näher zu verfolgen ist[75], zeigt grundsätzlich richtige Beobachtungen, krankt jedoch an ihrer Isolierung des ntl. Phänomens, was ihm eine recht unproblematische Erklärung eines auch ntl. sehr weitgespannten und differenzierten Genus gestattet und ihn die ntl. Verhältnisse zu sehr idealisieren bzw. schon ideologisieren[76] läßt. Demgegenüber lohnt jedoch der Vergleich des allgemeinen Phänomens der Pseudepigraphie und speziell der angrenzenden Gebiete biblischer bzw. patristischer Schriftstellerei, die keine so exklusive Erklärung der ntl. Verhältnisse dulden[77].

Wenig gerecht wird dem Problem der ntl. Pseudepigraphie der Beitrag von H. R.BALZ[78], der den Zusammenhang von urchristlicher und gemeinantiker Pseudepigraphie festzuhalten versucht, dabei aber von zu wenig reflektierten modernen Vorstellungen her zu sehr negativen und gereizten Urteilen hinsichtlich des biblischen Befundes kommt. Danach hebe sich die Anonymität noch durchweg in positiver Weise von der Pseudepigraphie ab[79], doch hält BALZ nicht viel von Anonymität, geschweige denn von Pseudepigraphie[80]. Die

---

71)   Ebd. 52.

72)   Ebd. 54.

73)   Ebd. 51, gegen ALAND, Problem 33.

74)   HEGERMANN, Ort 59.

75)   Vgl. S. 77, 88, 131 Anm. 110, 137.

76)   Vgl. BROX, Problemstand 20, der bereits Ideologieverdacht als Frage an HEGERMANN anmeldet.

77)   Vgl. BROX, Problemstand 12.

78)   Vgl. H.R.BALZ, Anonymität und Pseudepigraphie im Urchristentum. Überlegungen zum literarischen und theologischen Problem der urchristlichen und gemeinantiken Pseudepigraphie: ZThK 66(1969) 403-436.

79)   Ebd. 416.

80)   Ebd. 420, 429f.

Deuteropaulinen seien sowohl Schulprodukte wie pseudepigraphische Fiktionen und Fälschungen[81], die Past im besonderen aber seien keine Schulprodukte, sondern Tendenzfälschungen, deren Rückgriff auf den Apostel nur der eigenen Legitimierung diene[82].

Für BALZ ist Anonymität in der christlichen Verkündigung nur bis zu einem beschränkten Ausmaß möglich; sie ist jedoch sofort dort aufzugeben, wo der Verkündiger seine Person und Existenz ins Spiel bringen muß[83]. Die Pseudepigraphie hingegen ist Ausdruck der Ratlosigkeit und Ohnmacht der nachfolgenden Generationen, welche zwar an die Ursprünge zurückverwiesen seien, denen es aber an Autorität fehle, ihre eigenen Antworten zu verantworten, weswegen sie lieber die überholten apostolischen Autoritäten für sich zu Felde ziehen ließen. So sei Pseudepigraphie Ausdruck der "Flucht vor personal verantworteten theologischen Neuansätzen", ein Phänomen, das für die christliche Theologie sehr nachteilig geworden sei[84].

Die beiden Positionen von HEGERMANN und BALZ können die Extreme der Werturteile hinsichtlich der ntl. Pseudepigraphie veranschaulichen. Neben solchen Extremen und bei allen noch ungeklärten Einzelfragen haben sich in der neueren Forschung zu den Pseudepigrapha aller Gattungen[85] aber auch schon grundlegende Erkenntnisse eingestellt, welche für das Verständnis ntl. Schriftsteller nutzbringend Anwendung finden können:

Das eine ist das eigentümliche - gemeinantike - T r a d i t i o n s d e n k e n , nach welchem die Norm der Wahrheit bei den "Alten" und in der früheren Zeit

---

81)   Ebd. 417.

82)   Ebd. 432.

83)   Ebd. 433f.

84)   Ebd. 434ff; Zitat 436. - Dagegen bietet neuerdings K.M.FISCHER, Anmerkungen zur Pseudepigraphie im NT: NTS 23(1976) 76-81, Ansätze zu einer unvoreingenommenen Wertung des Problems. Er schlägt für die urchristliche Literatur zwischen P und 1 Klemens die Bezeichnung "die Zeit der neutestamentlichen Pseudepigraphie" vor. Ebd. 81.

85)   Die in den letzten Jahren nachdrücklich in Gang gekommene Pseudepigraphenforschung zeigt sich nicht nur in Studien zum Phänomen, sondern auch in neuen Editionen. Vgl. z.B. für die zwischentestamentliche Literatur J.H.CHARLESWORTH, The Renaissance of Pseudepigrapha Studies. The SBL Pseudepigrapha Project: Journal for the Study of Judaism 2 (1971) 107-114; G.DELLING, Bibliographie zur jüdisch-hellenistischen und intertestamentarischen Literatur 1900-1965, TU 106, Berlin 1969. Für das Mittelalter vgl. z.B. H.FUHRMANN, Einfluß und Verbreitung der pseudoisidorischen Fälschungen 1 u. 2, (MGH Schriften 24/1+2), Stuttgart 1972f.

liegt[86] und das vor allem im Judentum seine Ausprägung gefunden hat[87]. Dieses Traditionsdenken versucht, die neuen Fragen mit besonderer Vorliebe mittels Pseudepigrapha auf den Namen von Autoritäten der normativen Vergangenheit zu beantworten[88]. Dieses literarische Verfahren war dem Judentum dadurch erleichtert, daß es sich von der hellenistisch-römischen Welt hinsichtlich der schriftstellerischen Individualität, des geistigen Eigentums und des besonderen Bewußtseins von historischer Wahrheit und Wirklichkeit deutlich unterscheidet[89]. Das nach rückwärts in die Geschichte hinein orientierte Denken, das Interesse an der Vergangenheit als Norm, der Altersbeweis für die Wahrheit u.ä. schaffen das Klima für die Vordatierung von Aussagen und damit auch die Voraussetzung für die Pseudepigraphie[90]. Diese erweist sich als die literarische Form des Eingeständnisses neuer Fragen und des Versuchs ihrer Beantwortung mittels alter Normvorstellungen, die allerdings erheblich modifiziert, oder u.U. erst neu geschaffen werden müssen.

Pseudepigraphie ist weiters die literarische Form einer P e r s o n a l i s i e r u n g d e r   T r a d i t i o n [91], weil Traditionsbildung nicht ohne das inspiratorische Erlebnis des Anfangs und der damit traditionsbildenden Personen denkbar ist. Doch zeigt sich in der Personalisierung der Tradition auch meist deutlich, "daß die in der Pseudepigraphie reklamierte Gestalt der Frühzeit um ihre Individualität gebracht wird und sie der ihr zugeschriebenen Schrift meistens auch keinen individuellen Charakter mitgeben kann."[92] So wird Pseudepigraphie trotz der dezidierten Verfasserschaftserklärung meist ein Dokument "transsubjektiver" Tradition[93], welcher die Individualität der reklamierten Ursprungsgrößen geopfert wird[94]. Charakteristisch für diese Entwicklung in der frühen Kirche ist die Nomenklatur "d i e Apostel" und später die Kategorie: d i e "Väter"[95].

---

86) Vgl. dazu BROX, Problemstand 20f. Vgl. auch Ders., Die Berufung auf "Väter" des Glaubens, in: Heuresis, (Fs. A.ROHRACHER), Salzburg 1969, 42-67; Ders., Altkirchliche Formen des Anspruchs auf apostolische Kirchenverfassung: Kairos 12(1970) 113-140; Ders., Verfasserangaben 52f.

87) Vgl. HENGEL, Anonymität 229-308.

88) Ebd. 267.

89) Vgl. ebd. 232-236, 304ff.

90) Vgl. auch BROX, Problemstand 21f.

91) Vgl. ebd. 22.

92) Ebd. 22.

93) Zur Formulierung vgl. HENGEL, Anonymität 284.

94) Vgl. BROX, Problemstand 23.

95) Ebd. 22f. Vgl. Ders., Formen 130-140.

Bevor noch die speziellen Verhältnisse der Past untersucht werden, kann bereits im Zusammenhang mit der frühchristlichen Literaturgeschichte festgehalten werden, daß die Pseudepigraphie eine literarische Form ist, womit in der frühen Kirche des öfteren der A n s p r u c h   a u f   A p o s t o l i z i t ä t begegnet[96].

2. Die Past als pln Pseudepigrapha

a) Grundsätzliches

1) Die hermeneutische Funktion der Pseudepigraphie

Im Laufe der Forschungsgeschichte ist eigentlich schon alles, was zur Verteidigung der Echtheit der Past gesagt werden konnte, gesagt worden. Doch kann bei vorausgesetzter Authentizität für die Interpretation der Past nicht viel mehr aufgezeigt werden als der Variationsreichtum und das anders akzentuierte Denken des altgewordenen P.

Anders liegen die Verhältnisse unter Annahme der Pseudepigraphie. Hier sind die Fragen noch lange nicht zu Ende gedacht, denn allzu lange begnügte sich die Kritik nur mit dem Aufweis der negativen Seite und sah ihre Arbeit als getan, wenn sie die g e g e n P sprechenden Argumente zusammengetragen hatte. Und doch ist die Frage nach der E c h t h e i t d e r P a s t immer auch eine Frage nach dem g e s a m t e n P , denn ein P, der die Past geschrieben hat, ist im ganzen ein anderer als ein P nur der Homologumena[97].

Doch nicht so sehr die Frage nach dem ganzen P mit oder ohne Past soll hier aufgenommen werden, sondern die Frage des V e r h ä l t n i s s e s d e r - jetzt dezidiert nichtpln betrachteten - P a s t z u P , die noch lange nicht in allen erforderlichen Dimensionen ausgeschöpft ist.

Von unserem Aspekt her sind die pln Texte der Past nicht mehr nur als jene Elemente zu entschuldigen, welche die Past im NT gerade noch tragbar machen. Das Paulinische der Past ist auch nicht mehr von vornherein als tendenziös zu beargwöhnen, sondern die pln wie nichtpln Züge gewinnen bei nachpln Verfasserschaft eine neue Dimension. Ihre P-Tradition wiegt umso

---

96)   Vgl. BROX, Formen 117.

97)   Vgl. O.KUSS, Die Rolle des Apostels Paulus in der theologischen Entwicklung der Urkirche: MThZ 14(1963) 1-59, 109-187; 170; Ders., Paulus. Die Rolle des Apostels in der theologischen Entwicklung der Urkirche, (Auslegung und Verkündigung 3), Regensburg 1971, 438, im Hinblick auf die Verfasserschaftsprobleme der Past und des Eph.

schwerer, je weiter man die Past von P abrückt[98], aber auch das Nicht-pln in ihnen erweist sich aus ganz anderer Kompetenz gesprochen als ein faux pas des nachschreibenden Autors. Der zeitliche und sachliche Abstand der Past von P ist vielmehr die Grundvoraussetzung für ihre sachgemäße Interpretation.

Man kann zwar trotz allem die Authentizität der Past zu retten versuchen, doch trägt dies dem P-Bild nicht mehr wesentlich Neues ein als eine erstaun-lich wandlungsfähige Sprechweise des alten P. Für den P von dreizehn Briefen aber bezahlt man den Preis einer sehr dunklen, ja unverständlichen Geschichte der pln Tradition. Das Festhalten an der Authentizität der Past hat also durch-aus nicht nur positive Seiten. Die Past für den historischen P retten wollen heißt, auch eine negative Wirkungsgeschichte des P zur Kenntnis nehmen zu müssen. Sind die Past authentisch, wird die P-Tradition empfindlich redu-ziert[99]. Dagegen schafft die Annahme eines nachpln Autors in den Past klare-re Positionen. Sie bedeutet, daß der P der authentischen Briefe profilierter und deswegen wohl auch historisch echter ist als das P-Bild der Past. Den-noch ist das Bild des dahingegangenen und "erhöhten" P, das in der P-Tra-dition entsteht, geschichtlich keineswegs irrelevant, sondern darf als Zeugnis einer von P bis zu den Past reichenden - innerkirchlichen - P-Tradition ge-wertet werden, ein Faktum, das im weiteren wohl auch Rückschlüsse auf den historischen P zuläßt.

Die Erkenntnis der fortgeschrittenen Zeit für die Abfassung der Past ist aller-dings mit der Übernahme der schwerwiegenden Fragen der Pseudepigraphie verbunden, anderseits schafft die Anerkenntnis des zeitlichen Abstandes von P völlig neue Vorzeichen für die Interpretation: Was in einem synchronen Ver-gleich der Past mit P immer zuungunsten der Past verbucht werden mußte, gewinnt gerade bei diachroner Betrachtung einen neuen, positiven Stellenwert. Die Erkenntnis des nachpln Charakters der Past hat also eine grundlegen-de hermeneutische Funktion sowohl für die Interpretation des P wie der Past.

2) Die Past als Pseudepigrapha

Ein eigenartiges Merkmal der Past besteht darin, daß sie alles, was sie von P abhebt, untereinander verbindet. Die Gesamtbeobachtungen sprechen trotz der formalen und sprachlichen Variationsbreite der einzelnen Briefe für einen einzigen Verfasser. 1 Tim und Tit zeigen untereinander die nächste Verwandtschaft[100], während 2 Tim ein Stück für sich darstellt und sich einer

---

98)   Dies betont überzeugend CAMPENHAUSEN, Polykarp 207.

99)   Vgl. S. 246ff.

100) Zur allgemeinen Charakterisierung vgl. auch I.MINESTRONI, Analisi
      e contenuto: RBR 7(1972) 53-65.

pseudepigraphen Betrachtung am meisten zu widersetzen scheint, vor allem wegen seines persönlichen Charakters[101].

So ist es schon einmal bloß die D r e i z a h l der Briefe, welche lange am besten aus konkreten authentischen Briefsituationen heraus verständlich schien[102] und auch unter pseudepigraphen Voraussetzungen noch zu keinen befriedigenden Erklärungsversuchen gefunden hat[103]. So wird man die Dreizahl der Past kaum mit Hinweis auf die drei Johannesbriefe als typisch - neben der Sieben - für urchristliche Briefcorpora[104] oder rein zahlensymbolisch erklären dürfen, doch ist die Vermutung begründet, daß die Past von Anfang an a l s C o r p u s k o n z i p i e r t u n d v e r b r e i t e t wurden. Dafür spricht nicht nur ihre ziemlich homogene Bezeugung als Gesamtheit, sondern auch ihr innerer Anspruch, der in den Kirchenordnungen von 1 Tim und Tit und im literarischen Testament des P in 2 Tim begegnet. Was darin gesagt wird, tendiert auf lokal und temporal weitere Räume. Die Past als nachpln Corpus erheben einen Geltungsanspruch im gesamten pln Missionsgebiet und darüber hinaus. Die gewählten Bestimmungsorte Ephesus und Kreta haben dabei für das Selbstverständnis der Briefe durchaus relevanten Charakter im Sinne einer beabsichtigten u n i v e r s a l e n Gültigkeit.

Die Past bekunden aber auch einen Anspruch auf E n d g ü l t i g k e i t ihrer P-Interpretation: Was jetzt ausgesagt wird, hat die Form eines bleibenden Vermächtnisses des P. Dieser fortgeschrittene Anspruch auf die pln Autorität hält die drei Briefe dermaßen zusammen, daß sie m. E. am besten als pseudepigraphes C o r p u s auszulegen sind. Gerade im Nebeneinander als literarisches Triptychon erweisen sie ihren eigenen geschichtlichen Ort und ihre volle theologische Absicht.

3) Totale Pseudepigraphie

Man wird dem besonderen Charakter der Past als pln Pseudepigrapha wenig gerecht, wollte man sie wenigstens in einzelnen Teilen doch wieder auf P selbst zurückführen. Sicherlich ist mit einer größeren Zahl von P-Briefen zu rechnen, als uns heute im Kanon vorliegen, doch ist es unwahrscheinlich, daß

---

101) Vgl. S. 75f, 78f, 86ff.

102) Vgl. TORM, Psychologie 49f; BINDER, Situation 71.

103) Auch bei HEGERMANN, Ort 58, findet die Dreizahl der Past eigentlich keine rechte Erklärung. Richtig vermuten A. JÜLICHER-E. FASCHER, Einleitung in das NT, 7. Aufl. Tübingen 1931, 184, hinter der Dreizahl die Intention, das Gewicht der Aussagen zu steigern.

104) So W. SCHMITHALS, Zur Abfassung und ältesten Sammlung der paulinischen Hauptbriefe: ZNW 51(1960) 225-245; 244; Ders., Past 147.

der Verfasser der Past sein Unternehmen nur dann hätte motivieren können, wenn er zu echten pln Brieffragmenten Zugang gehabt hätte. Wieso er solche echte Fragmente so ungleich über seine eigene Schöpfung verteilt haben sollte, wird aber immer noch nicht recht erklärlich, außer man behilft sich wie DORNIER mit der Annahme, daß die Fragmente genau drei echten P-Briefen entstammen[105]. Wenn sich ein nachpln Verfasser schon dazu entschließt, im Namen des P neue P-Briefe zu schreiben, dann hat er zur Durchführung seines literarischen Unternehmens keine authentischen Notizen notwendig.

N. BROX[106] hat sehr überzeugend darstellen können, daß auch die persönlichen Notizen der Past weitgehend unter pseudepigraphen Voraussetzungen erklärbar sind und als solche ihre literarische und theologische Absicht erkennen lassen[106a]. So läßt sich das P-Bild der Past schwerlich mit dem der Homologumena auf einen Nenner bringen, sondern die P-Anamnesen der Past verfolgen eine paränetische Intention. P zeigt sich in den Past als Typos christlicher Haltung. 2 Tim 1, 15-18 schildert ihn als den verlassenen Gefangenen, der zum Mitleiden für das Evangelium auffordert (vgl. 2 Tim 1, 8; 2, 3), aber auch das Versagen von Brüdern zur Kenntnis nehmen muß (vgl. 2 Tim 1, 15)[107]. Während gerade bei angenommener Echtheit die "Einsamkeit" des P nicht gut mit der - briefüblichen - großen Zahl von Mitgrüßenden in 2 Tim 4, 21 harmoniert, gewinnt das von den Past gezeichnete P-Bild unter pseudepigraphen Voraussetzungen seine volle paränetische Funktion. Bereits an P zeigt sich das typische Schicksal des Apostels und seiner Nachfolger, daß nämlich Dienst am Evangelium Vereinsamung bedeutet und u. U. auch die bittere Erfahrung gemacht werden muß, daß der Verkündiger um des Evangeliums willen von den vertrautesten Menschen verlassen wird[108]. Auffällig ist auch der Umstand, daß die Personalnotizen bisweilen noch sehr wohl ihre Zuordnung zu einem paränetischen Abschnitt erkennen lassen: Jeweils im Zusammenhang mit P-Anamnesen zeigen die Personalnotizen über Lukas

---

105) Vgl. DORNIER, Past 25.

106) Vgl. N. BROX, Zu den persönlichen Notizen der Pastoralbriefe: BZ 13(1969) 76-94.

106a) Dies wird neuerdings jedoch wieder bestritten. Vgl. SYNNES, Psevdepigrafi 192-195. Nach wie vor sind es noch immer die historischen Details, an welchen sich die Frage von Echtheit oder Pseudepigraphie entscheidet. So sind z.B. auch für E. SCHWEIZER, Der Brief an die Kolosser, Zürich-Neukirchen 1976, 26f, vor allem die persönlichen Mitteilungen im Briefschluß von Kol ausschlaggebend für seine These einer Quasiechtheit des Kol infolge einer Abfassung durch Timotheus.

107) Vgl. BROX, Notizen 82ff.

108) Vgl. ebd. 86.

(2 Tim 4,11a) und Onesiphoros (2 Tim 1,16) einerseits und Demas (2 Tim 4,10) anderseits die beiden Möglichkeiten der Bewährung und des Versagens in der Nachfolge des P[109].

Überhaupt erweisen sich die persönlichen Notizen mehr als bisher angenommen als ausgesprochene Topoi des antiken Briefstils. So ist z.B. die Beteuerung des Gedenkens des Schreibers für den Empfänger (vgl. 2 Tim 1,3) oder die geäußerte Sehnsucht nach dem Wiedersehen (vgl. 2 Tim 1,4), welche bei angenommener Echtheit mit dem Auftrag an die Adressaten, auf ihrem Posten zu bleiben (vgl. 1 Tim 1,3; Tit 1,5), kollidiert[110], durchaus in Wesen und Form des griechischen Briefes als dem Gespräch zweier leiblich Abwesender[111] begründet. Wer sich entschloß, Briefe zu schreiben, konnte ihre Gestaltung durchaus aus Handbüchern erlernen[112]. Die persönliche Form des Briefstils ist daher kein Echtheitskriterium, sondern läßt sich auch aus einer epigraphen Briefsituation heraus durchführen.

4) Die Rolle der Adressaten

Besondere Schwierigkeiten bestehen bei angenommener Echtheit bezüglich der Rolle und Funktion der Adressaten[113]. Unter pseudepigraphen Voraussetzungen hingegen klären sich diese Schwierigkeiten zufriedenstellend auf. Das Timotheusbild der Past ist ja unter dem Eindruck der echten Paulinen historisch

---

109)   Vgl. ebd. 86.

110)   Vgl. ebd. 87f.

111)   Vgl. dazu K.THRAEDE, Grundzüge griechisch-römischer Brieftopik, (Zetemata 48), München 1970, 27-46; K.KOSKENNIEMI, Studien zur Idee und Phraseologie des griechischen Briefes bis 400 n. Chr., (Annales Academiae Scientiarum Fennicae, Ser. B 102/2), Helsinki 1956, 203f.

112)   Vgl. KOSKENNIEMI, Studien 54-63.

113)   Bei angenommener Echtheit hat Timotheus eine "anachronistische Rolle". Vgl. A.VÖGTLE, Kirche und Schriftprinzip nach dem NT: BiLe 12 (1971) 153-162, 260-281; 275.

nur schwer verständlich[114]. Sind die Past pseudepigraph, dann ist auch die Rolle der Adressaten fiktiv. Man kann mit W.STENGER treffend von einer "doppelten Pseudonymität" der Past sprechen[115].

Der Timotheus der Past ist nicht der bewährte Mitarbeiter und ἰσόψυχος des P (vgl. Phil 2,20), sondern der Adressat verschiedenster "pln" Paränesen, die im Grunde genommen dem nachpln Amtsträger gelten[116]. So fungiert Timotheus in 2 Tim 1,5 als Paradigma eines christlichen Leserkreises, welcher bereits auf eine christliche Tradition und Erziehung zurückblicken kann[117]. Auch die widersprüchlichen Angaben bezüglich der Ordination des Timotheus, einmal durch Handauflegung des Presbyteriums (vgl. 1 Tim 4,14) und einmal durch Handauflegung des P (vgl. 2 Tim 1,6), lassen sich bei Echtheit der Past nicht zufriedenstellend lösen[118]. Unter pseudepigraphen Voraussetzungen allerdings erklärt sich dieser Widerspruch zwanglos als die Überlagerung zweier Ordinationsvorstellungen, der wahrscheinlich zeitgenössischen Praxis des Autors in 1 Tim 4,14 und der Rückdatierung in die historisch gedachte Ordination des Timotheus durch P in 2 Tim 1,6[119].

Ähnliche Beobachtungen lassen sich auch hinsichtlich des Titus anstellen. Er ist in den Past nicht der historische Mitarbeiter der pln Mission[120], sondern Typos des nachpln Amtsträgers, der als jung vorgestellt wird (vgl. 1 Tim 4,12) [121].

---

114) Außer man entschließt sich mit W.E.HULL, The Man-Timothy: RExp 56(1969) 355-366; 365, zur Erklärung: "It was not easy for Timothy to be great." Auch W.METZGER, Die neōterikai epithymiai in 2 Tim 2,22: ThZ 33(1977) 129-136, bietet bei angenommener Echtheit nur eine sehr gezwungene Erklärung der untersuchten Stelle: Die jugendlichen Begierden, die es zu fliehen gilt, liegen nach M. nicht beim Adressaten, sondern auf Seiten der häretischen Lehre und seien inhaltlich als glaubensmäßige Neuerungssucht zu verstehen, wogegen die kirchliche Tradition festzuhalten sei.

115) W.STENGER, Timotheus und Titus als literarische Gestalten. Beobachtungen zur Form und Funktion der Pastoralbriefe: Kairos 16(1974) 252-267; 253, im Anschluß an HEGERMANN, Ort 56.

116) Vgl. BROX, Notizen 88f.

117) Vgl. ebd. 80.

118) Vgl. S. 128, 220.

119) Vgl. BROX, Notizen 88f. Zur Übersetzung vgl. auch Ders., Προφητεία im ersten Timotheusbrief: BZ 20(1976) 229-232.

120) Vgl. 2 Kor 2,13; 7,6.13f; 8,6.16.23; 12,18; Gal 2,1ff.

121) Vgl. BROX, Notizen 90.

Nach dem bisherigen Stand der Pseudepigrapheninterpretation ist eine Erklärung der persönlichen Notizen in den Past zwar alles andere als bequem[122], jedoch nicht mehr unüberwindbar. Besonders problematisch jedoch verblieb bislang die Auslegung von 2 Tim 4,13.

b) Exkurs: 2 Tim 4,13

1) Das Problem von 2 Tim 4,13[123]

Zu 2 Tim 4,13 verweist BROX erneut auf die Unzulänglichkeit der Fragmenten-hypothese[124] und auf eine bedeutsame Einsicht von C.SPICQ[125], welcher nach einer eingehenden Untersuchung der profanen Parallelen zur Stelle von seinem früheren, im Anschluß an J.S.STEVENSON[126] geäußerten Urteil über die Unerfindlichkeit einer solchen Notiz[127] abrückt und einräumt, 2 Tim 4,13 habe eher einen klischeehaften Charakter[128]. SPICQ hält allerdings trotz dieser Beobachtungen an der Authentizität der Past fest, weil eine solche Bemerkung einen Apostel zeige, der zwar sonst durch seine sublime Theologie fasziniere, jedoch auch den niedrigen Zufälligkeiten des irdischen Lebens unterworfen sei[129]. BROX[130] wertet die

---

122) Vgl. KUSS, Paulus 31.

123) Der folgende Abschnitt stellt eine gestraffte und ergänzte Fassung meines Aufsatzes "Mantel und Schriften" dar. - (Der Verlag Ferdinand Schöningh/Paderborn hat der Wiederverwendung freundlicherweise zugestimmt).

124) Vgl. BROX, Notizen 92f.

125) Vgl. C.SPICQ, Pèlerine et vêtements. A propos de 2 Tim 4,13 et Act 20,33, in: Mélanges E.TISSERANT 1 (=StT 231), Città del Vaticano 1964, 389-417.

126) Vgl. J.S.STEVENSON, 2 Tim 4,13 and The Question of St. Paul's Second Captivity: ET 34 (1922f.) 524f.

127) Vgl. C.SPICQ, Les épîtres pastorales, Paris 1947, 392.

128) Vgl. SPICQ, Pèlerine 390 Anm. 3:"... ce verset, relu dans son contexte folklorique, fait figure de cliché".

129) Vgl. SPICQ, Pèlerine 416f: "Le même Apôtre qui nous séduit par (417) la sublimité de sa doctrine, est soumis aux humbles contingences de la vie terrestre."

130) Vgl. BROX, Notizen 93.

modifizierte Ansicht SPICQs als bezeichnend für eine vorsichtigere Beurteilung einer persönlichen Notiz, enthält sich jedoch einer endgültigen Stellungnahme[131]. Einerseits hält er die Unechtheit unserer Stelle nicht für zwingend beweisbar, andererseits möchte er jedoch auch der literarischen Erfindungskraft des pseudepigraphen Autors keine Grenzen gesetzt wissen[132]. BROX schließt seine Überlegungen zu 2 Tim 4,13 mit der Frage, "ob im Anschluß an 2 Tim 4,6-8 und die in 4,1-5 geäußerten Sorgen ein so 'banaler' Wunsch in konkreter Situation glaubhaft gemacht werden kann."[133]

Die persönlichen Notizen und allen voran 2 Tim 4,13 galten der traditionellen Forschung bisweilen sogar als "Hauptargument für die Echtheit"[134], sie vermochten jedoch gegenüber der Kritik eine solche Beweislast immer weniger zu tragen. Umgekehrt aber durfte sich die Pseudepigrapheninterpretation der Past nicht mit der Auskunft zufriedengeben, daß ein nachpln Autor eben jede Bemerkung wählen konnte, um seinen Erzeugnissen den Anschein echter P-Briefe zu geben. Versuchsweise läßt sich zeigen, daß auch eine so unerklärliche und banale Briefbitte durchaus der Theologie des Autors dienen könnte. Schon 1 Tim 5,23 ist bei konsequent vorausgesetzter Pseudepigraphie kaum als eine medizinisch-diätetische Empfehlung des P an die Person des Timotheus erklärbar, sondern erweist sich eher als eine briefstellerisch feinsinnig gesetzte Replik zu einem wichtigen Thema der Past: der in 1 Tim 4,2-5.8 ausgesprochenen grundsätzlichen Ablehnung übertriebener Askese[134a]. Der Autor der Past, der sich mit seiner Position P verpflichtet weiß, legt seine Ablehnung P in den Mund und führt diese Ablehnung auch in Form eines persönlichen Rates des P an Timotheus durch.

Ein ähnliches Prinzip läßt sich auch für die Motive in 2 Tim 4,13 geltend machen.

---

131)   Vgl. auch BROX, Verfasserangaben 20f.

132)   Vgl. BROX, Notizen 92.

133)   Ebd. 94.

134)   Vgl. JEREMIAS Past[9] 60,7. Vgl. auch die Argumentation von L.v. RANKE, Weltgeschichte 3/1, 1.u.2.Aufl. Leipzig 1883, 191 Anm. 1. Vgl. jedoch JEREMIAS, Past [11] 9.

134a)   In diesem Sinne wird der Topos übrigens auch von Pseudo-Ignatius wieder aufgenommen. Vgl. N.BROX, Pseudo-Paulus und Pseudo-Ignatius. Einige Topoi altchristlicher Pseudepigraphie: VigChr 30 (1976) 181-188; 187f.

2) Die Bitte um den Mantel

Die Bitte um den Mantel läßt sich bei angenommener Echtheit kaum damit motivieren, daß dieser die Härten des Winters im römischen Gefängnis erträglich machen soll[135]. Zudem würde das Eintreffen der gewünschten Gegenstände bei den antiken Reiseverhältnissen doch eine geraume Zeit in Anspruch nehmen, und darüber hinaus wird nicht ganz ersichtlich, was der Apostel angesichts seines baldigen Todes noch damit will. HOLTZMANN überlegte noch die Übersetzung von φαιλόνης mit "Mantelsack, Bücherfutteral"[136], wie schon die syrische Übersetzung das Hapaxlegomenon φαιλόνης mißverstanden hatte[137]. Doch nehmen die Schwierigkeiten einer historisch-authentischen Deutung der Briefbitte bei der einzig möglichen Übersetzung von φαιλόνης (lat. paenula) mit "Mantel"[138] nur noch zu. Auf dem Hintergrund der antiken Kulturgeschichte, wie sie in den Bestimmungen von Ex 22,25f. und Dtn 24,13 sichtbar ist, wird nämlich kaum begreiflich, wie ein so wichtiges Kleidungsstück, das in der Nacht als Decke dient, überhaupt zurückgelassen werden konnte. Dafür müßte man schon eine sehr überstürzte Flucht oder Verhaftung des P aus dem Haus des Karpus annehmen, was aber dann noch immer nicht die Schwierigkeit bereinigt, wie der Apostel überhaupt in der Zwischenzeit ohne seinen Mantel auskommen konnte.

Selbstverständlich schafft eine Auslegung dieser persönlichen Notiz unter pseudepigraphen Voraussetzungen die angesprochenen Schwierigkeiten nicht ohne weiters aus der Welt. Diente jedoch diese eingestreute Bemerkung nach dem Konzept des nachpln Verfassers nur der Fiktion der pln Autorschaft, würden sich die historischen Schwierigkeiten und Unwahrscheinlichkeiten nur sehr geringfügig verschieben. Auch wäre nichts darüber gesagt, wieso der nachpln Verfasser aus seinen vielen Möglichkeiten fingierter Briefbitten gerade d i e s e Bitte ausgewählt hat. Will man ein literarisch-theologisches Motiv in der Mantelbitte ausmachen, muß man auf die grundsätzliche Einheit der Past als Corpus zurückgreifen. Die Past sind als C o r p u s zu interpretieren und nicht als drei selbständige Einzelschriften, die nur zufällig im Kanon nebeneinander stehen. Man darf und muß deswegen für Struktur- und Motivuntersuchungen alle drei Briefe vergleichen.

---

135) So SPICQ, Pèlerine 393.

136) Vgl. HOLTZMANN, Past 453.

137) Vgl. dazu SPICQ, Pèlerine 389 Anm. 2.

138) Vgl. W.BAUER, Griechisch-deutsches Wörterbuch zu den Schriften des NT und der übrigen urchristlichen Literatur, 5.Aufl. Berlin 1963, s.v.

Für 2 Tim 4,13a empfiehlt sich ein Vergleich mit der Schlußparänese von 1 Tim 6[139], welche das Thema des Lebensunterhaltes anspricht. P selbst vertritt darin den Grundsatz: "Haben wir Nahrung und 'Bedeckung', damit werden wir zufriedengestellt werden" (1 Tim 6,8). σκέπασμα , das von allem verwendet wird, was als Decke und so zum Schutz dient und dann auch das "Haus" bedeuten kann[140], findet im Mantel (φαιλόνης 2 Tim 4,13) seine Konkretion in Form einer Briefbitte. P selbst ist darin das verpflichtende Beispiel apostolischer Selbstgenügsamkeit. Er selber wendet auf sich den Grundsatz der Genügsamkeit mit der "Bedeckung" an, auch angesichts des Todes, was den testamentarischen Charakter seines Vorbildes nur noch unterstreicht. Zwar ließe sich das Mantelmotiv auch anders deuten[141], doch behandeln die Past so ausführlich das Motiv des apostolischen Lebensunterhaltes, daß auch die Mantelbitte in diesem Kontext gesehen werden darf. Im Gegensatz zu P, der das Recht auf den Unterhalt des Apostels zwar ausdrücklich betont, jedoch für sich nicht in Anspruch nimmt, um dem Evangelium kein Hindernis in den Weg zu legen[142], machen die Past von diesem erklärten Recht des Amtsträgers Gebrauch[143]. Doch geschieht dies nicht bedenkenlos und ohne Vorbehalte. Zu deutlich nämlich begegnet in den Katalogen für die kirchlichen Ämter eine Anweisung hinsichtlich des Umganges mit dem Geld (vgl. 1 Tim 3,3.8; Tit 1,7), während den Gegnern der Vorwurf gemacht wird, sie lehrten anders in der Meinung, die Frömmigkeit sei ein Erwerbsmittel (vgl. 1 Tim 6,5), oder sie lehrten, was sich nicht ziemt, schmutzigen Gewinnes wegen (vgl. Tit 1,11). Auch der Lasterkatalog 2 Tim 3,2ff. hebt auf diesen Punkt ab und nennt als Erscheinung der letzten (wohl gegenwärtigen) Tage "geldliebende Menschen" (3,2). Aber nicht nur in der Auseinandersetzung zwischen kirchlichen Amtsträgern und Gegnern erhält diese Form einer Bewältigung des Lebens eine spezielle Bedeutung. Selbst den Sklaven gilt die Mahnung, nichts vom ihnen Anvertrauten auf die Seite zu schaffen (vgl. Tit 2,10). Eine grundsätzliche und zusammenfassende paränetische Behandlung des Themas Reichtum und Besitz findet sich in 1 Tim 6. Nach der allgemeinen, nicht näher adressierten Polemik gegen

---

139) J. THURÉN, Die Struktur der Schlußparänese 1 Tim 6,3-21: ThZ 26 (1970) 241-253, zeigt, daß dieser Abschnitt kein zufälliges Konglomerat darstellt, sondern eine theologisch und formal genau durchdachte Struktur aufweist. Vgl. ebd. 253.

140) Vgl. BAUER, Wörterbuch s.v.

141) Vgl. etwa die Funktion des Mantels in der Elija-Elischa-Erzählung. Der Mantel dient dort als sichtbares Zeichen der prophetischen Nachfolge. Vgl. 2 Kön 2,13ff.

142) Vgl. 1 Kor 9,15-30.

143) Vgl. S. 154-157.

Menschen, die von der Wahrheit abweichen in der Meinung, die Frömmigkeit sei ein Erwerbsmittel (1 Tim 6,5), erklären die Past ihre eigene Position: "Frömmigkeit zusammen mit Selbstbescheidung ist ein großes Erwerbsmittel", heißt es in einer paradoxen Formulierung 6,6, wobei 6,17ff. zeigt, worauf hin dieses Erwerbsmittel ausgerichtet ist: Es ist klug, den Reichtum zum "Gutestun" zu verwenden, "reich zu sein in guten Werken, freigiebig, mitteilsam" (6,18) und sich selber eine gute Basis für die Zukunft anzulegen, für das wahre Leben. 6,7-10 bringt dabei in einem an die Stoa anklingenden Gedankengang[144] den Hinweis, daß wir nichts in die Welt hereingebracht haben, so daß wir auch nichts aus ihr hinaustragen können (6,7). Aus dieser Erkenntnis wird dann die Genügsamkeit mit "Lebensmitteln und Bedeckung" (6,8) gefolgert, während die, welche reich sein wollen, in Versuchung und schädliche Begierden fallen, welche Menschen ins Verderben stürzen (6,9), "denn die Wurzel aller Übel ist die Liebe zum Geld" (6,10). Diese allgemeine Paränese zum Thema Reichtum hat ab V. 6 nicht mehr die Gegner und ihre Selbstbereicherung im Auge, sondern spricht grundsätzlich vom Verhältnis des Christen zu Geld und Besitz[145]: Vom Tod und vom wahren Leben her gesehen erhält irdischer Reichtum seine richtigen Dimensionen. Er kann die Schwelle zum Leben und vom Leben zum Tod nicht überschreiten (6,7), er ist vergänglich und deswegen nicht Grund und Gegenstand berechtigter Hoffnung (vgl. 6,17). Nur Gutestun, Reichtum in guten Werken und Freigiebigkeit stellen eine Investition für die Zukunft dar, vorausgesetzt, die eigentliche Hoffnung richtet sich auf Gott (6,17ff). Sieht man diese Thematik der drei Briefe als Gesamtheit, dann wird vielleicht auch ein der Mantelbitte zugrundeliegendes theologisches Motiv sichtbar. Der Mantel, um den P bittet, ließe sich als Hinweis auf das persönliche "Inventar" des Apostels verstehen: Angesichts des Todes bittet er um seinen Mantel. Das ist alles, was er hat, und alles, was er braucht -, außer den Schriften.

Ist diese Deutung der persönlichen Notiz richtig, entspräche das P-Bild der Past in diesem Punkt sehr gut dem der authentischen Paulinen. P liegt am Erweis der Uneigennützigkeit seiner Evangeliumsverkündigung, nicht zuletzt auch auf dem Hintergrund der Kollekte (vgl. z.B. 2 Kor 8,20; 12,14-18). Daß er sich keinen Reichtum geschaffen hat (vgl. 2 Kor 7,2), bildete dann nach dem Verständnis der Past ein bleibendes Beispiel apostolischer Selbstgenügsamkeit. Das erste Motiv der persönlichen Notiz in 2 Tim 4,13 könnte nämlich zeigen, daß die Past, trotz des erklärten Rechtes der Amtsträger auf Unterhalt seitens der Gemeinde, die besondere Stellung des P in dieser Frage nicht vergessen haben, sondern weiterhin und bleibend für verpflichtend halten.

---

144)   Vgl. DIBELIUS-CONZELMANN, Past 64f.

145)   Vgl. TRUMMER, Mantel 200ff.

Diese Deutung der persönlichen Notiz mag gesucht erscheinen, doch begegnet das Kleidungsmotiv in ähnlichem Zusammenhang auch in der Abschiedsrede des P an die Ältesten von Ephesus in Milet (Apg 20,17-35). Zwar sind die Verschiedenheiten der beiden "Testamente" trotz auffälliger Gemeinsamkeiten zu groß, um eine literarische Abhängigkeit zwischen der Apg und dem 2 Tim nahezulegen[146], doch ist für das Mantelmotiv in 2 Tim 4,13 eine analoge Bemerkung in Apg 20,33ff. aufschlußreich. Auch die lk Darstellung der Rede des P an die Presbyter von Ephesus endet mit dem Hinweis auf seine apostolische Selbstbescheidung. Unmittelbar nach der Überantwortung der nachpln Amtsträger an Gott und das Wort seiner Gnade (20,32) folgt die Feststellung des P: "Gold, Silber oder Bekleidung habe ich keine begehrt. Ihr selber wißt, daß meinen Bedürfnissen und denen meiner Begleiter diese Hände gedient haben. In allem habe ich euch gezeigt, daß die, welche sich solcher Art mühen, sich der Schwachen annehmen müssen, eingedenk der Worte des Herrn: 'Geben ist seliger denn Nehmen'" (Apg 20,33ff.). Im Blick auf 2 Kor 11,9 oder Phil 4,16 ist dies wohl eine erbauliche Verzeichnung der Lage des historischen P[147]. Doch gerade diese Parallele der späteren P-Verehrung ist auch für die Interpretation der Past bemerkenswert. Auch die letzten Worte im Testament des P in der Apg stellen demnach P als verpflichtendes Beispiel in der Unterhaltsfrage der nachpln Amtsträger dar[148], und das zu einer Zeit, in der die Annahme von Unterstützung seitens der Gemeinden durchaus notwendig und üblich geworden war[149]. Auch 2 Thess hat in seinen Schlußmahnungen unter dem Thema der P-Nachfolge (vgl. 2 Thess 3,7f.) einen Hinweis auf das pln Vorbild in seinen Bemühungen, nicht umsonst das Brot von jemandem zu essen, um damit dem Müßiggang in der Gemeinde zu wehren. Dabei wird P auch die Maxime in den Mund gelegt: "Wer nicht

---

146)   Vgl. O.KNOCH, Die "Testamente" des Petrus und Paulus. Die Sicherung der apostolischen Überlieferung in spätntl. Zeit, SBS 62, Stuttgart 1973, 46.

147)   Vgl. dazu E.HAENCHEN, Die Apostelgeschichte, 15.Aufl. Göttingen 1968, 526, mit Hinweis auf 1 Thess 2,9; 2 Thess 3,8; 1 Kor 4,12; 9,15.

148)   Wenn E.HANSACK, "Er lebte... von seinem eigenen Einkommen" (Apg 28,30): BZ 19(1975) 249-253, auf Grund der slawischen Übersetzungsgeschichte der Stelle recht hat, wäre auch das Ende der Apg hier mit einzubeziehen. HANSACK plädiert für die Übersetzung: "er lebte auf seine eigenen Kosten, bzw. von seinem eigenen Einkommen, von seiner eigenen Hände Arbeit". Ebd. 253.

149)   Je mehr nämlich die Presbyter zu Lehrern wurden, desto dringlicher wurde auch die Unterhaltsfrage. Vgl. dazu H.SCHÜRMANN, Das Testament des Paulus für die Kirche. Apg 20,18-35, in: Ders., Traditionsgeschichtliche Untersuchungen zu den synoptischen Evangelien, Düsseldorf 1968, 310-340; 336.

arbeiten will, soll auch nicht essen" (2 Thess 3,10).

Von der Gesamtstruktur der Past her, aber auch im Vergleich mit der übrigen nachpln Literatur erscheint die Bitte um den Mantel in 2 Tim 4,13 als verpflichtendes Zeichen apostolischer Selbstgenügsamkeit begründbar. Die bewußte Bindung der nachpln Amtsträger der Past an die Person und die Praxis des P wäre damit bei der gegenüber P gewandelten kirchlichen Situation der Past von besonderer Bedeutung[150].

3) Die Bitte um die Schriften

Der zweite Teil der Briefbitte bezieht sich auf τὰ βιβλία, μάλιστα τὰς μεμβράνας (2 Tim 4,13b). Hierbei herrscht unter den Kommentatoren gerade bei vorausgesetzter Authentizität Uneinigkeit über die Deutung der Begriffe, welche vom Konzeptpapier über persönliche Dokumente, etwa ein römisches Bürgerrechtszertifikat, bis hin zu biblischen Schriften reicht[151]. So viel nun die Deutung auf biblische Schriften für sich hat, so kommt der Auslegung gerade unter Annahme der Authentizität auch die prekäre Aufgabe zu, die Ursache und die näheren Umstände für ein Zurücklassen der Schriften plausibel machen zu sollen[152]. Unter pseudepigraphischem Blickwinkel modifizieren sich diese Briefbitte und die sie umgebenden Schwierigkeiten doch beträchtlich. Ihre historische Härte wird durch die Einschätzung der Briefbitte als literarischen Kunstgriff erheblich vermindert, denn dann geht es in erster Linie nicht mehr um die Echtheit der vorausgesetzten historischen Situation, sondern vor allem um das M o t i v selbst, das auf diese Weise nur noch bedeutsamer wird als vorher. D.h., je mehr man mit Pseudepigraphie und den in ihr bewußt gesetzten brieflichen Stilmitteln rechnet, um so wahrscheinlicher wird in diesem Fall dann auch die Deutung der gewünschten Gegenstände als heilige Schriften. Denn wenn auch bezweifelt werden sollte, ob der Ausdruck τὰ βιβλία bereits im Sinne seines späteren kirchlichen Sprachgebrauchs als "Bibel" verstanden werden darf[153], so zeugt zumindest die gesonderte Erwähnung der Pergamente von einer besonderen Wichtigkeit und Wertschätzung wenigstens eines Teiles der angeforderten Schriften. Freilich bleibt auch unter pseudepigraphischer Betrachtung eine genauere Bestimmung

---

150) Vgl. TRUMMER, Mantel 203.

151) Vgl. HANSON, Past 102.

152) Vgl. HOLTZ, Past 196; DORNIER, Past 246.

153) Vgl. die Belege bei G.W.H. LAMPE, A Patristic Greek Lexicon, Oxford 1961ff, s.v.

des Inhaltes der heiligen Bücher fraglich[154]. Entscheidend ist jedoch nicht der Inhalt oder Umfang der Schriften, sondern das Schriftmotiv als solches.

Auch hier lohnt wieder ein Vergleich aller drei Past und des 2 Tim im besonderen, worin das Schriftmotiv eine wichtige Rolle spielt. Der Schlußparänese von 2 Tim voran geht ein Abschnitt über den Nutzen der Schrift. Dem Amtsträger der Past wird nach dem - literarischen[155] - Beispiel des Timotheus, der von Jugend an die heiligen Schriften kennt (vgl. 2 Tim 3,15), in der persönlichen Notiz von 2 Tim 4,13 ein P vor Augen gestellt, der gerade im Anblick des Todes den Wunsch nach den Schriften äußert. Nach der literarisch-theologischen Intention der Past hält demnach P, der seine Theologie in besonderer Weise in der Auseinandersetzung mit dem Judentum und dessen heiligen Schriften formuliert hat, bis zu seinem Tod an diesen Schriften fest. Die Form der Briefbitte ist nur das briefstellerische Mittel, um erneut auf dieses Thema aufmerksam zu machen. Für das P-Bild der Past und ihre Theologie gewinnt damit die Bitte um die Schriften ihre besondere Bedeutung. Denn wenn auch die Past die rechte Auslegung des AT durch merkwürdige Spekulationen gefährdet sehen (vgl. 1 Tim 1,4; Tit 1,14; 3,9) und im Vergleich zu P wenig aus ihm zitieren[156], so bildet es doch einen Grundbestand ihrer eigenen Position: Die feierliche Verlesung der Schrift (ἀνάγνωσις) ist zusammen mit Zuspruch und Lehre der eigentliche Auftrag des kirchlichen Amtsträgers (vgl. 1 Tim 4,13). Er kennt seit Kindheit an die heiligen Schriften, "welche fähig sind, ... zur Erlösung durch den Glauben an Jesus Christus weise zu machen" (2 Tim 3,15). In diesem Zusammenhang kommt es hier in material jüdischen Inspirationsvorstellungen und formal hellenistischem Sprachgebrauch[157] zu grundsätzlichen Aussagen über Wesen und Funktion der Schrift: "Jede 'gottbegeistete' Schrift ist auch nützlich zur Lehre, zur Zurechtweisung, zur Besserung und zur Erziehung in Gerechtigkeit" (3,16). Damit soll zwar

---

154) de KRUIJF, Brieven 107f, rechnet unter der Hypothese der Pseudonymität auch schon mit ntl. Schriften. Bisweilen wird aus der Erwähnung des Markus in 2 Tim 4,11 auch eine Empfehlung des Mk-Ev erschlossen. Vgl. SCHIERSE, Past 137. G.M.LEE, The Books and the Parchments. Studies in Texts. 2 Tim 4,13: Theology 74(1971) 168f, vermutet hinter den Schriftrollen die LXX und hinter den Pergamenten das Mk-Ev.

155) Timotheus fungiert als Typos des kirchlichen Amtsträgers. Dieses Idealbild entspricht nicht unbedingt der Nachricht aus Apg 16,3. Vgl. dazu HAENCHEN, Apg 419 Anm. 3.

156) Vgl. S. 108f.

157) Vgl. dazu K.H.SCHELKLE, Hermeneutische Regeln im NT, in: Ders., Wort und Schrift. Beiträge zur Auslegung und Auslegungsgeschichte des NT, Düsseldorf 1966, 31-44; 37f.

nicht ein nahtloser Übergang von der Synagoge zur Kirche behauptet werden[158], aber es wird programmatisch die Fähigkeit der Schrift ausgesprochen, den Glauben an Christus zu begründen. Die heiligen Schriften sind das Buch des kirchlichen Amtsträgers. Das ständig gehörte Wort der Schrift schafft den "Mann Gottes" und befähigt ihn "zu jedem guten Werk" (3,17)[159]. Diese ausdrückliche Erklärung einer Theologie des AT im NT (vgl. 2 Tim 3,15ff.), gefolgt von der Verkündigungsparänese von 2 Tim 4, steht in beachtlicher textlicher Nähe zu den Personalinstruktionen am Ende von 2 Tim und damit auch zur Bitte um die Mitnahme der Schriften. Wie schon immer, so richtet sich gerade in der Zeit seiner Hinopferung und Auflösung (vgl. 2 Tim 4,6) der Blick des P auf die Schrift[160].

4) Folgerungen

Sicherlich vermag diese Deutung noch nicht alle Schwierigkeiten hinsichtlich der persönlichen Notiz in 2 Tim 4,13 zu bereinigen. Was gegen die historische Wahrscheinlichkeit einer authentischen Bemerkung des P spricht, bleibt vorerst ja auch bei pseudepigraphischer Auslegung bestehen. Doch vermindert die literarisch-fiktive, rein motivmäßige Deutung die historischen Probleme in bemerkenswerter Weise, weil dann die Briefbitte ja nur das sprachliche Ausdrucksmittel darstellt, um ein wichtiges theologisches Motiv auch auf der Ebene des Briefstils durchzuführen. Dabei ist festzuhalten, daß die Past eher Kirchenordnungen als Briefe darstellen. Dies gilt auch für 2 Tim, wo allerdings der Briefcharakter am stärksten ausgeführt ist. Aber auch dort bleibt der briefliche Rahmen der Paränese untergeordnet. Die konkreten Anlässe für die Korrespondenz im strengen Sinn fehlen. Auch die sich so konkret gebenden Briefbemerkungen bewegen sich ja durchaus auf der Ebene der zeitgenössischen Briefstellerei[161]. Der Autor, der die Probleme seiner Zeit in der Tradition und im Geiste des P zu lösen versucht, sieht seine Probleme auch schon als die des P und spricht seine Antwort als Wort und Brief des P aus[162]. Dies bedingt auch die Rückdatierung der theologischen Positionen und der brieflich anvisierten Situationen in die Zeit des P und die Transposition der Aussagen

---

158) Gegen O. MICHEL, Grundfragen der Pastoralbriefe, in: Auf dem Grunde der Apostel und Propheten, (Fs. Th. WURM), Stuttgart 1948, 83-99; 99. Vgl. auch BROX, Notizen 80ff.

159) Vgl. SCHELKLE, Regeln 39.

160) Sehr treffend interpretiert Thomas v. Aquin die Stelle: "ut in legendo haberet solatium. ...Item quanto magis appropinquabat morti, tanto magis instabat studio Scripturarum." Kommentar zu 2 Tim c.IV, l. II; Thomae Aquinatis opera omnia 21; ed. St. E. FRETTÉ, Paris 1876, 530.

161) Vgl. BROX, Notizen 79; KOSKENNIEMI, Studien 54-63.

162) Vgl. auch S. 100, 102ff.

in die für P charakteristische Form des Briefes. Wenn es dabei auch zu Aussagen kommt, die mit denen des P oder auch der Apg historisch und theologisch nicht konvergieren, so ist dies aus der Sicht des nachpln Verfassers nicht so problematisch wie für uns heute. Seine Absichten liegen nicht auf dem Gebiet der historischen Information, sondern auf theologisch-paränetischer Ebene[163]. Die persönlichen Notizen sind eine Konsequenz aus der Wahl der Briefform, die Briefe jedoch entbehren des so konkreten Anlasses, wie sie vorgeben, sondern sind grundsätzliche Schreiben hinein in die nachpln Zeit.

Dieser Deutungsversuch von 2 Tim 4,13 möchte den archimedischen Punkt der Authentizitätsargumente von einer streng durchgeführten Pseudepigrapheninterpretation her aufheben und die Motive der Briefbitte aufhellen[164]. Damit könnte sich auch die vielfach unfruchtbar gewordene Diskussion um den pln oder nichtpln Charakter der Past aus einer festgefahrenen Position lösen. Als bloßes Indiz für die authentische Hand des P wäre ja auch diese persönliche Notiz nichts als eine "banale" Reminiszenz, über deren Sinn kaum etwas auszumachen wäre. Nicht ohne Grund hat u.a. genau dieser Vers bei vorausgesetzter Echtheit auch die Frage nach der Inspiration der Schrift so empfindlich belastet: Was soll denn ein zurückgelassener Mantel in den heiligen Schriften?[165] Sicherlich ist nach der Aufgabe des Verständnisses einer strengen Verbalinspiration heute eine solche persönliche Notiz nicht mehr so belastet und belastend wie ehedem, sondern sie könnte durchaus so etwas wie eine "literarische Reliquie" des P darstellen. Ihre Funktion, ihre redaktionelle und theologische Intention gibt sie jedoch erst dann frei, wenn sie nicht auf einem historischen Zufall beruht, sondern wohlüberlegt aus der Feder eines nachpln Autors stammt. Gerade als pseudepigraphe Bemerkung eröffnet die persönliche Notiz in 2 Tim 4,13 einen Sinn, der nicht erst allegorisch eingetragen werden muß, sondern die Konvergenz von historisch-kritischer und theologisch-existentialer Interpretation darstellt.
Sicherlich kann ein solch erster Versuch einer Auslegung von 2 Tim 4,13 nicht mehr als eine Hypothese sein, doch kann dieser Versuch zeigen, daß die Pseudepigrapheninterpretation vor 2 Tim 4,13 nicht zu kapitulieren braucht, sondern daß in den Past mit einer konsequenten und total durchgeführten Pseudepigraphie zu rechnen ist. Zugleich zeigt die Verwendung solch persönlicher Notizen auch die Intensität und Qualität der pln Pseudepigraphie der Past, welche

---

163)   Aus diesem Grunde ist auch die scharfsinnige Überlegung von Ch.
       MAURER, Eine Textvariante klärt die Entstehung der Pastoralbriefe
       auf: ThZ 3(1947) 321-337, wonach die historische Situation der Past
       nach einer Variante zu Apg 20,5 konstruiert sei, nicht überzeugend.

164)   Vgl. TRUMMER, Mantel 207. Die folgende Darstellung ergänzt meine
       dortigen Ausführungen.

165)   Vgl. S. 18.

die P-Tradition qua epistola Pauli bis in die letzten Konsequenzen hinein durchzuführen vermag. Rein formal ist diese hochstehende pln Pseudepigraphie sonst
nie mehr erreicht, geschweige denn überboten worden[166].

c) Die Past und die pln Pseudepigraphie

1) Die Eigenart der Past

Von ihrer ganzen Konzeption her wollen die Past offensichtlich von Anfang an als
nichts anderes verstanden werden denn als Briefe des P und sie führen dieses
Konzept auch bis zur letzten Konsequenz durch. Über ihre Entstehung lassen
sich unter pseudepigrapher Voraussetzung freilich keine zu präzisen Angaben
machen, doch bleibt sie auch nicht völlig rätselhaft. Pseudepigraphie gedeiht
nur unter bestimmten Bedingungen. Sie setzt im Falle der pln Pseudepigraphie
voraus, daß eine literarische Produktion des nominellen Autors bekannt und
bis zu einem gewissen Grad auch geschätzt wird. Damit unterscheiden sich die
Past grundlegend von den jüdischen Apokryphen, die meist auf keine literarischen Vorbilder ihrer angeblichen Autoren zurückblicken können. Man wird also
bei der genaueren Bestimmung der Pseudepigraphie jeweils zu unterscheiden haben, ob der pseudepigraph genannte Autor selber literarisch tätig war oder nicht.
Diese Unterscheidung bleibt auch gegenüber etwaigen Analogien aus den synoptischen Evangelien aufrecht.
HEGERMANN[167] verweist zur Erklärung der urchristlichen "Autorfiktion" auf
die traditionsbildende Kompetenz der synoptischen Tradenten, doch liegt darin
keine echte Parallele für die Pseudepigraphie der Past. Eine literarische Produktion Jesu gibt es nicht. Die "Autorfiktion" der Evangelien oder der Briefe der
Apk unterscheidet sich doch noch sehr von der Pseudepigraphie der Past. Bei
den Traditionsbildungen der Evangelisten handelt es sich um prophetisch-inspira-
torisches Reden im Namen Jesu, welches auch verschriftlicht werden kann, bei
der pln Pseudepigraphie handelt es sich um ein primär literaturwissenschaftliches
Phänomen.
Der Bezugspunkt der pln Pseudepigraphie ist die E x i s t e n z u n d K e n n t n i s
d e r e c h t e n P - B r i e f e. Das Entstehen pln Pseudepigrapha zeigt überdies
auch eine wenigstens beginnende H o c h s c h ä t z u n g dieser Briefe, die eine
Nachschrift ermöglicht und u.U. auch verlangt, während Pseudepigraphie zur Ehren-
rettung eines suspekten Autors weniger wahrscheinlich ist.

---

166)   BROX, Verfasserangaben 24, bezeichnet die Past als "Kabinettstück" der
        ntl. Pseudepigraphie.

167)   Vgl. HEGERMANN, Ort 50f.

Die Past aber setzen nicht nur eine Kenntnis eines Einzelbriefes des Apostels voraus, sondern können bereits auf ein gewisses Corpus paulinum zurückgreifen. Ihr literarisches Vorbild und ihr Bezugspunkt ist nicht ein einzelner P-Brief, sondern ein bereits wachsendes Corpus paulinum. D.h., die Entstehung der Past ist mit großer Wahrscheinlichkeit bereits im Bereich der fortgeschrittenen pln Kanonbildung zu lokalisieren. Diese Eigenart vor allem ist es, durch welche sich die Past von den anderen - möglichen[168] - pln Pseudepigrapha des NT unterscheiden. Die übrigen pseudepigraphieverdächtigen P-Briefe treten nur als Separata auf und zeigen auch eine vorwiegende Orientierung an einer pln Einzelschrift.

2) 2 Thess

Dies gilt vor allem für den 2 Thess, dessen Frage nach einer möglichen Pseudepigraphie ja vor allem dadurch entsteht, daß er eine zu nahe Verwandtschaft mit dem 1 Thess aufweist. Will man die auffällige Ähnlichkeit zwischen beiden Schreiben nicht durch einen sehr kurzen zeitlichen Abstand zwischen ihrer Abfassung erklären[169], dann bietet sich nur die Annahme einer pseudepigraphen Abfassung des 2 Thess an, welche allerdings nicht zu spät anzusetzen ist, da die Bezeugung dieses Schreibens seit dem frühen 2. Jahrhundert als P-Brief gesichert ist[170].

Mit Entschiedenheit hat sich W. TRILLING in vorbereitenden Kommentarstudien [171] für die Unechtheit des 2 Thess ausgesprochen und dabei auch die Fragestellung zur biblischen Pseudepigraphie in Angriff genommen und weitergeführt[172].

---

168)   Die Frage der Pseudepigraphie der im folgenden angesprochenen Schriften soll in diesem Rahmen nicht definitiv entschieden werden. Doch geht es hier um die Einordnung der Pseudepigraphie der Past in einen größeren Zusammenhang. Aus diesem Grund sind ähnliche Phänomene im NT zu vergleichen.

169)   So KÜMMEL, Einleitung 231f.

170)   Belege ebd. 230f.

171)   W. TRILLING, Untersuchungen zum 2. Thessalonicherbrief, EThSt 27, Leipzig 1972. Vgl. auch H. BRAUN, Zur nachpaulinischen Herkunft des zweiten Thessalonicherbriefes, in: Ders., Gesammelte Studien zum NT und seiner Umwelt, Tübingen 1962, 205-209.

172)   TRILLING, Untersuchungen 133-158.

TRILLING sieht zwischen dem 2 Thess und den Past viele Analogien wie die pln Tradition[173] oder die eigentümliche vorpln Christologie[174]; er möchte jedoch den Abstand des 2 Thess von P als größer einstufen als den Abstand der Past von P[175]. Sicherlich kann nun die fast ausschließliche Orientierung des 2 Thess am 1 Thess vor allem durch die eschatologische Fragestellung begründet sein, welche der Autor des 2 Thess gegenüber P neu interpretieren möchte, doch scheint m.E. seine besondere Ausrichtung an einem Einzelbrief eher auf eine frühere Stufe der Kanonbildung hinzuweisen. TRILLING, der sich die Frage nach dem Verhältnis seines Pseudepigraphons zu den übrigen P-Briefen zu wenig stellt, kommt deshalb zu einer undeutlichen Einordnung des 2 Thess in das Gesamtphänomen der pln Pseudepigraphie[176].

Wie immer man jedoch den Abstand des 2 Thess von P einschätzen mag, sein eigenartiges literarisches Verhältnis zum 1 Thess wird wohl am besten als pln Pseudepigraphon verständlich[177]. Bei allen noch offenen Fragen dürfte doch das Urteil von TRILLING zutreffen: Die "Annahme der Echtheit ist als unwahrscheinlich, die der Unechtheit aber in der Zusammenschau aller Argumente und Einzelbeobachtungen als sicher zu bezeichnen."[178]

---

173)   Ebd. 110-121.

174)   Ebd. 128-132.

175)   Vgl. ebd. 154f.

176)   G.DAUTZENBERG, Theologie und Seelsorge aus paulinischer Tradition. Einführung in 2 Thess, Kol, Eph, in: Gestalt und Anspruch des NT, hg.v. J.SCHREINER, Würzburg 1969, 99-119; 104, ordnet präziser als TRILLING 2 Thess als nachpln Schreiben noch in die Periode vor dem Zusammenwachsen des Corpus paulinum ein.

177)   Vgl. TRILLING, Untersuchungen 157f.

178)   Ebd. 158.

3) Kol

Wieder ist es eine zu nahe literarische Verwandtschaft, nämlich die von Eph und Kol, welche die Verfasserfrage akut werden läßt. Diese auffällige literarische Verwandtschaft läßt sich näherhin als Abhängigkeit des Eph vom Kol bestimmen, so daß der Eph heute weitgehend als pln Pseudepigraphon eingestuft wird[179]. Was allerdings gegen die pln Verfasserschaft im Eph spricht, streitet auch - anders als beim Verhältnis von 1/2 Thess - stark gegen die Hand des P im Kol, dessen mit Eph gemeinsame Unterschiede gegenüber den Homologumena auffällig sind. Von da her ist auch im Kol mit Pseudepigraphie zu rechnen[180], wie überhaupt die Herleitung aus der Gefangenschaft des P (vgl. Phil 2,12ff; Phlm 1 und Eph 3,1; Kol 4,18; 2 Tim 1,8) ein beliebter und sinnvoller Topos der pln Pseudepigraphie zu sein scheint. Zwar gilt die Form der Auseinandersetzung des Kol mit der Irrlehre u.ä. noch oft als Beweis für die genuine theologische Argumentationsweise des P[181], doch hat die nachpln Verfasserschaft gewichtige Gründe. Neben den sprachlichen Beobachtungen sind dies z.B. die im Kol von P beanspruchte Kompetenz auch einer Gemeinde gegenüber, die er nicht gegründet hat (vgl. Kol 2,1 mit 2 Kor 10,13-16), der grundsätzlicher als in den Homologumena verstandene pln Apostolat, die weitergehende ekklesiologische Reflexion[182], die fortgeschrittene P-Tradition und das mit der Ekklesiologie zusammenhängende, gegenüber den authentischen Paulinen stärker präsentische Verständnis der Eschatologie und die noch sehr rudimentäre Verchristlichung des ethischen Materials in den Haustafeln (vgl. Kol 3,18-4,1).

Alles in allem läßt sich dieser Befund nicht mit der traditionellen Antwort einer stärker theologischen Meditation des gefangenen P erklären, sondern spricht für den Kol als ein pln Pseudepigraphon, das an die nachpln Heidenkirche adressiert ist, um gegen die Bedrohung des Glaubens durch die Irrlehre an die pln

---

179)   Vgl. dazu bes. H.MERKLEIN, Das kirchliche Amt nach dem Epheserbrief, StANT 33, München 1973, 28-40. Anders E.PERCY, Die Probleme der Kolosser- und Epheserbriefe, SHVL 39, Lund 1946 (Nachdruck Kopenhagen 1964), bes. 467-474.

180)   Vgl. bes. W.BUJARD, Stilanalytische Untersuchungen zum Kolosserbrief als Beitrag zur Methodik von Sprachvergleichen, StUNT 11, Göttingen 1973, 220, passim, welcher auf Grund ganzheitlicher Sprachbetrachtung P als Verfasser ausschließt.

181)   Vgl. KÜMMEL, Einleitung 303.

182)   Vgl. dazu bes. F.ZEILINGER, Der Erstgeborene der Schöpfung. Untersuchungen zur Formalstruktur und Theologie des Kolosserbriefes, Wien 1974, 29f, passim.

Autorität und Tradition zu appellieren. Epaphras, der in Vertretung des P fungiert (vgl. Kol 1, 7), und die anderen, auffallend häufigen Namen (vgl. 4, 7-17) sind wohl als Hinweise auf die stark personale Rückbindung an die P-Tradition zu verstehen. Der Briefschluß Kol 4, 16 stellt einen Beleg für die Sammlung und beginnende Kanonisierung der P-Briefe dar, zu der auch der Kol selbst einen entscheidenden Beitrag leistet. Bemerkenswert für die Technik der Pseudepigraphie im Kol ist neben dem Genus des Gefangenschaftsbriefes auch die Adressierung an eine wahrscheinlich nicht mehr existierende Gemeinde, da Kolossä anscheinend nach dem Jahr 61 n.C. aus der Geschichte verschwunden ist[183].

4) Eph

Der Eph setzt den Kol voraus, ist aber bei aller literarischen Abhängigkeit von Kol doch als ein eigener theologischer Entwurf zu betrachten. Dies zeigt sich in der Benützung und Verarbeitung seiner Vorlage, die er nicht einfach übernimmt, sondern theologisch interpretiert[184]. Mit dem Kol verbindet den Eph die Absicht der Weitergabe und Interpretation der pln Theologie. Dieses Schreiben ist nicht mehr gegen eine konkrete Irrlehre gerichtet, sondern allgemein[185] an die nachpln Heidenkirche adressiert, welche Gefahr läuft, ihre Verbindung mit dem Judentum zu verlieren. Neben der inhaltlichen Weitergabe der P-Tradition zeigt sich im Eph auch eine starke Reflexion über die personalen Funktionen, welche den Erhalt der nachapostolischen Kirche garantieren. Eine ausgesprochene Theologie des Amtes kann dabei schon auf einen beachtlichen Bestand an Ämtern - Apostel, Propheten, Evangelisten, Hirten und Lehrer (vgl. Eph 4, 11; vgl. 2, 20) - und auf eine bereits bestehende christliche Tradition zurückblicken. Diese Tradition versteht sich, wenn auch nicht so ausdrücklich wie in den Past, als pln Tradition und sieht das Phänomen einer universalen Kirche unter dem Blick des pln Apostolates (vgl. 3, 1-13) und seiner besonderen Theologie (vgl. 2, 1-10.14-18), die als grundlegend festgehalten, zugleich aber auch transformiert und interpretiert wird[186]. Der theologische Standort des Eph wird ohne eine

---

183) Vgl. REICKE, Setting 432ff, der dieses Faktum allerdings zugunsten der Echtheit deuten möchte.

184) Vgl. z.B. die Interpretation der Haustafeln (Eph 5, 21-6, 9).

185) Die Adresse ἐν ᾿Εφέσῳ (Eph 1, 1) ist allgemein als nicht ursprünglich anerkannt.

186) Vgl. S. 181-185.

entsprechende Geschichte der P-Tradition nicht recht verständlich[187].
Gegenüber dem Kol ist jedoch im Eph die pseudepigraphe Briefform nicht so stark
und konsequent durchgeführt. Dies zeigt sich in der Synopse zum Kol besonders
in der allgemeinen Adresse und im zurückhaltenden Korrespondenzcharakter, der
nur gelegentlich auftritt[188], so daß man eher von einer recht allgemein gehalte-
nen Epistel als von einem wirklichen Brief sprechen kann. Daß auf eine schriftliche P-Tradition zurückgegriffen wird, scheint aus 3,3 hervorzugehen, wo
καθὼς προέγραψα ἐν ὀλίγῳ   eher die ganze P-Literatur im Blick zu haben
scheint als den vorangehenden Teil des Eph. Trotz der sprachlichen Berührungen
zu den Homologumena ist jedoch eine literarische Benützung aller anderen P-Briefe
neben dem Kol durch den Verfasser des Eph nicht zwingend nachzuweisen[189].
Über die Person des Autors läßt sich außer allgemeinen ekklesiologischen Überlegungen zu seinem Sitz im Leben nichts sagen. Zu phantastisch ist die Auskunft
von E.J.GOODSPEED[190], wonach Onesimos den Brief verfaßt und als Vorwort
dem Corpus paulinum vorangestellt habe.

5) Corpus catholicum

Den pln Briefen bzw. der pln Pseudepigraphie ist noch ein weiteres literarisches
Phänomen zuzuordnen, nämlich das Corpus catholicum. Auch seine Entstehung
hängt allem Anschein nach in starkem Maße mit der Verbreitung der P-Briefe
zusammen.

Besonders interessant ist für unsere Betrachtung der 1 Petr , welcher deutlich in pln Tradition steht[191] und vor allem dem Röm und dem Eph nahesteht,
ohne daß eine direkte literarische Abhängigkeit von diesen Briefen gegeben wäre.
Die sprachlichen Ähnlichkeiten von Tit 2,14 und 1 Petr 2,9 oder Tit 3,5 und 1

---

187)   Dennoch wird die Authentizität bis in die jüngste Zeit hinein verteidigt.
       Vgl. A.VAN ROON, The Authenticity of Ephesians, NT.S 39, Leiden
       1974.

188)   So z.B. Eph 1,15f. (in Anlehnung an Kol 1,4). Eph 3,1ff. ist hingegen
       weniger Briefphraseologie als anamnetische Selbstdarstellung des pln
       Apostolates. Erst der Briefschluß kehrt wieder zur Briefform zurück.
       Vgl. 6,21-24.

189)   Vgl. MERKLEIN, Amt 42, gegen E.J.GOODSPEED, The Key to
       Ephesians, Chicago 1956, 20.

190)   Vgl. GOODSPEED, Key X, XIVs.

191)   Vgl. dazu KÜMMEL, Einleitung 373; N.BROX, Zur pseudepigraphischen
       Rahmung des ersten Petrusbriefes: BZ 19(1975) 78-96.

Petr 1,3 lassen es nämlich zweifelhaft erscheinen, ob mehr als gemeinchrist-
licher Sprachgebrauch vorliegt[192].

Mit dem ausgesprochenen Paulinismus[193] des 1 Petr in Spannung steht der nur
sehr spärlich durchgeführte briefliche Rahmen, der das Pseudepigraphon von
Petrus und von Rom aus geschrieben sein läßt (vgl. 1 Petr 1,1; 5,13)[194].

Aber schon die Adresse an die "erwählten Fremdlinge in der Diaspora von Pontus,
Galatien, Kappadokien, Asien und Bythinien" (1,1) richtet sich an pln Missions-
gebiete, und auch die Nennung der Namen Silvanus und Markus (5,12f.) weist in
Richtung der P-Tradition. Silvanus, der mit Silas (vgl. Apg 15,22) zu identifizieren ist, ist sonst Helfer und Begleiter des P[195], ebenso Markus[196]; doch
schafft vielleicht Apg 12,12 eine Brücke zwischen den Namen Markus und Petrus,
da nach der Apg Petrus nach der Befreiung aus dem Kerker in das Haus der Mutter
des Johannes Markus geht. Doch ist der Name des Petrus so wenig mit diesem
Brief verbunden, daß wenn das erste Wort Petrus fehlte, "niemand auf die Vermutung, (193) er sei von Petrus verfaßt, geraten sein würde"[197].

Der Name des Petrus vor dieser pln Schrift bedarf sicherlich einer Erklärung.
F.Ch.BAUR versuchte diesen merkwürdigen Sachverhalt durch seine berühmte
Unionshypothese von pln und petrinischem Christentum zu erklären[198]. BROX
dagegen bietet als Erklärung für die Überschrift des 1 Petr das allgemein konstatierte Phänomen einer "Entindividualisierung der Apostel" an, wonach die
"Apostel-Individuen zu austauschbaren Repräsentanten 'des' Apostolischen" werden[199] und so "ein Schreiber, der (ohne daß ihm das bewußt gewesen sein
muß) in ausgesprochen paulinisch gefärbter Tradition stand, seine paulinisch
gefärbte Theologie und Diktion als Äußerung des Petrus verkleiden konnte", d.h.,
daß die Verbindung des Petrusnamens mit der pln Theologie als "ganz arglos
zu nehmen" sei[200]. BROX erklärt die pseudepigraphische Rahmung des 1 Petr

---

192)   Vgl. W.LOCK, The Pastoral Epistles, Edinburgh 1924, XXIV.

193)   Vgl. neuerdings bes. H.GOLDSTEIN, Paulinische Gemeinde im Ersten
       Petrusbrief, SBS 80, Stuttgart 1975.

194)   Vgl. zum folgenden BROX, Rahmung 80ff.

195)   Vgl. 1 Thess 1,1; 2 Kor 1,19; 2 Thess 1,1; Apg 15,22-35; 15,40-18,5.

196)   Vgl. Apg 13,5.13; 15,37.39; Kol 4,10; 2 Tim 4,11; Phlm 24.

197)   So JÜLICHER-FASCHER, Einleitung 192f. Vgl. BROX, Rahmung 78.

198)   Vgl. Referat bei KÜMMEL, NT 160f.

199)   Vgl. BROX, Rahmung 92f; Ders., Problemstand 22f.

200)   BROX, Rahmung 95.

entgegen BAURs Konstruktion als sehr untendenziös und banal, was angesichts
zu gewagter historischer Vermutungen nur zu begrüßen ist. So begegnet sogar
die Erklärung, daß der 1 Petr - als ursprünglich pln Pseudepigraphon - von
der römischen Kirche annektiert und unter den Namen des Petrus gestellt worden sei[201], eine Konstruktion, die ohne jede handschriftliche Stütze ist und
überdies nicht erklären kann, wie ein 1 "Petr" mit dem Namen des P überhaupt
aus dem Verkehr hat gezogen werden können, um der heutigen petrinischen
Neufassung zu weichen.
Doch auch einer zu harmlosen Erklärung der Pseudepigraphie des 1 Petr stehen
Bedenken entgegen. Die pln-petrinische Verbindung auf nomineller und sachlicher Ebene ist im NT kein so einmaliges Phänomen, als daß sie nur auf die
pseudepigraphische Verwischung der historischen Konturen zurückgeführt werden dürfte. Außer dem 1 Petr stellt ja auch die lk Theologie eine sehr auffällige Beziehung zwischen Petrus und P her, und dort ist sie alles andere als
Zufall. So führt die Bekehrungsreise des Petrus (Apg 10/11[202]) diesen zur
Einsicht in die Richtigkeit der pln Heidenmission, als deren Befürworter er
dann beim Apostelkonzil auftritt: In Apg 15, 9ff. kommt die pln Theologie
aus dem Munde des P e t r u s ! Überhaupt schildert die Apg die Taten des Petrus
u n d des P, obwohl der Aposteltitel den Zwölfen vorbehalten bleibt.
Es scheint daher m.E. doch als bedeutungsvoll, daß diese Verbindung von Petrus und P auch auf pseudepigrapher Ebene begegnet[203], betrifft doch die pln
Theologie des 1 Petr gerade so wichtige Fragen wie die pln Charismenlehre
und das Gemeindeverständnis[204]. Da die ntl. Pseudepigraphie gewöhnlicher-
weise mit einer besonderen Reflexion über Kirche und Amt verbunden ist,
dürfte auch hinter der pln Ekklesiologie des 1 Petr ein bewußtes Programm zu
vermuten sein.
Auch der 2 P e t r , der sich als Fortsetzung des 1 Petr versteht (vgl. 2 Petr
3, 1), jedoch auch vom Jud abhängig ist[205], formuliert seine Schlußmahnung
im Blick auf P, der als "unser geliebter Bruder... nach der ihm verliehenen

201)   So K.M.FISCHER, Tendenz und Absicht des Epheserbriefes, FRLANT
       111, Göttingen 1973, 15 Anm. 3. Vgl. H.-M.SCHENKE, Das Weiterwir-
       ken des Paulus und die Pflege seines Erbes durch die Paulus-Schule:
       NTS 21 (1975) 505-518; 517f.

202)   Vgl. den Bericht von P.-G.MÜLLER, Die "Bekehrung" des Petrus:
       HerKorr 28 (1974) 372-375.

203)   Ich hoffe, dieses Thema andernorts näher behandeln zu können.

204)   Vgl. GOLDSTEIN, Gemeinde 14-17, 105-113.

205)   Vgl. KÜMMEL, Einleitung 380.

Weisheit euch geschrieben hat, wie er ja in allen Briefen davon spricht" (2 Petr 3,15f.). Dabei ist der 2 Petr für die pln-petrinische Verbindung insofern von besonderer Bedeutung, als er die petrinische Pseudepigraphie mit aller Entschiedenheit durchführt[206], aber auch die Verbindung zu P ausdrücklich und positiv herausstellt, obwohl ihm die Schwierigkeiten eines P-Verständnisses bekannt sind (vgl. 2 Petr 3,16).

Nicht unmittelbar vergleichbar für unsere Überlegungen zur Pseudepigraphie ist auf Grund seiner unsicheren Einordnung der Jak[207], der P zwar voraussetzt[208], an dessen inhaltlicher Kenntnis der P-Briefe jedoch Zweifel bestehen müssen[209].

6) Hebr

Nicht zum Corpus paulinum zu rechnen, jedoch der Gedankenwelt des P zuzuordnen ist der Hebr, der allerdings nicht als Brief anzusprechen ist. Zwar reiht ihn die kirchliche Tradition schon früh dem Corpus paulinum ein, doch knüpft nur der sehr lose angehängte Briefschluß mit dem Namen Timotheus (vgl. Hebr 13,23) an P an, vorausgesetzt, der Name Timotheus ist mit dem Mitarbeiter des P zu identifizieren.
Daß der Hebr ursprünglich als "pseudepigraphischer Brief" verfaßt worden wäre, möchte F.RENNER aus der frühen Zuordnung des Hebr zum Corpus paulinum erschließen. In Röm 16 glaubt er den Rest des ursprünglichen Protokolls dieses pseudepigraphischen Hebr zu entdecken, wobei er einen Anhaltspunkt in der Tatsache erblicken möchte, daß in p^{46} der Hebr unmittelbar nach dem Röm steht[210].

---

206) Vgl. dazu bes. A.VÖGTLE, Die Schriftwerdung der apostolischen Paradosis nach 2 Petr 1,12-15, in: NT und Geschichte, (Fs. O.CULLMANN), Zürich-Tübingen 1972, 297-305; 299, passim.

207) Vgl. F.MUSSNER, Der Jakobusbrief, HThK 13/1, 3.Aufl. Freiburg-Basel-Wien 1975, 12-23.

208) Vgl. ebd. 17ff. HEGERMANN, Ort 54, spricht von einem "antithetischen Kontakt (sc. des Jak) mit dem Paulinismus".

209) Vgl. MUSSNER, Jak 19; KÜMMEL, Einleitung 362.

210) Vgl. F.RENNER, "An die Hebräer" - ein pseudepigraphischer Brief, (Münsterschwarzacher Studien 14), Münsterschwarzach 1970, bes. 106f.

Doch bleibt RENNERs Versuch eine "phantastische Hypothese"[211]. Wenn auch der Hebr ein wertvolles Zeugnis der P-Tradition darstellt, so erhebt er nirgends den Anspruch, ein P-Brief zu sein und kann deswegen zur Frage der pln Pseudepigraphie keinen direkten Beitrag leisten. Wohl aber zeigt sich in seiner Form, daß die Verlängerung frühchristlicher und auch speziell pln Tradition auch andere Möglichkeiten als die eines Pseudepigraphons hatte. Die dem Hebr eigentümliche Form der P-Tradition macht damit die pln Pseudepigraphie nur noch mehr problematisch und erklärungsbedürftig.

d) Motive der pln Pseudepigraphie

Trotz des Verdachtes auf eine breitere Streuung der pln Pseudepigraphie im NT kann eine solche nicht zur Kenntnis genommen oder für die Auslegung fruchtbar gemacht werden, ohne daß ihren Motiven näher nachgegangen wird.

Die formgeschichtliche Arbeit am NT hatte sich allzu lange einseitig auf die Evangelien konzentriert und im Epistolar fast nur das formelhafte hymnische und katalogische Gut studiert. Erst verhältnismäßig spät wurde auch die Form der ntl. und besonders der pln Briefe in die Betrachtung einbezogen[212], obwohl gerade auch darin wesentliche Voraussetzungen für das Verständnis der pln Pseudepigraphie und ihrer Übernahme der Form und Qualität von P-Briefen liegen.
Das Verständnis des pseudepigraphen P-Briefes hat dort einzusetzen, wo das Medium des Briefes durch P seine besondere Funktion für die Ausübung seines Apostelamtes erhält[213].

---

211)   Vgl. KÜMMEL, Einleitung 350 Anm. 31.

212)   Hinsichtlich der neueren Bemühungen zu den P-Briefen vgl. z.B. J.T. SANDERS, The Transition from Opening Epistolary Thanksgiving to Body in the Letters of the Pauline Corpus: JBL 81(1962) 348-362; T.Y.MULLINS, Disclosure. A Literary Form in the NT: NT 7(1964f.) 44-50; G.J.BAHR, The Subscription in the Pauline Letters: JBL 87(1966) 27-41; Ders., Paul 465-477; J.A.BANDSTRA, Paul, the Letter Writer: CTJ 3(1968) 176-180; W.G.DOTY, The Classification of Epistolary Literature: CBQ 31(1969) 183-199; J.L.WHITE, Introductory Formulae in the Body of the Pauline Letter: JBL 90(1971) 91-97.

213)   Vgl. zum folgenden besonders R.W.FUNK, The Letter. Form and Style, in: Ders., Language, Hermeneutic and Word of God, New York 1966, 250-274; Ders., The Apostolic Parousia. Form and Significance, in: Christian History and Interpretation, (Fs. J.KNOX), Cambridge 1967, 249-268. Vgl. auch M.L.STIREWALT, Paul's Evaluation of Letter-Writing, in: Search the Scriptures, (Fs. R.T.STAMM = GTS 3), Leiden 1969, 179-196. Für die Past wurden die formgeschichtlichen Überlegungen FUNKs erstmals durch W.STENGER, Der Christushymnus 1 Tim 3,16b, Diss masch. Regensburg 1973, 23-56, fruchtbar gemacht. Vgl. jetzt Ders., Der Christus-

1) Die Funktion des P-Briefes

P hat das Wesen und die Form des antiken Briefes übernommen, ihn jedoch in den Dienst seiner Verkündigung gestellt und zu diesem Zweck auch modifiziert, so daß er als der Schöpfer der literarischen Gattung eines ntl. Apostelbriefes gelten darf. Dies zeigt sich schon einmal beim Briefeingang mit seiner besonderen Verbindung der griechischen und hebräischen Grußform, aber auch sonst wachsen die pln Briefe über die Qualität eines Briefes an sich hinaus.

Ein Brief versteht sich nach der antiken Reflexion über sein Wesen als das Gespräch zweier leiblich voneinander Abwesender, was u.a. die Formulierungen "colloquium absentium" oder das Oxymoron ἀπών-παρών ausdrücken[214]. Auch für P ist der Brief das Mittel, trotz seiner Abwesenheit in den Gemeinden anwesend zu sein. Seine Briefe sind aber nicht bloß Erweis seiner φιλοφρόνησις für einzelne Empfänger, sondern Ausdruck seiner apostolischen Sorge für die Gemeinde. Seine Selbstbezeichnung als ἀπόστολος - außer in Phlm - hat nicht nur eine polemische Spitze in der Verteidigung seines Apostolates, sondern auch einen programmatischen Charakter und eine funktionale Bedeutung - auch im Zusammenhang seiner Briefe. Seine Briefe möchten - selbst dort, wo sie sich als Privatbrief geben[215] -, als Briefe eines Apostels verstanden sein, durch die er ἀπὼν τῷ σώματι παρὼν δὲ τῷ πνεύματι (vgl. 1 Kor 5,3) in der Gemeinde tätig wird[216]. P verselbständigt jedoch den Brief nicht so weit, daß er die übrigen Weisen seines apostolischen Wirkens ersetzen könnte, sondern seine Briefe bleiben seiner erhofften oder geplanten leiblichen Anwesenheit zugeordnet, und diese wird durch einen eigenen "trave-

---

hymnus 1 Tim 3,16. Eine strukturanalytische Untersuchung, (Regensburger Studien zur Theologie 6), Frankfurt 1977, 245-249. NB: Verweise auf STENGERs Arbeit beziehen sich im folgenden immer auf die gedruckte Fassung. Vgl. auch Ders., Timotheus 252-267; K.THRAEDE, Grundzüge 95-106.

214) Vgl. THRAEDE, Grundzüge 27-45.

215) Sogar der Phlm, der den Aposteltitel nicht im Präskript führt, bekundet ein dialektisches Verhältnis von apostolischer Autorität und Verzicht auf sie. Vgl. dazu A.SUHL, Der Philemonbrief als Beispiel paulinischer Paränese: Kairos 15(1973) 267-279. Auch der Privatbrief Phlm beansprucht apostolische Autorität. Vgl. πρεσβύτης (V. 9), die Mitnennung des Timotheus (V. 1), die Adresse an die Hausgemeinde (V. 2), die Schlußgrüße im Plural (V. 23ff.) und die pointierte und humorvolle Kontoführung des P hinsichtlich seiner beiden Kinder im Glauben Philemon und Onesimos (V. 10. 18f.).

216) Zur Interpretation der Stelle vgl. THRAEDE, Grundzüge 98-102.

logue"[217], der ein Kennzeichen der echten P-Briefe darstellt[218], angekündigt.

Jedoch nicht nur der Brief ist ein wichtiges Moment der apostolischen Parusie, sondern auch der apostolische Abgesandte bzw. der Briefüberbringer hat eine wichtige Funktion für die Quasianwesenheit des Apostels in der Gemeinde[219], jedoch bleibt diese Funktion des apostolischen Abgesandten in der authentischen Korrespondenz noch ganz auf die Person und Parusie des Apostels bezogen[220].

Wie P seinen Aposteldienst nur von dem besonderen Verständnis seines Evangeliums her definiert, so ordnet er auch den Dienst seiner Mitarbeiter seinem Evangelium und seinem Apostolat zu. Ihre Zuordnung zu seiner eigenen apostolischen Autorität wird von P ausdrücklich reflektiert, sogar dort, wo die konkrete Gemeindesituation dies nicht ganz zu motivieren scheint: So wird Timotheus in Phil 2,19-23 eigens vorgestellt, obwohl er der Gemeinde von der Gründung her (vgl. Apg 16) und als Mitabsender des Briefes (vgl. Phil 1,1) bekannt ist.

Es würde den historischen Gegebenheiten der pln Mission wenig entsprechen, wollte man die Funktion seiner Mitarbeiter in seiner apostolischen Arbeit unterschätzen, sondern die Mitarbeit anderer ist ein konstitutiver Faktor des pln Apostolates[221]. Die Nennung der Mitarbeiter in den Präskripten oder ihre Grüße am Schluß der Briefe sprechen zwar nicht für eine literarische Mitverfasserschaft, ihre Erwähnung dürfte aber ihre Funktion in der pln Mission richtig wiedergeben. So zeigt die pln Korrespondenz immer wieder, daß seine Mitarbeiter auch sehr schwierige Aufgaben in der Sorge für die Gemeinden zu erfüllen hatten. Vor allem Timotheus[222] und Titus[223] sind es, welche besondere Missionen übernehmen, und doch bleibt es P, der als Gründer seiner Gemeinden diesen gegenüber seine Autorität und Sorge geltend macht.

---

217) Vgl. FUNK, Letter 265; Ders., Parousia 249.

218) Daß der "travelogue" im Gal fehlt, ist für FUNK, Letter 268; Ders., Parousia 266, ein Hinweis darauf, daß er zu einer Zeit geschrieben ist, als P keine Absicht mehr hatte, nach Galatien zurückzukehren. Vgl. dazu auch J.KNOX, Art. Galatians: IDB 2, 338-343; 343.

219) Vgl. FUNK, Parousia 249ff.

220) Vgl. z.B. ἔπεμψα ὑμῖν ... 1 Kor 4,17; u.ö.

221) Vgl. auch M.FERRIER-WELTY, La transmission de l'évangile. Recherche sur la relation personelle dans l'église d'après les épîtres pastorales: ETR 32(1957) 75-131; 75.

222) Vgl. 1 Thess 3,1-8; 1 Kor 4,17; 16,10f.

223) Vgl. Titus als Überbringer des Tränenbriefes (2 Kor 2,3f.).

Ist aber die persönliche Anwesenheit des Apostels vorübergehend und u. U.
auch endgültig nicht mehr möglich, gewinnen die beiden anderen Weisen seiner
apostolischen Parusie, Brief und Mitarbeiter, eine neue Bedeutung. Schon zum
Zeitpunkt der in ihrem Ausgang ungewissen Gefangenschaft im Phil bekommen
der Brief und die Sendung des Timotheus einen besonderen Charakter. In dieser Situation ist die Beziehung des Apostels zu seiner Gemeinde bereits so
ernst in Frage gestellt, daß P sich veranlaßt fühlt, seine Verbundenheit mit
einem Schwur zu beteuern (vgl. Phil 1, 8). Jetzt erfolgt auch die Sendung des
Timotheus unter ausdrücklichem Hinweis auf dessen innige Beziehung zu P,
doch steht auch diese Mission des Timotheus noch unter dem Zeichen der "im
Herrn" erhofften persönlichen Anwesenheit des Apostels (vgl. Phil 2, 19-24).

2) Die Situation nach dem Tod des P

Was die vorübergehende Abwesenheit des P durch Mission oder Gefangenschaft
ad hoc aktualisieren konnte, gewinnt seine bleibende Bedeutung bei der endgültigen Abwesenheit des Apostels von seinen Gemeinden[224]. Mit seinem Tod
verbleiben seine Briefe und das Wirken seiner Mitarbeiter die einzigen Weisen
seiner apostolischen Parusie. Beide erhalten jetzt einen neuen Stellenwert.
Seine Briefe, deren Funktion zu seinen Lebzeiten zeitlich und lokal begrenzt
war, erhalten nun einen neuen Horizont. Sie werden in nachpln Sicht g r u n d -
s ä t z l i c h e r und a l l g e m e i n e r verstanden als zu Lebzeiten des P. Was P
zu einer bestimmten Gemeinde unter bestimmten Konstellationen sagte, läßt
sich jetzt als Wort des Apostels an a l l e Kirchen auch für weitere Zeiträume
gesagt begreifen. Die S a m m l u n g und der Austausch der P - B r i e f e unter
den Gemeinden sind die Indikatoren dieser neuen Einschätzung.
Daneben aber endet die Funktion und das Wirken der pln Mitarbeiter wohl nicht
schlagartig mit dem Tod des Apostels. Im Gegenteil, es spricht sogar einiges
dafür, daß seine M i t a r b e i t e r ihre von P a b g e l e i t e t e V e r a n t w o r t u n g
jetzt auch b l e i b e n d w a h r g e n o m m e n und auch ihrerseits wieder neue Helfer in ihre Verantwortung einbezogen haben.
B e i d e A s p e k t e , Briefe des P und die Funktion seiner Mitarbeiter, sind
für die Situation nach dem Tod des P i n e n g e r B e z i e h u n g zueinander zu
sehen. Dies zeigt sich deutlich in einer versuchten Rekonstruktion der pln
Kanongeschichte. Die Sammlung und der Austausch der P-Briefe sind nicht
gut ohne konkrete Personen denkbar[225].

---

224)   Vgl. dazu auch G. DAUTZENBERG, Sprache und Gestalt der ntl. Schrif-
       ten, in: Gestalt und Anspruch des NT, hg. v. J. SCHREINER, Würzburg
       1969, 20-40; 39.

225)   Vgl. S. 66f.

Es spricht einiges dafür, daß die Redaktion der P-Briefe nicht nur als reiner Konservierungsakt zu verstehen ist, sondern daß frühe Formen der Redaktion auch noch größere Eingriffe in den Text der Briefe erlaubten. Daß das heutige Corpus paulinum nicht die vollständige oder ursprüngliche Form der P-Briefe wiedergibt, ist evident. Die Vermutung liegt nahe, daß es wohl auch P-Briefe gegeben hat, die nur φιλοφρόνησις enthielten. Ein derartiger Brief liegt möglicherweise in der Grußliste Röm 16 vor, welche ursprünglich nicht den Brief nach Rom beschlossen haben konnte.

Besonders die korinthische Korrespondenz des Apostels, welche wenigstens vier Briefe umfaßte[226], ist im Corpus paulinum nicht vollständig überliefert. Will man nun nicht mit dem völligen Verlust ganzer P-Briefe nach Korinth rechnen, bleibt nur die Möglichkeit, eine Redaktion kleinerer Briefe zu größeren Einheiten anzunehmen[227], wobei wenigstens die Freiheit einer redaktionellen Gestaltung hinsichtlich der Präskripte und Briefschlüsse vorauszusetzen ist. Zwar erlaubte die Vielzahl der vorgelegten Teilungshypothesen bis jetzt noch keine überzeugende Rekonstruktion und Situierung der ursprünglichen korinthischen Korrespondenz, doch vermag eine Exegese ohne Literarkritik die Nahtstellen und Brüche in 2 Kor nicht zufriedenstellend zu erklären[228].

Ähnlich wie in der korinthischen Korrespondenz wird man auch im Phil mit der Redaktion von zwei P-Briefen rechnen müssen[229]. Dafür spricht nicht nur die Nachricht in Polykarps Philipperbrief 3,2, welche von "Briefen" des P an die Philipper spricht[230], sondern vor allem der Bruch zwischen Phil 3,1a und

---

226) Vgl. 1 Kor 5,9ff; 2 Kor 2,4.

227) Vgl. W.SCHMITHALS, Die Gnosis in Korinth. Eine Untersuchung zu den Korintherbriefen, FRLANT 66, 3.Aufl. Göttingen 1969, 81-103. Vgl. Ders., Die Korintherbriefe als Briefsammlung: ZNW 64(1973) 263-288; G.BORNKAMM, Die Vorgeschichte des sogenannten Zweiten Korintherbriefes, SHAW.PH 2(1961), bes. 16-23; E.DINKLER, Art. Korintherbriefe: RGG[3] 4,17-23; 18; W.SCHENK, Der 1. Korintherbrief als Briefsammlung: ZNW 60(1969) 219-243. Dagegen betrachtet KUSS, Paulus 158, die Zerstückelung der beiden Kor als "völlig indiskutabel" und bezeichnet sie als "bloßes Spiel mit ganzen Rudeln von unbeweisbaren Hypothesen", ein Verdikt, das allerdings nicht die Brüche in der korinthischen Korrespondenz ungeschehen machen kann.

228) Vgl. bes. 2 Kor 6,14; 7,1; 10,1.

229) Es ist nur mit zwei ursprünglichen Schreiben zu rechnen. Ein selbständiger Dankbrief (vgl. Phil 5,10-20) für die überbrachte Gabe ist nicht wahrscheinlich.

230) Vgl. ἐπιστολάς in Pol Phil 3,2; ed. FUNK-BIHLMEYER 115, Z. 20, welches leichter als Plural zu verstehen ist, obwohl es auch mit dem Singular übersetzt werden kann.

3,1b. Zudem läßt sich der polemische Abschnitt Phil 3,1b-4,1 (einschließlich 4,8f?) am besten verstehen, wenn die Philipper inzwischen auch mündlich[231] näher mit den Grundzügen und Schlagworten der pln Theologie und Kontroverse vertraut gemacht worden sind[232].

Hinsichtlich des Wachsens des pln Corpus ist also mit großer Wahrscheinlichkeit mit einer früheren Kompilation und Redaktion von Briefen an eine bestimmte Gemeinde zu rechnen. Ebenso dürfte das heutige Corpus paulinum auf ältere kleinere Sammlungen von P-Briefen zurückgreifen[233].

So zeichnen sich schon in der frühen Kanongeschichte zwei Tendenzen ab: Das Wort des Apostels zu e r h a l t e n , es aber auch grundsätzlicher und allgemeiner zu verstehen und für die nachpln Kirche zu a k t u a l i s i e r e n . Dabei entspringt die Kanonisierung der P-Briefe einem konkreten gottesdienstlichen und lehrhaft-praktischen Interesse der nachpln Gemeinden und weist damit in ein Milieu, das an der Erhaltung und Anwendung der P-Tradition interessiert ist.

Die Erkenntnis der Bedeutung der P-Briefe für die Situation nach dem Tode des P und die - wohl auch schöpferische - Redaktion seiner ursprünglichen Schreiben stellen jedenfalls ein wichtiges Bindeglied hin zum Verständnis der pln Pseudepigraphie dar. Bereits die Redaktion der P-Briefe ist ein erster Schritt zu einer bewahrenden und aktualisierenden P-Interpretation.

Sind aber einmal Einzelbriefe oder kleinere Corpora in Abschriften verbreitet, ist eine weitere Gestaltung des Corpus nur mehr durch die S c h a f f u n g   n e u e r P - B r i e f e möglich. Damit sind wichtige äußere Voraussetzungen für die pln Pseudepigraphie gegeben, welche allerdings auch innere Gründe hat.

---

231) τὰ αὐτὰ γράφειν κ.τ.λ. in Phil 3,1b erklärt sich am besten nach einem Zwischenbesuch des P in der Gemeinde.

232) Für die Teilungshypothese im Phil plädiert entschieden J.GNILKA, Der Philipperbrief, HThK 10/3, Freiburg-Basel-Wien 1968, 6-11; bes. 10.

233) SCHMITHALS, Abfassung 245, postuliert zwei ursprüngliche Briefsammlungen. Vgl. neuerdings auch die Überlegungen von H.GAMBLE, The Redaction of the Pauline Letters and the Formation of the Pauline Corpus: JBL 94(1975) 403-418. GAMBLE macht darauf aufmerksam, daß eine Redaktion von P-Briefen auch einen Sitz im Leben haben müsse, die Annahme eines einzigen Redaktors und Editors der P-Briefe jedoch auf Schwierigkeiten stoße. Eine Redaktion könne nur mit Textrevisionen verbunden sein, welche jedoch auch Spuren in der Textüberlieferung hinterlassen würden. Die Hypothese von einer Redaktion der P-Briefe lasse sich nur halten, wenn man annimmt, daß verschiedene Briefe in verschiedenen Gebieten unabhängig voneinander ediert wurden.

Ihre Wurzeln reichen allem Anscheln nach bis zu den authentischen Briefen zurück, in denen P seine Mitarbeiter miteinbezog und unter seine apostolische Autorität subsumierte[234]. So wenig wahrscheinlich nun in literarischen Fragen die Sekretärshypothese ist, so wenig ist jedoch auch die Inspiration der Schrift überhaupt oder der P-Briefe im besonderen als eine nur individuelle zu verstehen. Es ist vielleicht noch das zu romantische Bild einer individuellen schöpferischen Persönlichkeit, welches zu den bekannten literarischen und theologischen Schwierigkeiten in der Einschätzung der pln und nachpln Situation führt. Schon die Bewältigung der geographisch enormen pln Mission setzt doch die aktive Mitarbeit seiner Helfer voraus. Eine echte Zusammenarbeit resultiert jedoch nur aus einer realen Kommunikation zwischen P und seinem Kreis. Ohne von einer formellen "P-Schule" sprechen zu können[235], ist die Einbeziehung der Mitarbeiter in das gesamte apostolische Wirken des P eine Notwendigkeit. Dennoch beansprucht P das Erstlingsrecht in seinem Missionsgebiet, was in Radikalität und Ausmaß durch sein besonderes Verständnis des Evangeliums provoziert und garantiert ist. So zeichnet er als Vater der Gemeinden einerseits und als Initiator und Exponent seines missionarischen Kreises anderseits eigenhändig seine Briefe, nicht etwa in erster Linie, um sie zu beglaubigen[236], sondern um seine einzigartige Verbundenheit mit den Gemeinden auch durch seine Briefe zum Ausdruck zu bringen.

Es ist nicht zu übersehen, daß die besondere P r a x i s   d e r   a u t h e n t i s c h e n p l n   B r i e f s t e l l e r e i   auch einen starken I m p e t u s   i n   R i c h t u n g   a u f d i e   P s e u d e p i g r a p h i e   darstellt und sein Mitarbeiterkreis leicht dahin tendieren konnte, auch nach dem Tod des P die Weiterführung der pln Autorität qua epistola Pauli zu praktizieren, ein Beispiel, das weit über die Kanongrenzen hinaus Schule machte[237].
Die Ausübung der pln Autorität durch die Briefform folgt zwar dem Vorbild der authentischen Korrespondenz, doch tritt der aktuelle Charakter des Briefes zugunsten eines grundsätzlich geweiteten, nachpln Horizontes in den Hintergrund, wenn auch die Akzente von 2 Thess bis zu den Past sehr verschieden ausfallen können.

---

234) Vgl. dazu auch J.HAINZ, Ekklesia. Strukturen der paulinischen Gemeinde-Theologie und Gemeinde-Ordnung, BU 9, Regensburg 1972, 296-310.

235) Wie H.CONZELMANN, Paulus und die Weisheit: NTS 12(1965f.) 231-244; 233f; welcher jedoch zu sehr jüdisch-rabbinische Verhältnisse im Auge hat. Vgl. dazu auch SCHENKE, Weiterwirken 509.

236) Die Beglaubigung des Briefes ist ja vor allem in der Überbringung durch einen verläßlichen Boten gewährleistet, und nicht durch eine Unterschrift.

237) Vgl. auch FUNK, Letter 254.

Man kann jedoch die pln Pseudepigraphie n i c h t verstehen, wenn man sie nur als bloße literarische Manier betrachtet, sondern diese literarische Form[238] entspringt dem besonderen Amtsverständnis ihrer Benützer. Ohne das besondere Selbstverständnis der ntl. bzw. nachpln Autoren in Rechnung zu setzen[239], kann man dem literarischen Verfahren der Pseudepigraphie nicht gerecht werden. Die pln Pseudepigraphie ist verbunden mit einem spezifischen Amtsverständnis derer, die das Erbe des P anzutreten hatten. Die Pseudepigraphie scheint sogar die bevorzugte literarische Form zu sein, in der sie den nachpln Standort ihres eigenen Wirkens reflektieren.

Gegenüber Kol und Eph[240] bedeuten die Past eine verschärfte Reflexion über das nachpln Amt. Dies zeigt sich bereits in ihrer eigentümlichen Adresse an Apostelschüler[241], obwohl ihr direktes literarisches Vorbild, die authentischen Briefe und auch die früheren pln Pseudepigrapha, an Gemeinden adressiert sind. Bereits durch die für P-Briefe ungewöhnliche Adresse wird die Funktion der pln Mitarbeiter, die in den echten Briefen nur gelegentlich dokumentiert wird, erklärter Grundgegenstand der theologischen Reflexion. In der Spannung von aktuellem Brief und bleibend nachpln Situation breiten die Past ihr Amtsverständnis als einen pln Auftrag aus. Entsprechend dem literarischen Vorbild wird diese Aufgabe als zeitlich beschränkt dargestellt, doch versteht sich ihr gegenüber dem Apostel subsidiärer Auftrag dennoch als Dauerfunktion[242]. Die Past thematisieren damit viel grundsätzlicher als ihre Vorgänger die Frage der Apostelschülerschaft und führen dieses Thema durch die Wahl der doppelten Pseudonymität durch. D.h., die Past blicken nicht nur auf P zurück, sondern auch auf seine Schüler. Damit erweisen sie sich von ihrer Anlage her als eine bereits fortgeschrittene Form der Pseudepigraphie. Ihre Abfassungszeit ist von dieser inneren Struktur her nicht vor der zweiten nachpln Generation denkbar. Eine bedeutend spätere Datierung ist jedoch von kanongeschichtlichen Überlegungen her ausgeschlossen. Eine genauere Auskunft über ihre Entstehungsverhältnisse erscheint als unmöglich; vor allem aber ist eine nähere Identifizierung des pseudepigraphen Autors aussichtslos.

---

238) Vgl. dazu auch K. BERGER, Apostelbrief und apostolische Rede. Zum Formular frühchristlicher Briefe: ZNW 65(1974) 190-231.

239) Vgl. H. KRAFT, Das besondere Selbstverständnis der Verfasser der ntl. Schriften, in: Moderne Exegese und Historische Wissenschaft, hg. v. J. M. HOLLENBACH u. H. STAUDINGER, Trier 1972, 77-93.

240) Vgl. auch H. D. MÜNDEL, Das apostolische Amt in den Deuteropaulinen, Magisterarbeit masch., Göttingen 1969, III, passim.

241) Vgl. S. 76ff, 113f.

242) Vgl. dazu bes. STENGER, Timotheus 262-267.

Es verbleibt nur so etwas wie der Versuch einer Gegenprobe, die jedoch nur aus einem argumentum e silentio geführt werden kann. Wie schon HEGER-MANN richtig bemerkt hat[243], gibt es keine orthonyme deuteropln Literatur, obwohl es sicher profilierte Mitarbeiter des P gegeben hat und auch den nachpln Generationen bestimmt nicht jede schöpferische Kraft abzusprechen ist. Es gibt jedoch keine orthonyme Literatur unter dem Namen des Timotheus[244] und Titus[245] oder eines sonstigen pln Mitarbeiters oder Nachfolgers, wohl aber gibt es das Faktum der pln Pseudepigraphie.

---

243)   Vgl. HEGERMANN, Ort 53.

244)   Die sogenannten Timotheusakten gehören zu den legendären Apostelge-
       schichten späteren Ursprungs. Vgl. B.ALTANER-A.STUIBER, Patrolo-
       gie. Leben, Schriften und Lehre der Kirchenväter, 7.Aufl. Freiburg
       1966, 139.
       Ein Kuriosum stellt das Pseudonym Timotheus dar, das Salvian von
       Marseille für seine Ad ecclesiam libri IV benützte. In seinem 9.Brief
       (An Bischof Salonius; ed. F.PAULY, CSEL 8 bzw. ed. G.LAGARRIGUE,
       SC 176, Paris 1971) rechtfertigt Salvian sein Pseudonym als ein Zei-
       chen der Demut. Bei der Wahl des Namens Timotheus sei der Autor
       dem Beispiel des Lukas in der Widmung von Evangelium und Apg ge-
       folgt: Consciens (sc. der pseudonyme Schreiber, nämlich er selbst)
       enim sibi sic se omnia in scriptis suis pro dei honore sicut illum
       (sc. Lucas) pro dei amore fecisse, qua ratione ille Theophili, hac
       etiam hic Timothei nomen inscripsit; nam sicut Theophili uocabulo amor,
       sic Timothei honor diuinitatis exprimitur. Itaque cum legis Timotheum
       ad ecclesiam scripsisse, hoc intellegere debes, pro honore dei ad
       ecclesiam scriptum esse, immo potius ipsum honorem dei scripta misis-
       se. Ep. IX, 19; CSEL 8,222, Z. 20-27 (= SC 176, 132, Z. 169-176).
       Vgl. dazu auch BROX, Verfasserangaben 101-104.

245)   Der apokryphe Titusbrief, der die Jungfräulichkeit zum Thema hat, ist
       wahrscheinlich in priscillianischen Kreisen entstanden. Vgl. ALTANER-
       STUIBER, Patrologie 140f. Vgl. auch J.B.BAUER, Die ntl. Apokryphen,
       Düsseldorf 1968, 93f. Es handelt sich dabei weder um einen Brief,
       noch hat dieses literarische Produkt etwas mit dem P-Schüler Titus
       zu tun. Vgl. A.v.HARNACK, Der apokryphe Brief des Paulusschülers
       Titus "De dispositione sanctimonii": SPAH.PH 17(1925) 180-213; 190.

III. DIE LITERARISCHE P-TRADITION

1. Die pseudepigraphe Form der Past

Einführung

Schon allgemeine Überlegungen zur Pseudepigraphie der Past zeigen, daß sie nicht nur P-Briefe als solche voraussetzen, sondern bereits ein im Wachsen begriffenes Corpus paulinum. Diese Erkenntnis bestimmt auch das Urteil über die Qualität der P-Tradition in den Past. Diese Tradition ist nicht mehr eine nur mündliche, unmittelbare; sie stammt nicht nur allgemein aus einem pln Milieu, sondern sie ist eine schriftliche, durch das Corpus paulinum vermittelte Tradition. Die Quelle der P-Tradition der Past ist eine Sammlung von P-Briefen. Dieses Faktum ist zwar durch A.E. BARNETT[1] bereits ausdrücklich nachgewiesen worden, doch bewegt sich seine Untersuchung vor allem auf literarischer Ebene, so daß die Fragestellung nach dem Umfang und vor allem nach der Intention der P-Tradition in den Past noch einer weiteren Klärung bedarf, welche jedoch über die Konstatierung von Wahrscheinlichkeitsgraden in der literarischen Benutzung der P-Briefe hinausgehen muß[2]. Die Erkenntnis des literarischen Zusammenhanges zwischen P und den Past hat für die Auslegung der Past eine große Bedeutung. Die Past geben ihre theologische Intention hinsichtlich der P-Tradition oft erst frei, wenn die redaktionsgeschichtliche Methode auf sie angewandt wird.
Der Autor der Past ist noch intensiver und grundsätzlicher an P orientiert als die Synoptiker an ihren Vorlagen, wenn auch das Ausmaß der literarischen Abhängigkeit der Past von P geringer ausfällt als in den synoptischen Evangelien. Doch auch der Autor der Past zeigt die unbedingte Absicht, P aufzunehmen und weiterzuführen. P ist für ihn eine wesentliche Quelle seiner literarischen und theologischen "Inspiration". Dies zeigt sich u.a. auch an dem eigenartigen Schriftverständnis der Past.

---

1) Vgl. A.E. BARNETT, Paul becomes a Literary Influence, Chicago 1941, bes. 277.

2) Der Wert der Studie BARNETTs liegt vor allem in den umfassenden Untersuchungen zum Einfluß der pln Schriften in der frühchristlichen Literatur. In Einzelfragen bleibt jedoch auch nach BARNETT noch genügend Raum für weitere Arbeiten.

a) Das Schriftverständnis der Past

1) Inspiration und P-Verständnis

Schon immer mußte die Exegese der Past feststellen, daß sie eine nur sehr
spärliche Verwendung des AT zeigen. K.ALAND[3] macht nur drei Stellen als
Zitate kenntlich, nämlich 1 Tim 5,18 als Dtn 25,4; 1 Tim 5,19 als Dtn 17,6;
19,15 und 2 Tim 2,19 als Num 16,5. Als ausdrückliches Zitat ist nur 1 Tim
5,18 mit seiner Zitationsformel λέγει ἡ γραφή anzusprechen. E.NESTLE[4]
nennt darüber hinaus noch 2 Tim 2,19 als Jes 26,13f. u.a; 2 Tim 4,14 als Ps
62,13 u.a; 2 Tim 4,18 als Ps 22,22 u.a; und Tit 2,14 als Ps 130,8; Ez 37,
23 u.a; doch sind diese Stellen in ihrer Gesamtheit eher Anklänge an die atl.
Sprachtradition als ausdrückliche Zitate[5]. Jedenfalls steht diese faktisch
spärliche Verwendung des AT in den Past in Spannung mit ihrem erklärten
Inspirationsdenken und ihrer Überzeugung vom praktischen Nutzen der Schrift,
wie er sich in 2 Tim 3,15f. ausspricht.
Besonders auffällig wird diese Tatsache erst im Vergleich mit P. Die Past
haben durchaus nicht dieselbe Stellung zum AT wie P[6], der das AT als bevorzugte theologische Quelle verwenden kann. Die betonte Erklärung vom reichen Nutzen "jeder gottgehauchten Schrift" in 2 Tim 3,15f. und die geringe
Verwendung des AT in den Past lassen sich in der Auslegung kaum ganz zur
Deckung bringen. Wohl spricht 2 Tim 3,15 von einer Hinführung auf Christus
durch die heiligen Schriften, wobei mit ἱερὰ γράμματα nur die atl. Schriften
gemeint sein können; Schwierigkeiten jedoch bereitet die Weiterführung dieses
Gedankens durch das Statement über den Zweck der Belehrung durch die
Schrift, der damit angegeben wird, "daß der Mann Gottes vollkommen sei,
zu jedem guten Werk gerüstet" (2 Tim 3,17). Auffällig ist darüber hinaus,
daß unmittelbar auf diese Stelle eine Paränese folgt, die in feierlicher und
theologisch gewichtiger Beschwörung zur Weiterführung der pln Verkündigung auffordert (vgl. 2 Tim 4,1-8).

3)   Vgl. K.ALAND (Hg.), The Greek New Testament, 2.Aufl. Stuttgart 1968.

4)   Vgl. E.NESTLE (Hg.), Novum Testamentum Graece, 25.Aufl. Stuttgart
        1967.

5)   Vgl. auch das Urteil von F.ZEHRER, Die Psalmenzitate in den Briefen
        des hl. Paulus, Habilitationsschrift masch. Graz 1951, welcher bei der
        genauen Untersuchung von 2 Tim 4,14 und Tit 2,14 nicht von Zitation,
        sondern von einer "Anlehnung" an das AT spricht. Vgl. ebd. 221, 263.

6)   Gegen C.SMITS, Oud-testamentische citaten in het nieuwe testament 1-4,
        (Collectanea Franciscana Neerlandica 8/1), 's-Hertogenbosch 1952, 522-
        537; 537. Für O.MICHEL, Paulus und seine Bibel, BFChTh 2/18, Güters-
        loh 1929, 198f, zeigen die Past besonders durch ihre unterschiedliche
        Stellung zum AT ihre Unechtheit an.

Nun hat die Exegese bisweilen zu sehr aus 2 Tim 3,15f.[7] eine Plenarinspiration der Schrift heraushören wollen, doch spricht der Kontext klar vom Nutzen der Schrift, weshalb in 3,15 zu übersetzen ist: "Jede gottgehauchte Schrift ist auch nützlich..."[8] Die Plenarinspiration der atl. Schriften zu behaupten, dazu scheint für die Past - weder von ihrer eigenen Theologie noch von der Position ihrer Gegner her - wenig Anlaß gegeben; ebensowenig Grund ist eigentlich dafür zu erkennen, daß der praktische Wert der Schriften, der ja in dem Bekenntnis zu den "heiligen" Schriften bereits impliziert ist, so betont wird. Wohl aber erhält die Exposition über "jede gottgehauchte Schrift" ihre einsichtige und weittragende Funktion dann, wenn in Verbindung mit der Hochschätzung des AT auch das inspiratorische Selbstverständnis des pseudepigraphen Autors ausgesprochen wird. Die spärliche Verwendung des AT in der Komposition der Past jedenfalls dürfte eine so schwerwiegende theologische Erklärung über Inspiration und Nutzen des AT allein kaum motivieren, sondern weist in eine andere Richtung:

Nun haben schon grundsätzliche kanongeschichtliche Überlegungen gezeigt[9], daß die Tatsache der pln Pseudepigraphie an sich bereits eine beginnende Wertschätzung der pln Schriften voraussetzt, welche letztlich auch zu ihrer Kanonisierung und Gleichstellung mit den atl. Schriften führt. Ist aber der theologische Ort der Past in nachpln Situation richtig angepeilt, dann darf die Auslegung der Past allerdings nicht die Tatsache übersehen, daß faktisch die Briefe des P genau so, wenn nicht quantitativ und in der Anlage der Past auch qualitativ viel stärker herangezogen werden als die Schriften des AT. Der Inspirationsbegriff der Past ist zwar am AT, aber darüber hinaus viel stärker an den pln Schriften orientiert. Durch die Eigenart ihrer P-Tradition in Verbindung mit dem Inspirationsdenken erweist sich die Pseudepigraphie der Past als der Versuch, die bereits und gerade P zuerkannte Inspiration für die Kirche zu bewahren und zu verlängern.

Will man also die Pseudepigraphie der Past richtig beurteilen, wird man dieses besondere Inspirationsdenken nicht übersehen[10] oder nur auf das Verständnis

---

7)   Zur Auslegung vgl. auch SCHELKLE, Regeln 31-44; 36-42.

8)   Zur Übersetzung und ihren Problemen vgl. z.B. E.MILLER, Plenary Inspiration and 2 Tim 3,16: LuthQ 17(1965) 56-62; BROX, Past 261f, mit Literatur.

9)   Vgl. S. 88f, 102f.

10) SPEYER, Fälschung 36, erklärt zwar das jeweilige Inspirationsdenken eines Pseudepigraphons zu einem wichtigen Kriterium des Urteils über die religiöse Pseudepigraphie, doch wird dieses Kriterium gegenüber den übrigen Motiven in seinem Urteil über die Past nicht wirksam. Vgl. ebd. 279, 285f.

des AT beschränken dürfen, wie es weithin üblich ist. Erweist sich nämlich die pln Literatur als die Quelle oder der literarische und theologische Bezugspunkt der Past, dann ist in dem so nachdrücklich erklärten Nutzen j e d e r "gottgehauchten" Schrift auch ihre Einschätzung der pln Schriften und wohl auch ihr eigenes pseudepigraphisches Motiv mitausgesprochen.

2) Pln Pseudepigraphie und Kanon

Was dieses Inspirationsdenken der Past im Hinblick auf ihre P-Tradition wirklich bedeutet, wird erst voll ersichtlich, wenn auch andere Formen einer pseudepigraphen P-Tradition in die Betrachtung einbezogen werden.
Die Past zeigen eine starke Ausrichtung am Corpus paulinum, sie beweisen aber auch gegenüber ihrer schriftlichen P-Tradition eine beachtliche interpretatorische F r e i h e i t. Dies zeigt sich vor allem in ihrer oft so unpln Sprechweise, welche ja das Problem der Past eigentlich erst richtig provoziert[11].
In den Past steht Paulinisches neben Unpaulinischem. An keiner Stelle allerdings wird authentisches Material als Zitat eingefügt, was schon von der Anlage als P-Briefe her nicht gut möglich ist. Aber auch ohne Zitation begegnet nirgendwo eine direkte Ausschrift der pln Literatur. Die Past zeigen durchaus schöpferische Freiheit im Umgang mit der P-Literatur, und gerade diese Freiheit unterscheidet sie auch von anderen pln Pseudepigrapha, die oft nur bloße Katenenarbeit aus P-Briefen darstellen und gerade dadurch auch ihre so wenig pln Kompetenz erweisen.

So versuchte die nachpln Literaturproduktion z.B. die in Kol 4,15f. sichtbar werdende Lücke in der P-Literatur durch die Schaffung eines L a o d i z e n e r - b r i e f e s zu schließen. Was dabei herauskam, erweist sich nur als eine wertlose Zusammenstellung pln Stellen und Redewendungen, besonders aus dem Phil[12].

---

11) Tatsächlich besteht für die Pseudepigrapheninterpretation sogar das Problem, wieso nicht m e h r pln Stellen in den Past verarbeitet sind. Vgl. GUTHRIE, Past 51. Diese Tatsache erklärt sich allerdings am besten damit, daß das eingefügte pln Material nicht bloß der formellen Inanspruchnahme der pln Autorität dient, sondern im Zusammenhang mit der gesamten nachpln Kompetenz des pseudepigraphen Autors und seiner Verbindung mit dem ganzen Corpus paulinum - zumindest der Homologumena - gesehen werden muß.

12) Vgl. das Urteil bei H.HENNECKE-W.SCHNEEMELCHER, Ntl. Apokryphen 2, 3.Aufl. Tübingen 1964, 81; und ALTANER-STUIBER, Patrologie 140.

Auch der sogenannte dritte Korintherbrief aus den Acta Pauli[13] ist nur eine Katene aus pln und anderen ntl. Stellen[14].

Eine eigene Stellung nimmt die P-Apk (Visio sancti Pauli) ein, welche - unbeirrt von 2 Kor 12,4 - die dem P widerfahrenen Offenbarungen erzählen will. Auf pln Quellen kann sie naturgegeben nicht zurückgreifen, doch ist sie mit der Petrus-Apk verwandt[15].

Der erst Hieronymus (vir.ill. 12) bekannte Briefwechsel zwischen P und Seneca ist wohl eine reine Schularbeit eines christlich-philosophischen Gesprächs[16].

Am ehesten entspricht der P-Tradition der Past noch die Verwendung der pln Literatur bei Ignatius[17], der bei innerer Verwandtschaft mit P eine sehr großzügige, stillschweigende und freie Art der P-Benützung zeigt. Doch unterscheidet Ignatius von den Past ein anderes Bewußtsein nachapostolischer Autorität und schriftstellerischen Schaffens[18]. Die Past dagegen verstehen sich einerseits als Briefe des P, sind aber doch auch echte Neuschöpfungen. Ein theologisches Urteil über die Past hat aber gerade bei dieser ihrer spezifischen Stellung zu P und zur P-Tradition anzusetzen.

b) Die nachpln Perspektive der Past

1) Zum P-Bild der Past

Bei aller Anlehnung an den P der authentischen Briefe bekunden die Past immer wieder ihre eigenen Nuancen im P-Bild[19], so z.B. schon in den Briefeingängen.

Die authentische Literatur zeigt P weithin in der Auseinandersetzung um die Richtigkeit seines Evangeliums und um die Berechtigung seines Apostelanspruches. So verteidigen schon seine Briefüberschriften mit der betonten Nach-

---

13) Sie sind auf Grund ihrer Abhängigkeit von den Past auf jeden Fall später als diese. Vgl. dazu J.ROHDE, Pastoralbriefe und Acta Pauli, in: StEv 5 (= TU 103), Berlin 1968, 303-310; 303f.

14) Vgl. den Text bei HENNECKE-SCHNEEMELCHER, Apokryphen 2 259f. Vgl. auch ALTANER-STUIBER, Patrologie 136f; BAUER, Apokryphen 89f.

15) Vgl. ALTANER-STUIBER, Patrologie 142f.

16) Vgl. ebd. 140.

17) Vgl. RATHKE, Ignatius 40f, 65ff.

18) Vgl. Ignatius, Röm 4,3.

19) Vgl. dazu auch S. 116-132, 211ff.

stellung des Titels ἀπόστολος hinter seinem Namen[20] seinen Apostolat.
Doch geht bereits aus den pln Briefüberschriften auch hervor, daß P seine
Mitarbeiter in die Ausübung seines Aposteldienstes miteinbeziehen[21] und
auch von ihnen ausdrücklich als Apostel sprechen konnte[22].
In den Past begegnet der Apostelanspruch des P in Anlehnung an die pln Briefeingänge, jedoch nicht in einer bloß äußeren Analogie, sondern sogar noch verschärft. Der Apostolat des P der Past ist exklusiv. Die Past
kennen nur P als Apostel, doch ihn als den Apostel schlechthin. Dies zeigt sich
u.a. schon an einer veränderten Stellung des P gegenüber seinen früheren
Mitarbeitern[23]. Aber auch die Form der durch den Brief geäußerten apostolischen Sorge ist jetzt radikalisiert. Die pln Pseudepigraphie spricht sich
nicht mehr in der Form eines Briefes oder einer Epistel aus, sondern als
Briefcorpus und Anweisung des Apostels an seine Schüler und über sie hinaus
an die Gesamtkirche. Konsequenterweise gleicht der Stil solcher Anweisungen
oft mehr obrigkeitlichen Erlässen[24] als dem Stil persönlicher Briefe. Nicht
mehr Gemeinden werden unmittelbar angeredet, sondern "Mitarbeiter" des
Apostels unter dem Blickwinkel der nachpln Zeit, was zwar zu einer Verzeichnung ihrer historischen Konturen führen kann, die Adressaten jedoch zu le-
bendigeren Paradigmen einer nachpln Amtsführung macht[25].

---

20)   Vgl. 1 Kor 1,1; 2 Kor 1,1; Gal 1,1.

21)   Vgl. Phil 1,1; 1 Thess 1,1.

22)   Vgl. 1 Thess 2,7, wo ὡς Χριστοῦ ἀπόστολοι sich auch auf die
        Mitabsender Silvanus und Timotheus (vgl. 1,1) bezieht. In 1 Kor 4,9
        ist auch Apollos unter ἡμᾶς τοὺς ἀποστόλους subsumiert. Nicht
        auszuschließen ist auch die technische Bedeutung des Terms in Phil
        2,25 für Epaphroditus. Vgl. auch Röm 16,7, wo Andronikus und
        Junias zu den ἀπόστολοι gerechnet werden. Vgl. dazu auch E.E.
        ELLIS, Paul and His Co-Workers: NTS 17(1970f.) 437-452; 438.

23)   Vgl. auch S. 113f.

24)   Dem entspricht auch der allgemeine Charakter der Anordnungen. Die
        Ermahnung hat oft kein eigentliches Objekt, sondern ist grundsätzlicher
        Natur. Charakteristisch ist auch die Terminologie der Beauftragung mit
        βούλομαι (1 Tim 2,8; 5,14; Tit 3,8), οὐκ ἐπιτρέπω (1 Tim 2,12),
        διατάσσομαι (Tit 1,5) und δεῖ (1 Tim 3,2.7.15). Vgl. dazu auch
        C.J.BJERKELUND, Parakalô. Form, Funktion und Sinn der parakalô-
        Sätze in den paulinischen Briefen, BTN 1, Oslo 1967, 32; J.ROLOFF,
        Apostolat - Verkündigung - Kirche. Ursprung, Inhalt und Funktion des
        kirchlichen Apostelamtes nach Paulus, Lukas und den Pastoralbriefen,
        Gütersloh 1965, 250.

25)   Vgl. S. 76ff.

2) Timotheus und Titus

Schon in den Präskripten, die sich ganz an der Form des pln Briefformulars ausrichten, zeichnet sich eine bedeutsame Neuinterpretation der P-Tradition ab. Das Verhältnis des P zu seinen Mitarbeitern ist grundlegend verändert. Timotheus, der in einer Reihe von Briefen als Mitabsender zeichnet[26], fungiert nach den Past als Adressat zweier Briefe. Auch Titus, obwohl bei P nirgends als Mitabsender genannt, ist von einem pln Mitarbeiter zu einem nachpln Adressaten geworden. Diese Änderung der Past gegenüber den echten Paulinen ist keine nebensächliche oder bloß formale Änderung, sondern ein wichtiges Gestaltungsprinzip der Past, das sich in der ganzen Darstellung der Adressaten durchhält[27].

Während Timotheus und Titus bei P als ἀδελφός [28], als συνεργός[29], κοινωνός [30] oder δοῦλος[31] ganz an der Seite des pln Apostolates stehen, ändert sich ihre Funktion aus der Sicht der Past. Jetzt ist P der einzige Apostel, der auch seinen Mitarbeitern gegenüber als der Vater seiner Kinder und Lehrer seiner Schüler auftritt. Er steht am Anfang, während Timotheus und Titus ganz als die Repräsentanten der nächsten Generation verstanden sind, über die auch die folgenden Generationen angesprochen werden[31a]. Der Vergleich mit der Kindschaft vom Apostel her steht in den Past unter dem besonderen Aspekt der Legitimität in der P-Nachfolge. Timotheus und Titus sind die "legitimen" Kinder des P (vgl. 1 Tim 1,2; Tit 1,4[32]). Dieses Bild fußt mit großer Wahrscheinlichkeit auf der Lektüre von Phil 2,19-22[33], doch ist zumindest für die Gestaltung der Briefeingänge von 1 Tim und noch mehr von 2 Tim auch mit dem Einwirken von 1 Kor 4,17 zu rechnen, wo

---

26) Vgl. 2 Kor 1,1; Phil 1,1; Kol 1,1; 1 Thess 1,1; 2 Thess 1,1. (Die Frage der Pseudepigraphie für Kol und 2 Thess kann in diesem Zusammenhang unberücksichtigt bleiben).

27) Vgl. dazu auch STENGER, Timotheus 252f, und seine Auseinandersetzung mit ROLOFF, Apostolat 236, 250.

28) ἀδελφός für Timotheus in 2 Kor 1,1; Kol 1,1; 1 Thess 3,1; für Titus in 2 Kor 2,13; 12,18.

29) Für Timotheus in Röm 16,12.

30) Von Titus in 2 Kor 8,23.

31) Vgl. Phil 1,1, wo P und Timotheus als δοῦλοι Χριστοῦ Ἰησοῦ bezeichnet werden.

31a) Der jugendliche Charakter der Amtsträger ist der Topik pseudepigrapher Schriften zuzurechnen. Vgl. BROX, Pseudo-Paulus 182ff.

32) Vgl. auch ἀγαπητῷ τέκνῳ in 2 Tim 1,2.

33) BARNETT, Paul 252, rechnet mit großer Wahrscheinlichkeit (Evidenzgrad B) mit einem Einfluß von Phil 2.

es von Timotheus heißt: ὅς ἐστίν μου τέκνον ἀγαπητὸν καὶ πιστὸν ἐν κυρίῳ. In Phil 2,19-22 wird Timotheus die gleiche Gesinnung[34] und kindestreue Mitarbeit für das Evangelium zusammen mit P bescheinigt. Der Begriff γνησίως steht in Phil 2,20 im Zusammenhang mit der lauteren Sorge des Timotheus für die Gemeinde[35], während die Past den Begriff auf das legitime Kindschaftsverhältnis mit P umlegen[36] und das Bild in einem fast technischen und ausschließlichen Sinn verwenden, wohl um legitime und illegitime P-Nachfolge (- bis hinein in die Praxis der Pseudepigraphie? -) voneinander abzugrenzen.

c) Briefsituationen

Wie schon Präskript und Adresse die Past als pseudepigraph ausweisen, so ebenfalls die ganze Briefsituation. Die Briefe setzen voraus, daß P Timotheus in Ephesus (vgl. 1 Tim 1,3) bzw. Titus in Kreta (vgl. Tit 1,5) zurückgelassen hat, während in den authentischen Briefen immer von einer Sendung der Mitarbeiter des P die Rede ist[37]. Zwar ist die Beauftragung der Adressaten in den Past nach dem literarischen Vorbild der Homologumena bis zum persönlichen Kommen des Apostels (vgl. 1 Tim 4,13) bzw. bis zum Wiedersehen mit dem Apostel[38] begrenzt, anderseits ist der Ton der brieflichen Anweisungen grundsätzlich und bleibend[39]. Die Technik des pseudepigraphen Briefes vermag diese Inkongruenz von persönlichem Ton und offizieller Anordnung nicht zu überwinden, und wahrscheinlich will sie es gar nicht, um in der Vorläufigkeit des Auftrags der Apostelnachfolger den persönlichen Vorrang des P auch in nachpln Zeit geltend zu machen. So stehen der warme Ton eines Privatbriefes und die Strenge allgemeiner Vorschrift, die fiktive Zeit des P und die Zeit der Past letztlich unausgeglichen nebeneinander.
Wie die Past als ganze schwer im Leben des P unterzubringen sind, so auch die Briefsituation im besonderen.

---

34) Vgl. ἰσόψυχος in Phil 2,20.

35) Vgl. den Begriff auch im Zusammenhang mit der Prüfung der Lauterkeit der Liebe: τὸ τῆς ὑμετέρας ἀγάπης γνήσιον δοκιμάζων in 2 Kor 8,8.

36) Ein Vorbild dafür bildet wohl auch Phil 4,3, wo ein Mitarbeiter, der rätselhafte γνήσιος σύζυγος, um die Vermittlung bei Streitigkeiten innerhalb der Gemeinde gebeten wird.

37) Vgl. 1 Kor 4,17; 13,6; Phil 2,19.23.25 u.ö.

38) Vgl. 2 Tim 1,4; 4,21; Tit 3,12.

39) Vgl. dazu STENGER, Christushymnus 248.

1 Tim 1,3 ließe sich u.U. als Anspielung auf die Reisepläne in 1 Kor 16,5-11
verstehen; doch ist auch der Unterschied in beiden Situationen unverkennbar.
1 Kor 16,5-11 spricht von der beabsichtigten Mission des Timotheus nach
Korinth[40] und der erwarteten Rücksendung zu P (V. 11), während P bis
Pfingsten in Ephesus verbleiben möchte, bis er seinen Reiseplänen nach Korinth
über Makedonien nachkommen kann (vgl. 1 Kor 16,5.8). Der Autor der Past,
welcher 1 Kor sicherlich kennt[41], geht jedoch in seiner fiktiven Beauftragung
des Timotheus durch P über seine aus 1 Kor 16 möglichen Informationen hinaus[42]. 1 Tim 1,3 setzt nämlich voraus, daß Timotheus bei einer Abreise des
P von Ephesus nach Makedonien mit dem Auftrag zur Verkündigung zurückgelassen wurde, was jedoch aus 1 Kor 16 keineswegs zu entnehmen ist.

Auch die im Tit vorausgesetzten Verhältnisse sprechen für einen fiktiven Charakter der Situationsangaben. Daß Titus durch P für Kreta beauftragt worden
sei, ist weder durch die pln Korrespondenz noch durch die Nachrichten der Apg
gedeckt. Eine Mission des P auf Kreta ist nicht auszumachen. Die sogenannte
1. Missionsreise (Apg 13/14), deren Einordnung nach dem durch Gal 1,16-2,1
gegebenen Verlauf der Wirksamkeit des P unsicher ist[43], bietet dafür keinen
verläßlichen Anhaltspunkt. Die Apg berichtet zwar von einer Mission des Barnabas und P in Zypern und im Süden Kleinasiens (Pamphylien, Pisidien und
Ikonium), doch von Kreta ist dabei keine Rede. Überdies ist nach der Apg dabei
P noch der Mitarbeiter des Barnabas, und von Titus berichtet die Apg überhaupt nichts. Aus diesen Gründen bleibt auch MICHAELIS' Harmonisierungsversuch von Apg 14,23 und Tit 1,5[44] fraglich, denn nach der Darstellung der Apg
gehörte die Einsetzung von Presbytern zum festen Bestandteil der Mission des
Barnabas und P, nach der Situation des Tit aber obliegt diese nach vorange-
gangener Mission dem Titus[45].
Auch Apg 20,3, der Seeweg von Milet nach Tyrus, bietet keinen Anhaltspunkt
einer pln Mission auf Kreta[46]. P hat Kreta nur als Gefangener auf seiner Reise
nach Rom berührt. Nach Apg 27,7-15 empfiehlt er erfolglos, bereits in "Schön-

---

40) Allerdings im Widerspruch zu 1 Kor 4,17, was zur Literarkritik
in der korinthischen Korrespondenz Anlaß gibt.

41) Vgl. S. 152. Vgl. auch S. 145.

42) Sie müssen jedoch nicht auf der Kenntnis einer Variante zu Apg 20,5
beruhen, wie MAURER, Textvariante 323, meint.

43) Vgl. KÜMMEL, Einleitung 217.

44) Vgl. W.MICHAELIS, Das Ältestenamt der christlichen Gemeinde im
Lichte der Heiligen Schrift, Bern 1953, 76f.

45) Der Exegese von BINDER, Situation 77, wonach P Titus für Kreta zur
Verfügung gestellt habe, kann ich nicht folgen. Vgl. S. 51 Anm. 269.

46) Vgl. DIBELIUS-CONZELMANN, Past 115.

hafen" zu überwintern; das geplante Anlaufen von Phönix wird jedoch durch den Sturm und Schiffbruch verhindert. Für eine Mission des P auf Kreta gibt also auch diese Episode nichts her. Die Briefsituation der Past muß daher wieder als völlig fiktiv bezeichnet werden[47].

Man kann jedoch die Frage nach der Briefsituation der Past auch nicht dadurch umgehen, daß man, wie die meisten Verteidiger der Echtheit, die Past in die unbekannte Periode des P nach Apg 28 verlegt, denn dazu ist die Ähnlichkeit zur bekannten Phase des pln Wirkens doch wieder zu groß. Die Situation von authentischen Past würde eine erneute Mission des P im Osten voraussetzen, welche trotz aller Unterschiede doch nur ein Zwilling der aus den authentischen Briefen und der Apg bekannten Mission des P werden könnte. Die Gestaltung der Briefsituation der Past ist also kaum anders zu beurteilen als ihre Verwendung der pln Literatur überhaupt. Die Past setzen einerseits beim echten P an, führen aber dann doch ihre eigene Intention durch. Wo ein pln Ansatz fehlt, läßt sich die Briefsituation, wie die Briefe als solche, jedoch auch erfinden.

Diese Beobachtung bestätigt sich in den P-Anamnesen der Past, die ebenfalls eine bewußte Nachahmung des pln Stils zeigen, als Selbstaussagen des P allerdings nicht recht verständlich werden, während sie unter nachpln Aspekt doch einen ganz neuen Aussagegehalt bekommen.

d) P-Anamnesen

1) 1 Tim 1, 12-17

Die erste P-Anamnese der Past findet sich in der einleitenden Danksagung des 1 Tim. Dieser Briefeingang zeigt eine A b w e i c h u n g von der gewöhnlichen S t r u k t u r d e r P - B r i e f e , in denen die Danksagung unmittelbar nach Zuschrift und Gruß folgt. Einzig im Gal setzt nach dem erweiterten Eingangsgruß unvermittelt das Briefcorpus ein, weil die anstehenden Fragen P gleich zur Sache kommen lassen (vgl. Gal 1, 1-6). Ähnlich der Struktur des Gal folgt auch im 1 Tim gleich nach dem Briefgruß der Auftrag zur Ketzerbekämpfung. Daran schließt sich eine Exposition über die Güte des Gesetzes (vgl. 1 Tim 1, 8-11), welche allerdings sonst in den Past nirgendwo mehr aufgenommen wird und deswegen nicht eindeutig klärbar ist, aber doch auch in Richtung eines positiven Gesetzesverständnisses als K i r c h e n o r d n u n g weisen könnte. Schon die äußere Struktur des 1 Tim läßt somit die Abwehr der Falschlehre und eventuell auch die Kirchenordnung als die besonders dringenden Fragen von 1 Tim und der Past überhaupt erscheinen. Beide Aufgaben

---

47)   Vgl. auch BARNETT, Paul 253.

werden - wie die Past in ihrer Gesamtheit - als Vermächtnis des P vorgelegt (vgl. 1 Tim 1,18), dessen Dienst durch eine ausführliche Anamnese reflektiert wird (1 Tim 1,12-17).

Auch P kommt in seinen Briefen wiederholt auf seine Person und seine Vergangenheit zu sprechen, doch unterscheiden sich seine Motive für persönliche Darstellungen in den authentischen Briefen bemerkenswert von jenen der Past.

In 1 Kor 15, 8ff. fügt P sich als den letzten Auferstehungszeugen ein, als den "Letzten der Apostel, unwert Apostel zu heißen, weil ich die Kirche Gottes verfolgte" (1 Kor 15,9). Mit der Nennung der ihm widerfahrenen Erscheinung bietet P eine möglichst vollständige Zeugenreihe für den Auferstandenen (vgl. 1 Kor 15, 5-8), zugleich aber erbringt er auch den Erweis seiner eigenen - abschließenden - apostolischen Funktion und macht seinen, alle übrigen übertreffenden apostolischen Einsatz geltend (vgl. 1 Kor 15,10). Im Zusammenhang mit der Auferstehungsfrage führt sich P damit selber als ein Beispiel der auf nichts gründenden Gnade Gottes an.
Auch der Kampfbrief Phil 3, 1b-4, 1 bietet eine ausführliche Anamnese des authentischen P. Dabei blickt P auf seine jüdische Vergangenheit zurück, um an sich selber seine radikal neue Christuserkenntnis zu exemplifizieren. Seine frühere, untadelige Gesetzesgerechtigkeit wird jetzt gegenüber der überschwenglich großen Christuserkenntnis als negativ verbucht. Aus dieser Christuserkenntnis heraus aber schätzt P nicht nur seine jüdische Vergangenheit, sondern grundsätzlich alles neu ein (vgl. Phil 3, 7ff.), um kraft der Auferstehung dem Tode Christi gleichförmig zu werden und auf diese Weise zur Auferstehung der Toten zu gelangen (vgl. Phil 3, 10f.).
Ein ähnlicher pln Rückblick findet sich auch in Gal 1,13-16, wo P in der judaistischen Frontstellung an sein eigenes Judentum appelliert. Das Übermaß bei der Verfolgung der Kirche, sein fast konkurrenzloser Judaismus und außergewöhnlicher Eifer für die Väterüberlieferung veranschaulichen dabei die Unergründlichkeit und Prädestination des Gnadenentschlusses Gottes, welcher ihm seinen Sohn offenbarte, damit er ihn unter den Heiden verkünde (Gal 1,13-16).

Die P-Anamnese von 1 Tim 1,12-17, die sich eindeutig an diesen literarischen Vorbildern[48] orientiert, zeigt jedoch gegenüber P eine n e u e t h e o l o g i s c h e I n t e n t i o n , welche sich bis in die Terminologie hinein auswirkt. Der P dieser Anamnese ist nicht der historische P, der seinen Apostolat gegenüber den anderen Aposteln verteidigt und an sich selbst die radikal neue Christuserkenntnis zum Ausdruck bringt, sondern der "e r h ö h t e" P , das Vorbild der kommenden Generationen von Gläubigen, der "Prototyp der Erlösten"[49]. Das wird besonders in V. 16 deutlich, welcher unmittelbar vor der Doxologie (V. 17)

---

48)   Was von BARNETT, Paul 254, zu wenig beachtet wird.

49)   Vgl. BROX, Past 111.

das Ziel der Begnadung des P und der Anamnese mit πρὸς ὑποτύπωσιν τῶν μελλόντων πιστεύειν angibt[50]. Auf dieses paränetische Verständnis des P für alle nachpln Gläubigen ist auch das kerygmatische Bekenntnis abgestimmt, der Form nach jedoch nicht in der Terminologie des P, sondern in jener der Evangelien[51]. Der Inhalt der Verkündigung besteht im Bekenntnis des zuverlässigen und annehmenswerten Wortes, "daß Christus Jesus in die Welt kam, um Sünder zu retten" (V. 15). Von dieser kerygmatischen Formulierung her ist auch die P-Anamnese geprägt. P wird von diesem Bekenntnis her als der "Erste" der Sünder beschrieben (V. 15), als der vormalige "Lästerer, Verfolger und Hybride" (V. 13).

Diese Darstellung entspricht ganz dem Modell der hellenistischen Missionspredigt, wie es auch die Apg bietet, welche ebenfalls einen Drohung und Mord schnaubenden Apostel[52] auf dem Weg zur Bekehrung dar-stellt (vgl. Apg 9,1). Daß P nach der Aussage von 1 Tim 1,13 unwissend und in Unglauben gehandelt hat, möchte ihn nicht entschuldigen, sondern zeichnet nach dem Modell der Missionspredigt die Zusammenhänge von Unglauben und Unwissenheit auch in der Person des P nach. Ähnlich spricht auch die Predigt von Apg 3,17f. davon, daß Jesu Leiden und Tod zwar dem göttlichen Heilsplan entspringen, jedoch menschliches Handeln das Geschehen in Gang setzt, nicht aus Bosheit, sondern auf Grund der Unkenntnis der Zusammenhänge.

Auch die P-Anamnese zu Beginn der Past folgt diesem Verkündigungsmodell. Einerseits wird die pln Vergangenheit möglichst schwarz gezeichnet, nicht so sehr im Blick auf P selbst, sondern dazu, um das Übermaß der Gnade und Liebe Christi nur noch stärker hervortreten zu lassen, wie in 1 Tim 1,14 in direkter Anlehnung an die pln Rechtfertigungsterminologie gesagt wird (vgl. Röm 5,20)[53]. Anderseits wird die Zeichnung der vorchristlichen Vergangenheit des P ebenfalls vom Modell der hellenistischen Missionspredigt bestimmt. Diese Vergangenheit ist nicht als die besonders echte jüdische Religiosität des P charakterisiert, sondern als Unwissenheit und Unglauben (vgl. ἀγνοῶν bzw. ἀπιστία V. 13). Durch solche Darstellung der Vorzeit des P soll sich der nachpln Heide in P wiedererkennen. P ist der Erste der bekehrten Sünder,

---

50) Vgl. jetzt auch R.F.COLLINS, The Image of Paul in the Pastorals: LTP 31(1975) 147-173; 165-169.

51) Dahinter eine speziell lk Tradition zu identifizieren, wie STROBEL, Schreiben 201, besteht allerdings im Vergleich mit der übrigen ntl. Literatur wenig Grund. Vgl. dazu BROX, Lukas 66.

52) Vgl. auch Apg 22,4. Die tendenziöse Überzeichnung der Verfolgertätigkeit des P erfordert jedoch eine Reduktion auf das historisch mögliche Ausmaß. Vgl. dazu J.BLANK, Paulus und Jesus. Eine theologische Grundlegung, StANT 18, München 1968, 238-248.

53) In Röm 5,20 allerdings mit dem Wortlaut: ὑπερεπερίσσευσεν ἡ χάρις, jedoch geht unmittelbar voraus ἐπλεόνασεν ἡ ἁμαρτία.

der Gottes Erbarmen gefunden hat[54], damit Christus Jesus an ihm als
Erstem seine ganze Großmut erweise (V. 16).

Das Interesse an dem allgemeinen Vorbildcharakter der pln "Bekehrung" über-
schneidet sich jedoch auch mit der s p e z i e l l e n p a r ä n e t i s c h e n F u n k t i o n
d e r P - A n a m n e s e f ü r d i e n a c h p l n A m t s t r ä g e r, was ebenfalls zu
einer gegenüber P veränderten Sprechweise führt. Schon längst erkannt ist das
vom pln εὐχαριστεῖν abweichende latinistische χάριν ἔχειν (gratiam
habere)[55], welches die als Danksagung formulierte P-Anamnese einleitet (1
Tim 1, 12). Der Dank des pseudepigraphen P gilt τῷ ἐνδυναμώσαντί με,
nämlich Christus Jesus unserem Herrn (V. 12), was die Handschriften des
öfteren an das τῷ ἐνδυναμοῦντι von Phil 4, 13 angeglichen haben[56]. Nun
ist der Einfluß von Phil 4, 13 auf die Textüberlieferung von 1 Tim 1, 12 nicht
reiner Zufall, sondern beruht auf der engen Beziehung beider Stellen:

Im Rahmen seines Dankes für die von den Philippern empfangene Gabe versichert P die Gemeinde seiner apostolischen Autarkie, welche ihm die Bewährung in Armut und Überfluß ermöglicht (Phil 4, 11f.). Die Kraft dazu führt er
auf den zurück, der ihn stärkt: πάντα ἰσχύω ἐν τῷ ἐνδυναμοῦντί με
(Phil 4, 13). Diese Aussage bedeutet im Zusammenhang des Dankes an die
Philipper zunächst die andauernde Stärkung des P für die Bewältigung seiner
unterschiedlichen wirtschaftlichen Verhältnisse, im Kontext des ganzen Gefangenschaftsbriefes impliziert diese Versicherung jedoch auch die erhoffte Bewältigung der gesamten menschlichen Existenz einschließlich des drohenden
Todes (vgl. Phil 1, 19-26).
Die Anamnese von 1 Tim 1, 12 sieht den Vorgang der Stärkung des P primär
retrospektiv. Dies ist nicht die Sprechweise des authentischen P, sondern hier
äußert sich eine auf P zurückblickende Perspektive der Past und ihr paränetisches Interesse für die Gegenwart des nachpln Amtsträgers. Der Akt der Bekehrung, Stärkung und Beauftragung, wie er sich aus der Sicht der Past darstellt, ist überschaubar und nicht unmittelbarer Ausdruck der Christusmystik
des Apostels. In der aoristischen Formulierung[57] der Past erscheint P als
das P a r a d i g m a e i n e r A m t s e i n s e t z u n g des nachpln Amtsträgers. P

---

54)   Das doppelte ἠλεήθην (1 Tim 1, 13.16) ist als theologisches Passiv zu
        beurteilen, steht jedoch in christologischem Kontext.

55)   Vgl. SPICQ, Past 393f.

56)   So ursprünglich ℵ , die Minuskel 33 und einige andere Handschriften.
        Der Korrektor des Sinaiticus korrigierte auf das Partizip des Aoristes.

57)   Vgl. ἡγήσατο... θέμενος in 1 Tim 1, 12. An sich hat das Partizip
        des Aoristes keine historische Funktion, es gerät aber hier auf Grund
        der Gesamtsyntax in eine retrospektive historische Sicht.

selber hingegen kann von seinem Dienst unter stärker präsentischem Blickwinkel sprechen, wie in 1 Kor 7,25, wo er zwar in Ermangelung eines Herrengebotes bezüglich der Jungfrauen seine eigene Meinung (γνώμη) vorlegt, ihr Gewicht jedoch durch den Hinweis auf seine erfolgte und bleibende Begnadung verschärft: Es ist die Meinung eines, der, im Erbarmen des Herrn stehend, zuverlässige Autorität ist[58].

Die P-Anamnese von 1 Tim 1,12-17 zeigt eine eigenartige Verbindung von pln und nachpln Ausdrucksweise, welche im Dienst der konkreten Fragestellung des nachpln Autors steht. Er zeichnet P nicht in einer direkten Wiederaufnahme seiner Selbstzeugnisse, sondern sieht ihn als Vorbild für die nachpln hellenistische Missionssituation und vor allem als Beispiel für den nachpln Amtsträger, aus dessen Sicht auch die Beauftragung des P zum Apostelamt als ganz konkreter, überschaubarer Akt einer einmaligen Beauftragung und Stärkung zum Dienst dargestellt wird.

2) 1 Tim 2,7 und die Theologie des Eph

Wieder in Verbindung mit einer zentralen kerygmatischen Formulierung (vgl. 1 Tim 2,3-6) begegnet in 1 Tim 2,7 eine P-Anamnese. Sie schließt sich an das Bekenntnis des M e n s c h e n Christus Jesus an, "der sich selbst hingab als Lösegeld für Viele, das Zeugnis zur rechten Zeit" (V. 6). Das Bekenntnis dieser zentralen Glaubenswahrheit wird durch die P-Anamnese in V. 7 wieder in enge Beziehung zur Person des P gebracht. Die Verbindung satzhafter Glaubensbekenntnisse mit P selbst dort, wo sie in der Formulierung nicht pln sind, ist typisch für die Theologie der Past. P ist für sie als "Herold und Apostel" eingesetzt worden zu jenem Zeugnis, das Jesus selbst ist, bzw. selbst gab[59]. Die Funktion des P besteht in der V e r l ä n g e r u n g d e s Z e u g n i s s e s J e s u.

Dieser betonte Hinweis auf den pln Apostolat ist wiederum bemerkenswert. Ohne die P-Anamnesen ließe sich die pseudepigraphe Selbstdarstellung des P als Apostel in der Briefüberschrift noch als rein äußerliche Anlehnung an das pln Briefformular erklären. Doch bekunden die Häufigkeit und das Begriffsinventar der P-Anamnesen jedoch auch im Verlauf der Briefe immer wieder die zentrale Bedeutung des pln Apostolates für die Past. Auffallend an dieser Beteuerung des pln Apostelamtes ist, daß sie an die Adresse des Timotheus gerichtet ist, noch dazu verbunden mit einer Schwurformel, welche stark an

---

58) Vgl. ὡς ἠλεημένος (Partizip des Perfekts) ὑπὸ κυρίου πιστὸς εἶναι in 1 Kor 7,25.

59) τὸ μαρτύριον κ.τ.λ. läßt sich entweder als Attribut zu Χριστὸς Ἰησοῦς begreifen oder als Objekt zu ὁ δούς.

Röm 9,1 erinnert[60]. Was an einer "pln" Beteuerung gegenüber Timotheus verwunderlich ist, erhält seinen Sinn aber aus dem kerygmatischen Zusammenhang und aus nachpln Sicht. Die Beteuerung des pseudepigraphen P gegenüber Timotheus steht in einem ausgesprochen soteriologischen Kontext. Doch ist es nicht mehr die F r a g e n a c h d e m H e i l, auch oder vor allem der J u d e n, sondern die Frage nach dem Heil a l l e r Menschen, deren Gerettetwerden als Erkenntnis der Wahrheit umschrieben wird[61]. In der Anwendung eines ursprünglich pln Ausdrucks zeigt sich wieder deutlich die nachpln Perspektive, aus der heraus so gesprochen werden kann. Nicht mehr die noch im Röm, dem literarischen Testament des P[62], auf dem Hintergrund der jüdischen Heilsgeschichte gestellte Frage nach der Bedeutung Christi steht hier an, sondern die pln Fragestellung ist aus ihrem jüdischen Kontext herausgetreten und zur allgemein menschlichen Frage nach dem Heil geworden.

An dieser Stelle eröffnet sich in literarkritischen Untersuchungen auch eine Perspektive, welche für eine nähere Bestimmung der pln Pseudepigraphie der Past von Bedeutung ist. Es läßt sich nämlich mit guten Gründen vermuten, daß die P - I n t e r p r e t a t i o n d e r P a s t und besonders diese Anamnese nicht unmittelbar auf dem Röm fußen, sondern d u r c h das Medium der nachpln Interpretation, wie sie im E p h erfolgte, h i n d u r c h g e h e n. BARNETT spricht anläßlich von 1 Tim 2, 3-6 von einer "basic dependence on Ephesians"[63].

Nun wird schon in Eph 4,13 das Ziel des göttlichen Heilswerkes ausdrücklich so formuliert, daß "alle zur Einheit des Glaubens und der Erkenntnis (ἐπί-γνωσις[64]) des Sohnes Gottes gelangen." Zwar begegnet in diesem Zusammenhang im Eph nicht der Ausdruck ἐπίγνωσις ἀληθείας - wie in 1 Tim 2, 4 -, doch finden sich beide Begriffe auch im Eph in enger Zuordnung zueinander[65]. Das Erlösungsverständnis in Verbindung mit dem Bekenntnis zum

---

60) Vgl. BROX, Past 129. In beiden Fällen begegnet die Beteuerung im Kontext des Zeugnisses. Vgl. μαρτύριον in 1 Tim 2,6 mit συμ-μαρτυρούσης μοι τῆς συνειδήσεως κ.τ.λ. in Röm 9,1. In Röm 9,1 steht die Schwurformel im Kontext der zentralen und leidenschaftlich verhandelten Frage nach der Erwählung Israels und leitet diesen Fragenkomplex ein.

61) Vgl. σωθῆναι καὶ εἰς ἐπίγνωσιν ἀληθείας ἐλθεῖν (1 Tim 2,4).

62) Vgl. G. BORNKAMM, Paulus, (Urban-Taschenbücher 119), 2. Aufl. Stuttgart 1970, 103-111.

63) Vgl. BARNETT, Paul 255.

64) Das Wort findet sich im NT nur in der pln Literatur, bzw. in Schriften, die in pln Tradition stehen. Vgl. Hebr 10,26; 2 Petr 1,2f.8; 2,20. Vgl. BARNETT, Paul 255.

65) Vgl. λόγος τῆς ἀληθείας (Eph 1,13) und ἐπίγνωσις αὐτοῦ (sc. Gottes bzw. Christi) (1,17). Vgl. auch die enge Verbindung von ἀλήθεια und ᾿Ιησοῦς in Eph 4,21.

einen Gott in Eph 4,6 spricht für eine theologische Verwandtschaft des Eph
mit 1 Tim 2,5, worin ebenfalls das Bekenntnis zum einen Gott und zum einen
Mittler zwischen Gott und den Menschen mit dem Heilswillen Gottes und der
Wahrheitserkenntnis aller Menschen verbunden ist. -
Zwar kann die Ähnlichkeit der Formulierung und des Kontextes im Eph und im
1 Tim nicht gleich im Sinne einer direkten literarischen Abhängigkeit bewertet
werden, vor allem nicht, wo es sich um solch allgemeine kerygmatische Formulierungen handelt, doch wird diesem Erlösungsverständnis in beiden Fällen
auch ein ä h n l i c h e s P - B i l d zugeordnet.
So reflektiert Eph 3 die Funktion des gefangenen P "für euch, die Heiden" (Eph
3,1), wobei die besondere Offenbarung und Funktion des P nach dem Eph darin
besteht, gerade die Teilnahme der Heiden an der Verheißung zu erkennen und so
Diener dieses Evangeliums in der Verkündigung an die Heiden zu werden (3,6f.).
Diese Ähnlichkeit im Heilsverständnis und seine Verbindung mit dem pln Apostolat im Eph und in den Past ist auffällig. Die Past und der Eph bekunden damit
nicht nur ein gemeinsames nachpln Milieu, sondern lassen auch eine literarische Abhängigkeit voneinander wahrscheinlich werden. Beobachtungen zur Ekklesiologie[66], zur Eschatologie[67] u.ä. sprechen dafür, daß dabei die Past
ihren Sitz im Leben n a c h dem Eph haben und so auch das literarische Gefälle
vom Eph zu den Past hin geht. Ob bei einer möglichen literarischen Benützung
die Past den Eph unbefangen als pln einschätzen oder über seine pseudepigraphe
Herkunft ausdrücklich Bescheid wissen[68] bzw. durch ihre stillschweigende
Verwendung stützen wollen oder vielleicht sogar gegen ihn polemisieren[69],
muß offenbleiben. Die Eigenart der Verwendung der P-Briefe durch die Past
läßt ein sicheres Urteil über eine literarische Abhängigkeit nur selten zu. Dieser Befund erlaubt vor allem gegenüber dem Eph nur sehr zurückhaltende Aussagen.

Auch 1 Tim 2,7 reflektiert die Funktion des P, jedoch unter dem Titel eines
διδάσκαλος ἐθνῶν . Diese Bezeichnung geht nun allerdings sowohl über den
pln Sprachgebrauch als auch über die Formulierung des Eph hinaus. P ist in
den Past zum "Lehrer der Völker"[70] geworden. Bereits er vollzieht denselben

---

66)   Vgl. S. 226.

67)   Vgl. S. 228.

68)   Vgl. MERKLEIN, Amt 40f, welcher hinsichtlich der Abhängigkeit des
      Eph vom Kol ähnliche Überlegungen anstellt.

69)   Vgl. S. 228 Anm. 322.

70)   τὰ ἔθνη bedeutet im hellenistischen Sprachgebrauch wohl weniger das
      Gegenüber Israels, 'die Heiden', als allgemein 'die Völker'.

Dienst, den auch der nachpln Amtsträger der Past zu erfüllen hat, nämlich den der Lehre[71].

Die Bezeichnung des P als διδάσκαλος ist absolut unhistorisch. Wohl nennt P in 1 Kor 12,28f. in einer merkwürdig genau abgestuften Aufzählung die Ämter: Apostel, Propheten und Lehrer, doch als Selbstbezeichnung ist ihm der Begriff διδάσκαλος fremd[71a].

Auch der Eph kennt diesen Titel für P nicht, sondern unterscheidet die Hirten und Lehrer von den Aposteln (vgl. Eph 4,11). Die Past hingegen verleihen P den Titel διδάσκαλος vorbehaltlos, und zwar innerhalb der Trias κῆρυξ - ἀπόστολος - διδάσκαλος (2 Tim 1,11), welche in 1 Tim 2,7 durch die Beteuerungsformel ἀλήθειαν λέγω, οὐ ψεύδομαι unterbrochen wird, dadurch aber nur um so mehr ihre innere Zusammengehörigkeit beweist.

Auch die Bezeichnung κῆρυξ ist P fremd, wenn von ihm nicht sogar bewußt vermieden, um keine Parallele zwischen dem Apostel und dem profanen Herold zu ziehen, doch kann dieser P-Titel der Past auf κηρύσσειν als t.t. für die pln Evangeliumsverkündigung zurückgreifen[72].

Wie die P-Anamnese in 1 Tim 2,7 zeigt, haben die Past gegenüber den pln Selbstbezeichnungen bereits eine veränderte, aber feste P-Titulatur ausgeprägt. Diese erklärt sich aus einer bereits fortgeschrittenen P-Verehrung, welche sich z.T. einer auf P rückführbaren Begrifflichkeit bedient, z.T. auch unpln spricht und dabei auch P unter dem Blickwinkel der nachpln Ämter betrachtet. So versucht wahrscheinlich gerade auch die unpln Bezeichnung διδάσκαλος diesen Aspekt des nachpln Amtes bereits in P zu vergegenwärtigen. Die Häufung der Titulatur für P möchte aber bei allen Analogien zum nachpln Amt auch die Besonderheit des pln Apostolates zum Ausdruck bringen. Der Kontext der Anamnese von 1 Tim 2,7 deutet auf eine innere Verwandtschaft mit dem deuteropln Eph hin, doch spricht u.a. die gegenüber dem Eph weiterentwickelte P-Titulatur dafür, daß die Past hinsichtlich der P-Tradition n a c h dem Eph einzureihen sind.

3) 1 Tim 3,14f; 4,13

Zwischen dem Bischof- bzw. Diakonspiegel 1 Tim 3,1-13 und dem Christushymnus 1 Tim 3,16 ist wieder eine P-Anamnese eingefügt, welche sachlich an 1 Tim 1,12-20 und 2,7 anschließt. Sowohl die konkreten Pflichtenspiegel für die Ämter wie die Zitation eines an sich ganz unpln Hymnus stehen für die Past

---

71)   Vgl. den Auftrag zum διδάσκειν in 1 Tim 4,11; 6,2; 2 Tim 2,2.

71a)   Vgl. jedoch διδάσκειν von P in 1 Kor 4,17.

72)   Vgl. Röm 10,8; 1 Kor 1,23 u.ö.

unter dem Zeichen des abwesend anwesenden Apostels. Die P-Anamnese von 1 Tim 3,14 greift auf den pln Brieftopos des rasch erhofften Kommens zurück, auf das hin auch der Brief ausgerichtet bleibt[73]. Der Autor der Past übernimmt diesen pln Brieftopos[74], um damit einerseits die gewählte Form der Pseudepigraphie ganz konsequent im pln Sinne durchzuführen, anderseits aber auch, um die Bedeutung des pseudepigraphischen P-Briefes zum Ausdruck zu bringen. Es gibt für die Past so etwas wie eine r e a l e G e g e n w a r t des P durch sein Wort und seinen Brief, wobei die angekündigte Gegenwart des Apostels vor allem dem persönlich angesprochenen P-Nachfolger gilt[75].

Doch wird der Topos der bald erwarteten Ankunft des P nicht nur rein fiktiv verwendet, sondern auch im Bewußtsein einer pln "P a r u s i e v e r z ö g e r u n g" ausgesprochen: ἐὰν δὲ βραδύνω κ.τ.λ.[76] soll nicht nur die trotz des bald erhofften Kommens notwendigen brieflichen Anweisungen begründen, sondern bringt auch ein Wissen darüber zum Ausdruck, daß das leibliche Kommen des P in der Zeit der Past keine natürliche Möglichkeit mehr darstellt.

Wie erhofftes Kommen und bleibende Parusieverzögerung in dieser Anamnese in spannungsreicher Beziehung zueinander stehen, so zeigt sich auch eine I n k o n g r u e n z v o n p e r s ö n l i c h e r N a c h r i c h t[77] und a l l g e m e i n e m C h a r a k t e r d e r V o r s c h r i f t[78]. Bis zum - bleibend verzögerten - Kommen des Apostels hat der nachpln Amtsträger entsprechend der Hausordnung der Kirche als dem Haus Gottes zu wandeln (3,15). Bis zum - endzeitlichen - Kommen des P hat er sich an "die Verlesung, den Zuspruch und die Lehre" zu halten (4,13). ἀνάγνωσις bedeutet an sich die feierliche Verlesung des AT[79], doch steht diese Aufforderung hier im Rahmen einer P-Anamnese und ist deswegen auch im Blick auf die schriftliche P-Tradition einschließlich der Pseudepigraphie zu sehen[80]. V e r l e s u n g, Zuspruch und Lehre gibt es f ü r d i e P a s t n i c h t o h n e P. Zuspruch und Lehre können in nachpln Situation nicht an der Lesung der P-Briefe vorbeigehen. Die Wurzeln dieses

---

73) Vgl. 1 Kor 4,19; Phil 2,19.24.

74) Vgl. dazu STENGER, Timotheus 255-267.

75) Vgl. πρός σε 1 Tim 3,14.

76) Von der Verzögerung der Verheißung nur noch in 2 Petr 3,9: οὐ βραδύνει κύριος τῆς ἐπαγγελίας.

77) Vgl. ἵνα εἰδῇς 1 Tim 3,15b.

78) Vgl. πῶς δεῖ... ἀναστρέφεσθαι 1 Tim 3,15b.

79) Vgl. BAUER, Wörterbuch s.v; SCHELKLE, Regeln 36.

80) So bereits richtig BARNETT, Paul 260: "There is probably a specific reference to Paul's letters here".

Verständnisses eines P-Briefes reichen weit zurück. Schon die authentischen Briefe waren auf eine öffentliche Lektüre hin ausgerichtet[81] und auch die Deuteropaulinen folgen dieser Tradition[82]. Man darf deswegen auch die P-Anamnesen in 1 Tim 3, 14f. und 4, 13 von diesem Aspekt her interpretieren. Die pseudepigraphen Past verstehen sich zusammen mit den übrigen P-Briefen als die Vertretung der persönlichen Anwesenheit des Apostels und als das Medium seines apostolischen Wortes und fordern aus diesem Grund auch implizit zur Lektüre der P-Briefe auf.

4) 2 Tim 1, 3f.

Im Briefeingang des 2 Tim, der unter den drei Past dem pln Briefformular am weitgehendsten entspricht, folgt unmittelbar auf das Präskript die Danksagung, welche wiederum als P-Anamnese gestaltet ist. Die Ähnlichkeit mit dem Briefeingang des Röm sticht ins Auge: Röm 1, 8-12 und 2 Tim 1, 3-5 zeigen eine deutliche Verwandtschaft[83].

Auch im Röm steht die pln Danksagung betont am Briefeingang, hervorgehoben durch πρῶτον μὲν εὐχαριστῶ τῷ θεῷ μου, wobei die Gemeinde und ihr in der ganzen Welt verkündeter Glaube der Grund der Danksagung sind (vgl. Röm 1, 8). Auch die Danksagung von 2 Tim 1, 3ff, welche - wie schon 1 Tim 1, 12 - mit χάριν ἔχω statt des pln εὐχαριστῶ ausgesprochen wird, nennt nach der ausführlichen P-Anamnese von 1, 3f. in V. 5 den Glauben des Empfängers als Dankesgrund: Der ungeheuchelte Glaube, der Timotheus innewohnt, kann auf eine ansehnliche Tradition zurückblicken und steht mit Timotheus bereits in der dritten Generation. Diese Ausrichtung des Dankes auf den bereits überkommenen Glauben des Empfängers bedingt auch die besondere Gestaltung der P-Anamnese. Auch in Röm 1, 9 versichert P unter Anrufung Gottes, dem er dient[84], die Gemeinde seines ununterbrochenen Gedenkens im Gebet (1, 10f.) und seiner Sehnsucht nach persönlicher Anwesenheit (1, 11)[85], aus welcher er durch den Glauben gegenseitig gestärkt hervorzugehen hofft (1, 12). In 2

---

81) Vgl. schon 1 Thess 5, 27, wo ein Schwur des P zur öffentlichen Verlesung des Briefes auffordert. Auch die Schlußgrüße und die verbale Einführung der Unterschrift (vgl. Gal 6, 11) sind eher auf das Hören als auf das Sehen hin ausgerichtet.

82) Kol 4, 16 spricht vom Austausch der P-Briefe zum Zwecke ihrer Verlesung. Auch Eph 3, 3f. weiß von einer Lektüre der P-Briefe.

83) BARNETT, Paul 263, beurteilt sie mit dem höchsten Evidenzgrad.

84) Vgl. θεός, ᾧ λατρεύω ἐν τῷ πνεύματί μου (Röm 1, 9).

85) Wie er auch sonst auf seine wiederholten Versuche, die Gemeinde zu sehen, aufmerksam macht. Vgl. Röm 1, 13; 15, 22.

Tim 1,3 gilt der Dank des P τῷ θεῷ, ᾧ λατρεύω ἀπὸ προγόνων ἐν καθαρᾷ συνειδήσει. Der P der Past dankt für den bereits auf Generationen zurückblickenden Glauben des Timotheus, er kann aber auch - ganz entgegen dem authentischen Vorbild - so dargestellt werden, daß er selber schon von den Vorfahren her Gott "mit reinem Gewissen" dient.

Diese P-Anamnese zeigt erneut die ganze B r e i t e p a r ä n e t i s c h e r Motiv a t i o n in den Past. Hier wird nicht nur anders gesprochen als beim authentischen P, sondern auch anders als in der Anamnese von 1 Tim 1,12ff. mit ihrem blasphemischen, verfolgenden und lästernden P, der in Unwissenheit und Unglauben gehandelt hat. In 2 Tim 1,3f. stellt sich der Glaube des P als in einer langen Tradition stehend dar. Dies erweckt den Anschein, als ginge die jüdische Vergangenheit des P kontinuierlich weiter ins Christentum. Solche anamnetische Schilderung des P ist zwar insofern keine völlige Verzeichnung des authentischen P, als dieser trotz seiner radikalen christologischen Hermeneutik (vgl. Phil 3,8) auch entschieden positiv auf sein Judentum zurückblicken kann (vgl. Phil 3,6). Doch möchte diese P-Anamnese zu Beginn des 2 Tim keine grundsätzlichen Aussagen über Synagoge und Kirche machen und nicht als ein Bekenntnis zu einem bruchlosen Übergang vom Judentum zum Christentum verstanden werden[86], sondern hier wird P eingezeichnet in ein Bild, nach welchem der christliche Glaube bereits seit Generationen besteht. Dies ist zwar mit den historischen Gegebenheiten bei P nicht in Einklang zu bringen, doch ist dies für die P-Verehrung der Past nicht so von Gewicht, denn ihr paränetisches Interesse an P gilt nicht so sehr einer genauen historischen Beschreibung des Apostels, sondern den schon länger bestehenden kirchlichen Ämtern, welche in der Person des P vorgezeichnet werden.

Auch hinsichtlich der jüdisch-christlichen Vergangenheit des historischen Timotheus stehen ja die Dinge nicht gerade so, wie 2 Tim 1,5 den Anschein erwecken könnte. Nach Apg 16,1 entstammte Timotheus der an sich ungesetzlichen[87] Ehe einer Jüdin mit einem Heiden. Daß P ihn - entgegen seiner Theorie und Praxis (vgl. 1 Kor 7,18f; Gal 2,3) - nach der Darstellung von Apg 16,3 erst beschneiden mußte, zeigt, wie die Tatsache einer jüdisch-heidnischen Ehe, "nicht ein frommes, sondern ein laxes Judentum."[88] Unbeschadet solcher Nachrichten über Timotheus ist dieser zusammen mit P in der Anamnese zu Beginn des 2 Tim d a s Vorbild der kirchlichen Amtsträger, welche in der Regel bereits auf eine christliche Erziehung zurückblicken können.

---

86)   Gegen MICHEL, Grundfragen 99, wonach nach 2 Tim 1,5 "sogar der Glaube der Synagoge zu einer Vorstufe der Kirche werden kann".

87)   Vgl. P.BILLERBECK-(H.L.STRACK), Kommentar zum NT aus Talmud und Midrasch 2, München 1915, 741, mit Belegen.

88)   So HAENCHEN, Apg 419 Anm. 3; Vgl. BROX, Notizen 79-82.

Daß die Danksagung und die Porträts von P und Timotheus auf den paränetischen Zweck des Briefes hin ausgerichtet sind, zeigt sich auch aus dem Zusammenhang, wonach der Dankesgrund, der seit Generationen bestehende Glaube, auch die Begründung der folgenden Paränese darstellt[89]. Danksagung und Anamnese motivieren die Aufforderung, Timotheus solle das "Charisma", das ihm durch die Handauflegung des P zuteil wurde, wieder zum Brennen bringen (2 Tim 1,6), "weil Gott uns ja nicht einen furchtsamen Geist, sondern den Geist der Macht, Liebe und Besonnenheit gegeben hat" (V. 7). Als Aufforderung an seinen gleichgesinnten, bewährten Mitarbeiter Timotheus lassen sich nun diese "pln" Mahnungen freilich wiederum nicht gut verstehen. Ihre eigentliche Absicht eröffnet vielmehr auch diese Paränese erst mit der Einsicht, daß hier nicht der historische Timotheus, sondern eine literarische Gestalt und durch sie hindurch der nachpln Amtsträger in allen seinen individuellen Gestalten und unterschiedlichsten Situationen angesprochen werden soll.

Doch wird diese Paränese nicht nur formal durch die Einbindung in einen pseudepigraphischen P-Brief auf P zurückgeführt, sondern sie schließt sich auch sachlich im Verständnis des nachpln Amtes eng an P an. Der Rückblick auf den Glauben des P und Timotheus begründet die Aufforderung, das Charisma Gottes neu zu entfachen (V. 6). χάρισμα, ein absolut pln Begriff[90], ist hier im Sinne des P verstanden und am besten mit "pneumatisch begründeter Amtsauftrag" zu übersetzen[91].

Eine solche Feststellung setzt jedoch auch einige Bemerkungen hinsichtlich der pln Theologie voraus. Meist rührt nämlich das Urteil über eine krasse Andersartigkeit des Amtsverständnisses der Past gegenüber P auch von da her, daß mit dem pln Charismenbegriff sehr oft nur enthusiastisch-chaotische Gemeindeverhältnisse verbunden werden, eine dogmatische Vorstellung, welche bereits den historischen Gegebenheiten pln Gemeinden kaum entsprechen kann. Denn schon P spricht bei grundsätzlichem Geistbesitz für alle Christen[92] auch von verschiedenen charismatischen Funktionen für die Gemeinde[93], welche auch an eine gewisse Ordnung innerhalb der Gemeinde und ihres Gottesdienstes gebunden sind (vgl. 1 Kor 14,26-40)[94]. Auch für P äußert sich Charisma nicht

---

89) Vgl. δι᾽ ἣν αἰτίαν ἀναμιμνῄσκω... (2 Tim 1,6).

90) Von den 17 ntl. Belegen sind 14 authentisch pln. Darüber hinaus begegnet der Begriff nur hier, in 1 Tim 4,14 und 1 Petr 4,10.

91) Vgl. ROLOFF, Apostolat 260.

92) Vgl. Röm 1,11; 12,6. Vgl. auch 1 Kor 1,7; 7,7.

93) Vgl. Röm 12,6; 1 Kor 7,7; 12,4-11.20-30.

94) Vgl. dazu auch G.DAUTZENBERG, Urchristliche Prophetie. Ihre Erforschung, ihre Voraussetzungen im Judentum und ihre Struktur im ersten Korintherbrief, BWANT 104, Stuttgart 1975.

nur im spontanen Wirken des Geistes, sondern ist bis zu einem gewissen Grad auch mitteilbar[95].

So gesehen setzen die Past mit ihrem Amtsverständnis durchaus bei P an, wenngleich ihr nachpln Standort auch in dieser Frage unverkennbar ist. Sie übertragen nämlich ihre gegenwärtige Praxis der Beauftragung zum Amt auf die fiktive Zeit des P. Nach der 2 Tim 1,6 geäußerten Vorstellung hat P Timotheus durch Handauflegung das "Charisma Gottes"[96] übertragen. Das allerdings deckt sich nun weder mit 1 Tim 4,14[97] noch mit den sonst im NT erreichbaren Nachrichten über P und Timotheus, sondern entspricht deutlich der nachpln Amtsübertragung. Doch zeigt gerade auch der hier verwendete pln Charismenbegriff, daß sich das Amtsverständnis der Past möglichst an P zu orientieren sucht. Das Interesse der Past gilt aber nicht in erster Linie irgendwelchen Aussagen über das Charisma an sich, sondern richtet sich deutlich auf seine Bewahrung. Beide Stellen, an denen der Charismenbegriff in den Past begegnet (vgl. 1 Tim 4,14; 2 Tim 1,6), sprechen von seiner Erhaltung: Das Charisma soll "nicht vernachlässigt" werden (vgl. 1 Tim 4,14); die Erinnerung an das wenigstens am Anfang (voll) vorhandene Charisma soll zu seinem "Wiederaufflammen" führen (2 Tim 1,6), was mit einer pln klingenden Wendung (vgl. Röm 8,15) begründet wird: οὐ γὰρ ἔδωκεν ἡμῖν ὁ θεὸς πνεῦμα δειλίας (2 Tim 1,7). Das pln Analogon dieser Formulierung (Röm 8,15) stellt dem Geist der Knechtschaft, der wiederum zur Furcht führt[98], den Geist der Sohnschaft, der die Vateranrede Gottes ermöglicht, gegenüber. Mit einer geringen Änderung auf der Phonem-

---

95) Vgl. Röm 1,11: ἵνα τι μεταδῶ χάρισμα ὑμῖν πνευματικόν κ.τ.λ.. Darin äußert sich die Meinung, daß das Charisma im weitesten Sinn auch mit apostolischen Anstrengungen vermittelt werden kann.

96) Vgl. 2 Tim 1,6: τὸ χάρισμα τοῦ θεοῦ . Diese Formulierung begegnet nur an dieser Stelle und in Röm 6,23. Vgl. auch BARNETT, Paul 264.

97) Vgl. dazu auch S. 220. Gegen P.LACKMANN, Paulus ordiniert Timotheus. Wie das katholische Bischofs- und Priesteramt entsteht: Bausteine (Soest) 3/12(1963) 1-4; 4/13(1964) 1-6; 4/14(1964) 1-4; 4/15(1964) 1-5; 4/16(1964) 1-4; 5/17(1965) 1-4; 5/18(1965) 1-5. Eine ähnliche Überblendung der Perspektiven findet sich allerdings auch in Apg 14,23, wonach Barnabas und P bereits in den Anfängen der Mission die Ordination vollzogen.

98) Vgl. πνεῦμα δουλίας πάλιν εἰς φόβον (Röm 8,15). Für sich allein genommen würde diese Stelle kaum für eine literarische Abhängigkeit sprechen, doch richtet sich der Briefeingang des 2 Tim so auffällig am Röm aus, daß auch in 2 Tim 1,7 mit einer Anspielung auf Röm 8,15 gerechnet werden darf.

ebene gelingt den Past eine semantische Verschiebung von δουλίας auf δειλίας , womit das pln Bild für die Intention der Past adaptiert werden kann. Die Past verstehen den negierten "Geist der Furcht" nicht mehr im pln Kontext eines allgemeinen, neuen Gottesverhältnisses, sondern blicken speziell auf das nachpln Amt: Der Geist der Liebe, Macht und Besonnenheit soll in dem nachpln Amtsträger die Kraft bewirken, sich des Zeugnisses des Herrn[99] und des gefangenen P nicht zu schämen, sondern mitzuleiden mit dem Evangelium (vgl. 2 Tim 1, 8), was den vollen Einsatz in der Verkündigung bedeutet, bis hinein in die Situation des Leidens. Die Gegenüberstellung des Herrenzeugnisses und des gefangenen bzw. in den Tod gehenden P setzt neben dem Verständnis der Passio Christi auch ein Wissen um die Passio Pauli voraus und ist ein typischer Zug der P-Tradition[100]. Die Past haben die ersten Konfliktsituationen christlichen Glaubens bereits hinter sich; doch im Gegensatz zum 1 Petr, der diese Möglichkeit allen Christen vor Augen stellt (vgl. 1 Petr 3, 13-17), sehen die Past das Leiden als die besondere Funktion des Apostels. Sie stellen die Gestalt des leidenden Apostels vor allem dem nachpln Amtsträger vor Augen, während für die Gemeinde ein stilles und ruhiges Leben in Gottesfurcht und Heiligkeit erfleht wird (vgl. 1 Tim 2, 2). Doch bleibt die Gestalt des leidenden P über das Medium des nachpln Amtes auch für alle Christen in Geltung.

Die P-Anamnese 2 Tim 1, 3ff. blickt auf eine bereits längere christliche Glaubenstradition zurück, und beschreibt von da her auch das Bild des P und Timotheus. In dem bereits seit Generationen bestehenden christlichen Glauben und im bereits über längere Zeit geübten und überschaubaren Akt einer Beauftragung zum Amt findet sich auch der paränetische Ansatz, das pln verstandene Amtscharisma "wiederaufflammen" zu lassen. Die Paränese hat angesichts eines in den Tod gehenden P besonderes Gewicht und verpflichtenden Charakter und fordert dazu auf, diesen Amtsauftrag auch in der Situation nach dem Tod des P weiterzuführen.

5) 2 Tim 1, 11 und die Funktion der Anamnesen

Es ist auffällig, daß sich zu Beginn des 2 Tim die P-Anamnesen verdichten, wie überhaupt der 2 Tim das persönlichste Schreiben der Past ist. Aber auch

---

99) Vgl. dazu auch N. BROX, Zeuge und Märtyrer. Untersuchungen zur frühchristlichen Zeugnis-Terminologie, StANT 5, München 1961, 32-36.

100) Vgl. dazu auch ZEILINGER, Erstgeborene 82-94.

2 Tim 1,11 verwendet wieder die Trias κῆρυξ καὶ ἀπόστολος καὶ διδάσκαλος [101] und zeigt damit erneut die bereits fixierte Begrifflichkeit
der P-Titulatur der Past. Nun waren schon oben[102] diese P-Titel der Past
mit den authentischen Paulinen zu vergleichen, doch ist hier noch einiges
zum Ort und zur Funktion solcher Anamnesen für das P-Verständnis der Past
nachzutragen.

Schon 1 Tim 1,11, wo die Unterbindung anderer Lehre (vgl. 1 Tim 1,3-7)
und die Exposition über die Güte des Gesetzes (1 Tim 1,8ff.) dem pln Evangelium zugeordnet werden, folgt unmittelbar nach dem Stichwort εὐαγγέλιον
(1 Tim 1,11) die erste ausführliche P-Anamnese der Past (1 Tim 1,12-17).
Auch in 1 Tim 2,7 steht die Trias κῆρυξ, ἀπόστολος, διδάσκαλος
in direktem Anschluß an den Begriff des Evangeliums, das hier jedoch im
Kontext traditionellen Gutes als μαρτύριον dargestellt wird. Diese Zuordnung der P-Anamnesen ist bezeichnend für die Past. Sie richten ihren Evan-
geliumsbegriff ganz auf P hin aus und reden nicht vom Evangelium, ohne auch
P zu nennen[103]. In dieser Zuordnung von P und dem Evangelium entsprechen
sie durchaus dem stark personalen Verständnis des Evangeliums bei P[104],
der das Evangelium Jesu Christi bzw. Gottes ausdrücklich als s e i n Evangelium betrachtet[105]. Doch erweisen die Past in ihrer Verbindung von Evangelium und P auch wieder ihren Charakter als P-T r a d i t i o n . Sie reden anders
als P[106] von seiner Berufung zum Apostel. Die Past sehen die überwälti-
gende Christuserkenntnis des P mit allen ihren Konsequenzen vor allem unter
dem f o r m e l l e n A k t e i n e r B e a u f t r a g u n g z u m A m t [107]. Auch für
die Past steht P noch durchaus am Anfang des Evangeliums, welches bleibend
mit seiner Person und seinem Namen verbunden ist, doch wird auch er bereits von der nachpln Situation her als der Empfänger und Beauftragte des
Evangeliums gesehen.

---

101) Die Lesart διδάσκαλος ἐθνῶν (2 Tim 1,11) in C Koine D G pl und in
      der gesamten lateinischen und syrischen Überlieferung ist auf eine
      Harmonisierung mit 1 Tim 2,7 zurückzuführen. Den Text bieten א
      und D in ihren ursprünglichen Lesarten und A. Vgl. NESTLE, a.l.

102) Vgl. S. 122f.

103) Vgl. auch 2 Tim 2,8: κατὰ τὸ εὐαγγέλιόν μ ο υ .
      Vgl. dazu auch BROX, Past 229.

104) Vgl. dazu z.B. P.STUHLMACHER, Das paulinische Evangelium I. Vor-
      geschichte, FRLANT 95, Göttingen 1968, 56-108.

105) Vgl. z.B. Gal 1,6f. 11; Röm 2,16; 1 Kor 15,1; 2 Kor 4,3.

106) Vgl. Gal 1,16; 1 Kor 9,1.

107) Vgl. εὐαγγέλιον... ὃ ἐπιστεύθην (1 Tim 1,11); εἰς ὃ ἐτέθην
      (1 Tim 2,7; 2 Tim 1,11). Vgl. auch ἠλεήθην (1 Tim 1,16).

6) 2 Tim 1,15-18

Die P-Anamnese 2 Tim 1,15-18 spricht von den beiden Weisen einer Reaktion gegenüber dem Evangelium und dem gefangenen P: Flucht und treue Gefolgschaft. "Alle in der Asia" haben nach 2 Tim 1,15 den Apostel "verlassen". Diese Nachricht steht allerdings in deutlicher Spannung mit dem Briefschluß, der in den Osten adressiert ist und seine Grüße an eine Mehrzahl von Personen richtet und in dem auch auf seiten des P mehrere Personen grüßen (vgl. 2 Tim 4,19.21). Aquila und Priska, denen in 2 Tim 4,19 die Grüße gelten, sind jedenfalls in Ephesus[108] zu lokalisieren. Ihre Namen haben offensichtlich einen "festen Platz" in der P-Überlieferung[109].
Auch solche brieflichen Mitteilungen der Past bleiben dem paränetischen Zweck der Briefe zugeordnet. Die Briefnachrichten sind daher weder für die Vita Pauli noch für eine pseudepigraphe Situierung der Past zu pressen[110]. Daß P in Kleinasien mit großen Schwierigkeiten zu kämpfen hatte, wissen die Past auch ohne Sondertraditionen aus 1 Kor 15,32 und 2 Kor 1,8, wonach P dort in so unmenschliche Kämpfe verwickelt und so über sein Vermögen "beschwert" wurde, daß er keinen Ausweg mehr zu leben sah und sich selber bereits den Todesbescheid gab (vgl. 2 Kor 1,8f.).
Es entspricht durchaus der schriftstellerischen Technik der Past, daß sie solche authentischen, historischen Nachrichten erweitern und konkretisieren[111]. Sie nennen in 2 Tim 1,15 die sonst in der ntl. Überlieferung unbekannten Phygelos und Hermogenes als Beispiele des allgemeinen P-Verrates, und konkretisieren in 2 Tim 3,11 die Schwierigkeiten des P ähnlich dem Verlauf der 1. Missionsreise (vgl. Apg 13,14.51; 14,1.6.21), ohne jedoch ganz mit der Apg konform zu gehen, welche Timotheus erst auf der sogenannten 2. Missionsreise (Apg 16,1ff.) einführt.

---

108) Die Reiseroute der in 2 Tim 4,19 Gegrüßten, Aquila und Priska, führt nach Apg 18,2-26 von Rom über Korinth nach Ephesus. Auch nach den authentischen Briefen sind sie in Ephesus zu suchen. Vgl. ihre Grüße in 1 Kor 16,19. Auch ihre Nennung in Röm 16,3 wird am besten verständlich, wenn diese Grußliste ursprünglich nach Ephesus adressiert war. Auch die Past verbinden die Beiden mit Ephesus (vgl. 1 Tim 1,3; 2 Tim 1,18). Die Nennung von Gefolgsleuten des P im Osten schränkt jedenfalls den allgemeinen P-Verrat in der Asia doch wieder ein.

109) Vgl. BROX, Past 277.

110) HEGERMANN, Ort 63, möchte aus der Mitteilung der Verlassenheit des P eine nachpln Konkurrenz zwischen der P- und Johannestradition herauslesen.

111) Vgl. S. 134f, 139f.

Was das Verhältnis der Past zur Apg anlangt, so ist bei einer relativ späten Datierung der Past eine Kenntnis der Apg durchaus möglich oder
sogar wahrscheinlich. Die Apg allerdings spielt für die pseudepigraphe P-
Tradition der Past eine ganz andere Rolle als die P-Briefe, so daß sich
literarische Beziehungen zu ihr viel weniger nachweisen lassen als zu den
P-Briefen. Die Past zeigen in ihren Situationsangaben durchaus Ähnlichkeiten
mit den Situationsangaben der Apg, erweisen aber doch letztlich immer auch
ihre Unähnlichkeit, so daß ihr Verhältnis zur Apg recht unterschiedlich eingeschätzt wird[112].

In Kontrast zu den Verfolgungen und dem Verrat an P steht die wiederholt unter Beweis gestellte Gefolgstreue des Onesiphoros in 2 Tim 1, 5, dem auch
die Schlußgrüße in 2 Tim 4, 19 gelten. So wenig nun solche pseudepigraphen
Briefnachrichten der Past über die authentischen Briefe hinausgehende historische Informationen bieten können, so zeichnen sie dennoch mit den Mitteln der
briefstellerischen Technik ganz konkrete positive und negative Beispiele einer
P-Gefolgschaft auf und werden damit zu noch eindringlicheren Appellen an die
nachpln Adressaten, sich in der P-Nachfolge zu bewähren.

2. Exkurs: Zu den Namen in den Past

a) Personalinstruktionen

Schon an einigen Stellen war aufgefallen, daß die Past auch dort, wo die übrige
ntl. Überlieferung davon schweigt, besondere Namensangaben machen können.
Besonders 2 Tim, dessen brieflicher Charakter auch sonst am intensivsten gestaltet ist, nennt auffallend viele Namen. Dieser Sachverhalt, der zunächst für
eine Authentizität zu sprechen scheint, erfordert jedoch auch unter pseudepigraphen Voraussetzungen eine Erklärung: Welchen historischen Charakter haben
die Namensangaben der Past? Welche Funktion haben die Namen unter pseudepigraphen Voraussetzungen?
Wie schon oben[113] die Fragmentenhypothese insgesamt als unbefriedigende
Lösung des Verfasserschaftsproblems auszuscheiden war, ist auch eine quasi-

---

112)   MAURER, Textvariante 323, setzt die Apg eindeutig voraus und hofft,
        damit die Entstehung der Past aufzuklären. P.GRELOT, Sur l'origine
        des ministères dans les églises pauliniennes: Istina 16(1971) 453-469;
        466, nimmt eine gleichzeitige Entstehung an.

113)   Vgl. S. 49-53.

historische Erklärung der Personalnotizen unter dem Aspekt der Pseudepigraphie nicht mehr ohne weiteres gestattet. Die pseudepigraphen N a m e n der Past sind daher zunächst einmal i n i h r e r l i t e r a r i s c h e n Qualität und F u n k t i o n innerhalb der pseudepigraphen Briefform z u w ü r d i g e n , wobei nicht ihre konkreten Namen, sondern ihre Stellung zu P entscheidend sind. Die pseudepigraph genannten Namen können und wollen offensichtlich weniger zusätzliche historische Informationen zu den P-Briefen oder zur Apg bieten, sondern stehen eher paradigmatisch als anschauliche persönliche Beispiele für die P-Tradition. Neben den fiktiven Adressaten der Past, Timotheus und Titus, begegnet noch eine Reihe weiterer Personen, die beispielhaft zu P stehen und damit den eindringlichen Charakter des Timotheus- und Titusbildes noch unterstreichen. Neben diesem erweiterten Kreis der Gefolgsleute und Mitarbeiter des P begegnen aber auch konkretisierte Opponenten des P, welche auch die realen Möglichkeiten eines Versagens in der P-Nachfolge veranschaulichen sollen.

1) 2 Tim 4,10-13

2 Tim bietet gegen Ende des Schreibens eine Reihe von Personalinstruktionen, welche sehr konkrete Situationsangaben zu machen scheinen. Die Aufzählung von Personen beginnt mit einem aus der pln Literatur bekannten Namen: Demas, der nach Phlm 24 und auch in Kol 4,14 an der Seite des P Grüße entbietet, gehört nach 2 Tim 4,10 zu jenen, die P gegenüber versagt haben. Demas hat P aus Liebe zur Welt verlassen und ging nach Thessaloniki. Seine Reise ist keine Missionsreise, die ihren Grund in der Liebe Gottes zur Welt, welche zur Mission antreibt, hätte[114], sondern ist eindeutig als mangelnde P-Gefolgschaft zu werten. Möglicherweise geschieht damit der authentischen Gestalt des Demas ähnliches Unrecht wie dem historischen Timotheus als Adressaten einiger pseudepigrapher Paränesen, welche nicht gut an den bewährten Mitarbeiter des authentischen P gerichtet sein können[115]. Demas gehört aber offensichtlich zum festen Namensrepertoire der P-Tradition und im Falle von 2 Tim 4,10 könnte sich die pseudepigraphe Technik durchaus auch einmal einer sonst positiv verstandenen Gestalt bedient haben, um an ihr die Härte des Versagens in der P-Nachfolge deutlich zu machen, ohne daß dem eine historische Nachricht zugrundeliegen müßte.
Die auf Demas folgenden Reisenachrichten sind auf Reisen zu beziehen, welche im Auftrag und im Sinne des P durchgeführt werden. Der nur hier (2

---

114)   Gegen BINDER, Situation 80. Vgl. auch oben S. 51 Anm. 269.

115)   Vgl. S. 76ff.

Tim 4,10) erwähnte Crescens ging nach "Galatien"[116]; Titus - doch wohl identisch zu denken mit dem Adressaten des Tit, der nach Tit 1,5 einen bleibenden nachpln Auftrag in Kreta auszuführen hat, - ist jetzt nicht auf Kreta, sondern in Dalmatien. Dies läßt sich wieder einmal nur schwer im Sinne einer konkreten Missionsabfolge verstehen, sondern dürfte eher die Variationsfähigkeit der Past auch in den Personalnotizen anzeigen. Es erweist sich ja auch, daß die sonst begegnenden N a m e n , welche vorerst nur für ganz bestimmte historische Situationen zu sprechen scheinen, z.T. geradezu als t y p i s c h f ü r d i e p l n P s e u d e p i g r a p h i e zu bezeichnen sind. An ihrer authentischen Zusammenstellung in Phlm 24, wo Markus, Aristarchos, Demas und Lukas als Mitarbeiter grüßen, scheint sich offensichtlich bereits die Grußliste von Kol 4,10-14 zu orientieren, welche ebenfalls die Namen Aristarchos, Markus (Kol 4,10) und "Lukas, den geliebten Arzt und Demas" (Kol 4,14) nennt.

Tychikos, dem in Kol 4,7 und Eph 6,21 neben den pseudepigraphen Schreiben eine wichtige Funktion in der Übermittlung von persönlichen Nachrichten über P zukommt, wurde nach 2 Tim 4,12 nach Ephesus entsandt und ist auch in Tit 3,12 zusammen mit dem sonst unbekannten Artemas beabsichtigter Bote des P.

Die häufige Nennung und Zusammenstellung von N a m e n in den Past ist weniger als historische Information denn als ein b e w u ß t e s S t i l m i t t e l der pln Pseudepigraphie zu werten, welche ihre Parallelen auch außerhalb der Past hat[117]. Wie schon bei P die Nennung seiner Mitarbeiter die stark

---

116) ℵ C und einige andere Handschriften lesen in 2 Tim 4,10 εἰς Γαλλίαν. Da aber Γαλάτια bis in die christliche Zeit hinein gebräuchliche Bezeichnung für Gallien ist, ist an der schwierigeren Lesart Γαλάτια festzuhalten, darunter jedoch Gallien zu verstehen. Vgl. A.WIKENHAUSER, Art. Crescens: LThK^2 3, 92. Bohairische und armenische Handschriften lesen Γαλιλαίαν, was jedoch wenig Kenntnis der kirchenhistorischen Verhältnisse zu beweisen scheint.

117) Diesen Hinweis verdanke ich J.B.BAUER. Die Past stehen mit ihrer pseudepigraphen Technik der Namen nicht allein. So beobachtete schon K.MENGIS, Die schriftstellerische Technik im Sophistenmahl des Athenaios, SGKA 10/5, Paderborn 1920, 29, die merkwürdige Mischung von Historizität und Erfindung in der Namengebung und Charakterzeichnung von Dialogpersonen, die es nicht leicht mache zu unterscheiden, wo die Geschichtlichkeit aufhört und die Fiktion anfängt. Auch W.BAUER, Das Leben Jesu im Zeitalter der ntl. Apokryphen, Tübingen 1909, 516ff, machte darauf aufmerksam, daß sich bereits in den synoptischen Evangelien die Tendenz der Apokryphen, Namen oder Ortsangaben zu konkretisieren, bemerkbar mache. Vgl. auch BROX, Pseudo-Paulus 186.

personale Komponente in seiner Mission anzeigt, so bietet auch die pseudepigraphe P-Tradition auffallend viele Namen, weil auch die P-Tradition
nur mit ganz konkreten Namen und Personen möglich ist.
Auch die Past nennen daher ganz bewußt Namen der P-Tradition, geben jedoch auch hier den Standpunkt der Pseudepigraphie nicht auf. Da der Autor
der Past seine pln Pseudepigraphie auch sonst so programmatisch und konsequent durchführt, ist es ganz unwahrscheinlich, daß er an irgendeiner Stelle
der genannten Namen sich selber dechiffrierte. Die Vermischung der eigenen
kirchengeschichtlichen Situation des Autors mit der Zeit und der Perspektive
des P schließen eine zu konkrete Auswertung der Namen nach beiden Richtun-
gen hin aus.

2) Karpus in Troas (2 Tim 4,13)

Die literarisch-theologischen Überlegungen zu 2 Tim 4,13[118] sind hier noch
unter dem Gesichtspunkt der Namen zu vervollständigen.
Die letzte Nachricht über einen Aufenthalt des P in Troas besitzen wir in
Apg 20. Danach hält sich P eine Woche in Troas auf, wobei seine lange An-
sprache vor der Abreise mit einer Totenerweckung endet (vgl. Apg 20,7-12).
Diese Szene, welche dem Testament des P an die ephesinischen Presbyter
(Apg 20,17-38) vorangeht und bereits deutlich als eine Abschiedsszene des P
gestaltet ist, paßt nicht zur Situation einer überstürzten Abreise, welche das
Zurücklassen von Mantel und Schriften plausibel machen könnte[119]. Läßt sich
aber wahrscheinlich machen, daß in Form einer Briefbitte literarische und
theologische Motive dargestellt werden können, dann sind auch die konkreten
Namensangaben nicht mehr verwunderlich, sondern briefstellerisch sogar notwendig. Die Namen allerdings lassen sich jedoch genau so erfinden wie das
Motiv selbst. Die Nennung von Troas jedenfalls entspricht sehr gut dem sonstigen geographischen Rahmen der pln Mission und vor allem der Schlüsselstel-
lung dieser Stadt als Brückenkopf auf dem Weg nach dem Westen[120]. Die
Briefnotiz 2 Tim 4,13 vergegenwärtigt diese Stadt als wichtige Verbindungs-
station der pln Mission.

---

118)   Vgl. S. 78-88.

119)   JEREMIAS, Past[9] 2, 46, 58, lokalisiert diese Situation jenseits von
       Apg 28 in einer erneuten Mission des P im Osten und sieht darin
       einen Hinweis auf eine überraschende Gefangennahme des P in der
       Asia zu jenem Zeitpunkt, als alle sich von ihm abwandten (vgl. 2
       Tim 1,15).

120)   Vgl. Apg 16,8.11; 20,5f; 2 Kor 2,12.

Ähnliches gilt auch von Nikopolis in Tit 3,12, das P unserem Wissen nach nicht berührte. Von den vielen Städten dieses Namens[121] kann nur die von Augustus gegründete, gegenüber Aktium liegende Stadt Nikopolis im Epirus gemeint sein. Es fällt übrigens auf, daß in den Ortsnamen der Past jeweils Städte der Westküste Kleinasiens bzw. Griechenlands genannt werden. Das bedeutet für die pseudepigraphe Technik der Past, daß ihre geographische Perspektive deutlich von Rom her gesehen wird, von wo aus der pseudepigraphe P auch schreibt (vgl. 2 Tim 1,17). Das heißt nun freilich nicht, wie des öfteren angenommen[122], daß die Abfassung der Past tatsächlich nach Rom zu verlegen sei, sondern nur, daß der römische Blickwinkel des pseudepigraphen P auch in der Nennung der Ortsnamen durchgehalten ist.

3) Schlußgrüße: 2 Tim 4,19f. u.a.

Die Schlußgrüße sind ein fester Bestandteil der Briefform der Past, der selbst bei stark paränetisch-kirchenordnender Darstellung beibehalten wird. So schließt auch der vor allem paränetische, an Timotheus adressierte 1 Tim mit dem Segenswunsch: ἡ χάρις μεθ᾽ ὑμῶν (1 Tim 6,20f.). Auch der Tit, dessen Briefform stärker durchgeführt ist, endet mit pluralen Schlußgrüßen (vgl. Tit 3,15). Dagegen bietet der 2 Tim unter den Past den breitesten und intensivsten Briefschluß mit konkreten Namen, sowohl auf seiten der Gegrüßten wie der Grüßenden (vgl. 2 Tim 4,19-22). Die Namen stammen teils aus den echten P-Briefen bzw. gehen mit der Apg zusammen[123], teils sind sie ntl. Unikate:
Von Erastos heißt es, er blieb in Korinth (2 Tim 4,20). Ein solcher Name begegnet in bemerkenswerter Verbindung mit Timotheus als Gehilfe des P in Apg 19,22. Auch in der (in Korinth geschriebenen?) Grußliste Röm 16 grüßt nach Timotheus ein Erastos, ὁ οἰκονόμος τῆς πόλεως (Röm 16,23). Daß es sich unter historischen Voraussetzungen um denselben Erastos handelt, ist wenig wahrscheinlich[124]; bei der pseudepigraphen Wahl dieses Namens dürfte jedoch seine sonstige Verbindung mit Timotheus den Ausschlag gegeben haben. Trophimos, der nach Apg 20,4 zusammen mit Timotheus und Tychikos u.a. Begleiter des P auf dem Weg nach Jerusalem ist und dort zum eigentlichen

---

121) Vgl. Ch.DANOFF-E.MEYER u.a, Art. Nikopolis, in: Der Kleine Pauly 4, (München 1972), 123-126.

122) Vgl. z.B. K.L.CARROLL, The Earliest NT: BJRL 38(1959) 45-57; 52. Jüngst wieder DORNIER, Past 25.

123) Zu Aquila und Priska vgl. S. 131.

124) Vgl. J.SCHMID, Art. Erastos: LThK^2 3, 957.

Auslöser seines Schicksals wird (vgl. Apg 21, 29), bleibt nach 2 Tim 4, 20 krank in Milet zurück.

Die bisherigen Namen zeigen die für die Past charakteristische, ähnlich-un-ähnliche Entsprechung mit der Überlieferung der Apg, hingegen kommen die vier folgenden Personen, Euboulos, Poudes, Linos und Klaudia, nur hier (2 Tim 4, 21) vor und stellen am ehesten wohl eine freie Erfindung der Past dar.

Während die Schlußgrüße des Tit über einen allgemeinen Charakter nicht hinaus-gehen, fungieren die Personalinstruktionen, die jedoch gleich wieder paränetisch ausgerichtet werden (vgl. Tit 3, 14), als mehr konkreter Briefschluß. Die da-bei genannten Namen fügen sich in das bereits gezeichnete Bild ein: In Tit 3, 12 begegnen als Boten der sonst unbekannte Artemas und der beliebte Überbringer persönlicher Nachrichten, Tychikos. Auf seiten des Titus werden ein sonst unbekannter Gesetzeslehrer oder Gesetzeskundiger, Zenas, und der aus 1 Kor und Apg bestens bekannte Mitarbeiter bzw. Antagonist des P, Apollos[125], genannt (Tit 3, 13).

Im Gesamten zeigen die N a m e n der Past das Bestreben, die P - T r a d i t i o n nicht nur durch die Gestalten des P und der Adressaten, sondern auch durch eine Reihe weiterer Personen zu v e r a n s c h a u l i c h e n [126]. Die genannten Namen entsprechen teilweise der schriftlichen P-Tradition und gehen mit den Briefen und der Apg zusammen, doch werden sie in den Past jeweils den eige-nen Zwecken der Pseudepigraphie dienstbar gemacht und dabei auch in den Briefen selbst variiert. Zum Teil sind die Namen der Past ntl. Unikate, was sehr für ihre freie Erfindung spricht. Nicht auszuschließen ist freilich, daß es sich bei den Namen an sich z. T. wohl auch um Personen handelt, die sich tatsächlich um die Wahrung der P-Tradition verdient gemacht haben. Für eine Aufhellung der Pseudepigraphie jedoch bleiben die Namen als solche wertlos, da auch sie in erster Linie l i t e r a r i s c h e Gestalten zu sein scheinen.

b) Antagonisten

1) Hymenaios und sein Gefährte

Die Polemik der Past[127] richtet sich zum überwiegenden Teil an anonyme Adressaten, welche als τινες apostrophiert werden[128]. Zweimal aber wird

---

125)   Vgl. Apg 18, 24; 19, 1; 1 Kor 1, 12; 3, 4ff. 22; 4, 6.

126)   Vgl. dazu auch HEGERMANN, Ort 57.

127)   Vgl. auch S. 161-172.

128)   Vgl. 1 Tim 1, 3. 6. 19; 4, 1; 5, 15. 24; 6, 10. 21; 2 Tim 2, 18.

unter den sonst anonym bleibenden Gegnern ein Paar mit der Formel ὧν ἐστιν (!) namentlich genannt. In 1 Tim 1,20 sind es Hymenaios und Alexander, in 2 Tim 2,17 Hymenaios und Philetos. Wahrscheinlich ist an beiden Stellen derselbe Hymenaios gemeint, doch erhöht die zweimalige Nennung an sich noch nicht die historische Verläßlichkeit der pseudepigraphen Notiz[129]. Während Hymenaios mit dem nur in 2 Tim 2,17 genannten Philetos eine Sondertradition der Past bildet und als solche eher eine freie Erfindung darstellen könnte, legt die Erwähnung des Alexander als Schmied in 2 Tim 4,14 einen Vergleich mit Apg 19 nahe, wo im Zusammenhang mit dem Aufstand der Silberschmiede unter der Führung des Demetrius ein Interventionsversuch des Juden Alexander - wahrscheinlich nicht gerade zugunsten des P - im Geschrei zu Ehren der Artemis von Ephesus erstickt wird (vgl. Apg 19, 33f.)[130]. Obwohl die Rolle des Alexander im Zusammenhang mit dem Aufstand in Ephesus nach den Nachrichten der Apg im dunkeln bleibt, sehen die Past in dem - wohl identischen, aber literarisch konzipierten - Alexander einen erklärten Widersacher des P.

Mehr als die Namen es vorerst erwarten ließen, sind die weiteren Umstände in der Bekämpfung der Gegner bei P selber vorgezeichnet. Die erzieherische Maßnahme des fiktiven P gegenüber Hymenaios und Alexander knüpft deutlich an den Züchtigungsakt des P gegenüber dem Blutschänder in 1 Kor 5 an. 1 Tim 1,20 stellt ein fast wörtliches Zitat aus 1 Kor 5,4f. dar[131]. Die nachpln Kirchenordnung orientiert sich deutlich an dem pln Akt der Kirchenzucht. Die Übergabe an den Satan - mit der Folge des leiblichen Todes[132] oder des zeitweisen Ausschlusses von der eucharistischen Gemeinschaft[133] - wird in beiden Fällen als eine letztlich dem Heil dienende erzieherische Maßnahme verstanden[134]. Doch zeigen beide Stellen auch bezeichnende Unterschiede:

---

129) Gegen BROX, Past 120.

130) Die Erwähnung des Alexander in der Apg stellt eine alte crux interpretum dar. Vgl. HAENCHEN, Apg 509-512. Vgl. auch SCHMID, Zeit 157.

131) Vgl. BARNETT, Paul 255.

132) Vgl. H.LIETZMANN, An die Korinther I/II, HNT 9, 5.Aufl. Tübingen 1969, 28.

133) Vgl. C.J.ROETZEL, Judgement in the Community. A Study of the Relationship between Eschatology and Ecclesiology in Paul, Leiden 1972, 119f.

134) Vgl. ἵνα τὸ πνεῦμα σωθῇ (1 Kor 5,5) mit ἵνα παιδευθῶσιν μὴ βλασφημεῖν (1 Tim 1,20).

In 1 Kor zwingt das laisser faire der Gemeinde gegenüber dem Blutschänder P während seiner Abwesenheit zum Einschreiten. Seinen Akt der Bestrafung setzt P jedoch - trotz seiner der Gemeinde gegenüber beanspruchten apostolischen Autorität - nicht allein, sondern zusammen mit der Gemeinde[135].

1 Tim 1,19f. zeigt bei aller Anlehnung an 1 Kor 5 doch seine eigene Sicht der authentischen Stelle. Nicht konkretes sittliches Fehlverhalten zwingt den P der Past zum apostolischen Einschreiten, sondern der Schiffbruch einiger im Glauben, weil sie "den Glauben und das gute Gewissen abgestoßen haben" (1 Tim 1,19). Der P der Past setzt seinen Akt der Kirchenzucht allein. Durch die Übergabe an den Satan schreitet er gegen die Lästerrede gegen den (rechten) Glauben ein. Aus dem ethisch-disziplinären Kontext bei P ist ein primär doktrinärer geworden. Es wäre jedoch falsch, im P der Past nur den bloßen Ketzerbekämpfer zu sehen, denn Glaube und sittliches Handeln stehen nach den Past in direktem Zusammenhang[136], so daß mit der Sorge um den rechten Glauben auch die Sorge um das rechte Handeln verbunden ist.

Eine Abweichung vom wahren Glauben ist auch der Gegenstand der Polemik von 2 Tim 2,17, wobei hier sachlich präzisiert wird, worin die Abweichung des Hymenaios und Philetos vom Glauben besteht, nämlich in ihrer Behauptung ἀνάστασιν ἤδη γεγονέναι. Ohne daß an dieser Stelle eine direkte literarische Beziehung nachzuweisen wäre, empfiehlt sich ein Vergleich von 2 Tim 2,17 mit 1 Kor 15[137] und der authentisch pln Behandlung der Auferstehungsfrage. Bei dem reichen Spektrum der gnostischen Interpretationsversuche läßt sich naturgegeben nicht genau bestimmen, was die Behauptung von der schon geschehenen Auferstehung in den Past wirklich bedeutet, zumal sie auf dieses Thema sonst nicht mehr zu sprechen kommen. Der Vergleich mit den uns bekannten gnostischen Texten spricht allerdings dafür, die Past nicht zu spät anzusetzen[138].
Was aber die Beziehung der Past zu P anlangt, ist es durchaus wahrscheinlich, daß sie ihre Konkretisierung der bekämpften Position im Einklang mit den pln Ausführungen sehen und dabei 1 Kor 15 auch unter dem Aspekt der schon geschehenen Auferstehung lesen konnten[139]. Auch 2 Tim 2,17 könnte damit die

---

135)   Vgl. BROX, Past 120f.

136)   Vgl. z.B. die unmittelbare Zuordnung von πίστιν καὶ ἀγαθὴν συνείδησιν κ.τ.λ. in 1 Tim 1,19.

137)   Vgl. dazu auch B.SPÖRLEIN, Die Leugnung der Auferstehung, BU 7, München 1971, 182-188; BROX, Past 36f, 248.

138)   Vgl. F.SALVONI, Gli eretici: RBR 7(1972) 31-50; 37.

139)   Die griechische Väterexegese macht diese Beziehung später noch deutlicher. Vgl. dazu P.TRUMMER, Anastasis. Beitrag zur Auslegung und Auslegungsgeschichte von 1 Kor 15 in der griechischen Kirche bis Theodoret, (Dissertationen der Universität Graz 1), Wien 1970, 6f.

Auslegungstechnik der Past belegen, welche bei P implizit Gesagtes explizit machen möchte, sowohl was die Personen als auch die Positionen der Gegner betrifft. So gesehen scheint diese Stelle auch ein erster indirekter Kommentar zu 1 Kor 15 zu sein, eine Auslegung, welche die authentische pln Auseinandersetzung insofern zu treffen scheint, als ja auch bei P selbst die Auferstehungsfrage zum Großteil nur von gnostisch-enthusiastischen Gegenpositionen her verständlich wird[140].

2) Jannes und Jambres (2 Tim 3, 8) u.a.

Die Namen Jannes und Jambres in 2 Tim 3, 8 gehören nicht zur P-Tradition, sondern sind offensichtlich sprichwörtliche Figuren, welche in den Past die Gegner, ihren Widerstand gegen die Wahrheit und ihre verkehrten Praktiken signalisieren sollen. Jannes und Jambres[141], welche in der jüdischen Tradition meist als Söhne Bileams gelten (vgl. Num 22, 2-24, 25), sind typische Beispiele von Intriganten gegen Israel, die im Kontext der Past auch der Kirche ihre angefochtene Situation bewußt machen sollen[142]. Zwar ist die rabbinische Tradition über Jannes und Jambres erst spät nachweisbar, doch ist wegen der weitgestreuten Belege[143] mit einer sprichwörtlichen Tradition zu rechnen. Auf Grund dieser breiten Tradition ist eine literarische Verbindung der Past mit dem jüdischen Apokryphon Jannes und Jambres nicht sicher oder

---

140)   Vgl. ebd. 6ff, 114f. Vgl. auch Phil 3,11 und die fragende Formulierung εἴ πως καταντήσω εἰς τὴν ἐξανάστασιν τὴν ἐκ νεκρῶν, welche wohl in bewußtem Gegensatz zur schon sicheren Heilsgewißheit der "Vollendeten" (vgl. Phil 3,15) steht.

141)   Die Form Jambres entstand aus מַמְרֵי' (= der Widerspenstige). Vgl. dazu BILLERBECK, Kommentar 3 660. Vgl. ferner das Material bei NAUCK, Herkunft 92, 151-154. Vgl. M.STERN, Art. Jannes and Jambres: EJ 9 1277 mit Literatur. Während die griechischen Handschriften in 2 Tim 3,8 ʹΙαμβρῆς lesen, haben die Lateiner die korrekte Form Mambres. H.F.D.SPARKS, On the Form Mambres in the Latin Versions of 2 Timothy 3,8: JThS 40(1939) 257f, vermutet als Ursache für diese textgeschichtliche Besonderheit einen jüdischen Konvertiten als ersten Interpreten des Corpus paulinum in der westlichen Welt. Zur Textgeschichte vgl. auch M.WILCOX, The Semitics of Acts, Oxford 1965, 114.

142)   Vgl. auch die Erwähnung Bileams in Apk 2,14.

143)   Vgl. die Belege bei STERN, Jannes 1277, und DIBELIUS-CONZELMANN, Past 88.

notwendig[144], eine Vermutung, die den Past Schwierigkeiten in der Kanongeschichte eintrug[145].

Soweit die Namen der Past nicht als Adjuvanten oder Opponenten im Dienst der
literarisch-personalen P-Tradition stehen und unter pseudepigraphem Blickwinkel ausgewählt sind, bewegt sich die Namensnennung der Past durchaus auf
topischer Ebene. Dasselbe gilt auch für das Epimenideszitat in Tit 1,12, das
die Kreter als verlogen, böse und faul beschreibt[146]. Als eine authentische
Stelle würde Tit 1,12 durchaus aus dem Rahmen der sonstigen pln Polemik
herausfallen und wäre bei dem letztlich doch öffentlichen Charakter (vgl. Tit
3,15) des Privatbriefes Tit nicht gerade pastoral überlegt nach Kreta adressiert. Als Sprichwort in einem nachpln, an die Kirche allgemein gerichteten
Corpus liest sich diese Bemerkung zwar für die Kreter noch immer nicht gerade schmeichelhaft, sie verliert aber doch etwas von ihrer direkten Spitze
und ist dann als ein Beleg für die Übernahme sprichwörtlicher Wendungen auch
im Rahmen der Polemik der Past zu werten[146a]. D.h., die Polemik des
pseudepigraphen P wird zwar im Sinne des Briefstils des öfteren konkretisiert,
sie erweist jedoch durch die genannten Namen eher ihren topischen Charakter. Diese Beobachtung auf der Ebene profaner Namensnennung verstärkt
den Befund, daß die so konkret scheinenden Namen der Past primär literarischen Charakter haben und der pseudepigraphen Brieftechnik zuzuordnen sind.

3. Apostolische Anweisungen

a) Der Christ und der Staat

1) Gebet für alle Menschen (1 Tim 2,1)

Die ersten konkreten Anweisungen der Past[147] betreffen das Gebet (vgl. 1
Tim 2,1.8f.). Dem allgemeinen Heilswillen Gottes entsprechend (vgl. 1 Tim
2,4) ist es ein Gebet für alle Menschen, unter denen besonders "Könige und
alle in hervorragender Stellung Seienden" hervorgehoben werden. Ihnen gilt
das Gebet, um der Gemeinde "ein stilles und ruhiges Leben" zu ermöglichen.

---

144)   Vgl. E.E.ELLIS, Paul's Use of the Old Testament, Edinburgh-London
         1957, 55.

145)   Vgl. S. 18.

146)   Zu den Quellen vgl. DIBELIUS-CONZELMANN, Past 101ff.

146a)   Vgl. dazu auch BROX, Past 288.

147)   Vgl. πρῶτον πάντων (1 Tim 2,1).

Ein direkter Anklang oder Nachhall zu den singulären Gedanken der antien-
thusiastischen Paränese aus Röm 13,1-7[148] findet sich hier nicht[149], sondern das Bittgebet der Past für alle Menschen, besonders für die Regierenden als deren Exponenten (1 Tim 2,2), ist grundsätzlich ausgesprochen. Das
Charakteristische der Gebetsintention der Past liegt nicht im Gebet gerade
für die Obrigkeiten, sondern in ihrem Gebet für alle Menschen (1 Tim
2,1)[150].
Diese Gebetsintention macht den Zusammenhang des Staatslebens mit dem
Leben der Gemeinde deutlich. Auch die Gestalt einer - auch zur Zeit der
Past - politisch noch wenig bedeutsamen Minderheit erlaubt den Christen keine Abstraktion vom Staatsleben, sondern die - betende - Sorge für die Allgemeinheit ist ihnen in besonderer Weise aufgetragen. Dies gilt grundsätzlich
und für jede Situation[151]. Es wird dem programmatischen, allgemeinen
Charakter der nachpln Sicht der Past nicht gerecht, aus der Bitte für die
Regierenden herauslesen zu wollen, daß es zur Zeit der Past noch keine Kon-
flikte von Christen mit dem Staat gegeben habe[151a], ebenso unbegründet ist
es auch, aus dem Plural βασιλέων (1 Tim 2,2) auf eine Abfassungszeit der
Past in der Periode der römischen Mitregenten schließen zu wollen[152].

Die erklärte Intention des Gebetes um ruhige, friedliche Verhältnisse zur
Verwirklichung der ganzen christlichen "Frömmigkeit" ist zu einer sehr bedeutsamen Definition geworden und bildet wohl nicht umsonst auch das erste
eindeutige "Zitat" der Past in der Alten Kirche[153]. Während die Apologeten
des 2. Jahrhunderts im allgemeinen an der pln Theologie vorbeigehen können,
ist gerade die Aufnahme dieser besonderen Formulierung der Past durch
Athenagoras bezeichnend. Dabei unterscheidet sich diese Interpretation der
Past in bemerkenswerter Weise von der eschatologischen Betrachtungsweise
des gegenwärtigen Lebens bei P, aber gerade diese Neuorientierung der

---

148)   Zur Interpretation vgl. E.KÄSEMANN, An die Römer, HNT 8a,
        3.Aufl. Tübingen 1974, 338-347.

149)   Vgl. dazu auch O.CULLMANN, Der Staat im NT, 2.Aufl. Tübingen
        1961, 51.

150)   Vgl. auch BARTSCH, Anfänge 35.

151)   P.LE FORT, La responsabilité politique de l'église d'après les
        épîtres pastorales: ETR 49(1974) 1-14, hingegen hält diese christliche
        Haltung nur auf dem Hintergrund der Pax romana für verständlich.

151a)   Vgl. S. 54.

152)   Wie BAUR, Past 126f.

153)   Vgl. S. 17.

Eschatologie gegenüber P ermöglicht auch eine breitere Rezeption der "pln" Theologie in der nachapostolischen Epoche. Gewöhnlich wird diese gegenüber P gewandelte Haltung der Past mit dem Schlagwort einer "christlichen Bürgerlichkeit"[154] bezeichnet. Doch ist vor zu schablonenhaften Urteilen zu warnen. Die Bitte um ein "ruhiges und stilles Leben" bedeutet für die Christen nach dem Zeugnis der Past nicht eine erklärte Absenz vom öffentlichen Leben, sondern läßt sich höchstens auch als indirekter Hinweis darauf erkennen, daß sich die Christen auch zur Zeit der Past im allgemeinen noch nicht aus politisch sehr bedeutsamen Schichten rekrutieren. Der Hintergrund dieser Gebetsbitte besteht aber nicht in neuzeitlich-bürgerlicher Selbstgenügsamkeit, sondern im Bekenntnis des Kreuzestodes Christi und seines Zeugnisses (vgl. 1 Tim 2,6f.). Zwar kommt die irdische Wirklichkeit in den Past stärker in den Blick als noch bei P, doch ist die Bewältigung des irdischen Pflichtenkreises nur vom Zentrum christlichen Glaubens her möglich. Dies zeigt sich auch andernorts in den Past an der z.T. überraschenden Verbindung von grundlegendsten Glaubensformeln mit sehr banal scheinenden ethischen Forderungen.

2) Mahnung zur Unterordnung (Tit 3,1-4)

Auch die Mahnung zur Unterordnung in Tit 3,1 wird sehr schwerwiegend mit dem Bekenntnis der Inkarnation und Güte Gottes gegenüber Unverständigen und Ungehorsamen motiviert (Tit 3,3f.). Diese ausführliche theologische Argumentation im Zusammenhang mit einer Ethik des sozialen Lebens ist auffällig und zu gewichtig, als daß diese Verbindung nur als zufällig und unmotiviert betrachtet werden dürfte. Das Bestehen des profanen Lebens stellt an die Christen der Past durchaus Fragen, die nur von der Mitte christlichen Glaubensverständnisses her beantwortet werden können. Die Paränese von Tit 3,1 gilt ja nicht nur im engeren Zusammenhang mit den Herrschaftsprinzipien gegenüber den Sklaven[155], sondern als Schlußparänese trägt Tit 3,1ff. durchaus eine allgemeine Adresse an alle Christen. Mit den Adressaten ist aber auch der Umfang der Paränese ausgeweitet: Die Mahnung zur Unterordnung hat dann nicht nur mehr einen sozialen, sondern einen ganz allgemeinen Aspekt, nämlich den einer Unterordnung unter die politischen Struktu-

---

154) Zum Begriff vgl. DIBELIUS-CONZELMANN, Past 32. Ähnlich bereits HOLTZMANN, Past 307.

155) Streng genommen bezieht sich αὐτούς in Tit 3,1 auf δούλους in Tit 2,9, doch ist dies bei der auch sonst bemerkbaren Inkongruenz im Stil der Past nicht überzubewerten, was m.E. der allgemeinen Deutung des αὐτούς den Vorzug gibt.

ren. Auch und gerade das öffentliche Leben der Christen wird so ein Beispiel dafür, in welchen Bereichen und nach welchem Vorbild sich christliche Sanftmut gegenüber allen Menschen bewähren muß (vgl. Tit 3,2). Die Mahnung der Past zum Respektieren der sozialen und politischen Strukturen gewinnt ihr volles Gewicht erst in der nachpln Perspektive, die bei der wahrscheinlich gemachten mittleren Spätdatierung der Past in eine Zeit n a c h den ersten Konflikten der Christen mit dem Staat fällt. Eine solche zeitliche Einordnung der Aussagen der Past erhöht die Radikalität der ethischen Forderungen gegenüber dem Staat in der Richtung, daß auch Kollisionen mit dem Staat die Christen nicht von einem politischen Leben dispensieren können[156].

b) Die Rolle der Frau

1) Lehrverbot für Frauen (1 Tim 2,11f.)

Im Anschluß an die allgemeinen Anweisungen zum Gebet (1 Tim 2,1), die in 1 Tim 2,8 als Standespflichten der Männer weitergeführt werden, stehen auch ausführliche Anordnungen für die Frauen. Nach einer Ablehnung äußerlichen Schmuckes und einem Schmuckgebot durch gute Werke (1 Tim 2,9f.) folgt ein Lehrverbot für Frauen (1 Tim 2,11f.). Dieses verlangt einen Vergleich mit der pln Kirchenordnung, denn trotz der reichen Verbreitung eines diesbezüglichen Regelgutes[157] ist hier ein Zusammenhang der Past mit P (vgl. 1 Kor 14,34f.) offensichtlich[158].

Doch werden dazu auch andere Deutungen vorgetragen. G.FITZER[159] versucht glaubhaft zu machen, daß die textgeschichtlich verschiedene Stellung des pln Lehrverbotes für Frauen in 1 Kor 14[160] als Hinweis auf seinen

---

156)   Kritisch dazu LE FORT, Responsabilité 13.

157)   Zu den jüdischen Parallelen vgl. NAUCK, Herkunft 78f, 93-102.

158)   BARNETT, Paul 258, beurteilt die literarische Abhängigkeit mit dem höchsten Evidenzgrad.

159)   G.FITZER, "Das Weib schweige in der Gemeinde". Über den unpaulinischen Charakter der mulier-taceat-Verse in 1. Korinther 14, TEH 110, München 1963.

160)   Das Verbot steht in p^{46} ℵ A B K Ψ u.a. in 1 Kor 14,34f; in D G 88* und einigen altlateinischen Handschriften nach 1 Kor 14,40. Diese Verschiebung erklärt sich jedoch textgeschichtlich hinreichend aus der pln Gedankenführung über die Charismen, welche die Handschriften z.T. durch die Einfügung der Bestimmung über die Frau unterbrochen sehen. Vgl. dazu auch LIETZMANN, 1/2 Kor 75.

sekundären Charakter zu werten sei, d.h., daß die im P-Text verschieden
angesiedelte Glosse aus den Past nachträglich in P eingetragen worden sei[161].
Eine ähnliche Erklärung bietet neuerdings auch G.DAUTZENBERG[162] an, der
von der pln Konzeption urchristlicher Prophetie her ein Schweigegebot für
Frauen als mit P ursprünglich unvereinbar hält. Nach DAUTZENBERG sind
1 Kor 14,34f. und 1 Tim 2,11 als zwei verschiedene Repräsentanten einer Ge-
meindeordnung synagogalen Typs zu betrachten, die sich gut von den Ordnungs-
tendenzen der Deuteropaulinen und der Past her erklären lassen und erst im
Zuge einer editorialen Aktualisierung der P-Briefe auch eine entsprechende
Glosse in 1 Kor 14 eingefügt worden sei[163].
Doch muß schon aus methodischen Überlegungen fraglich bleiben, ob die
Lösung wirklich statthaft ist, auf text- bzw. sachkritischem Weg irritierendes
Gedankengut aus P zu entfernen. Im Rahmen unserer Fragestellung sind die
Bedenken gegen solche Interpretationsversuche vor allem vom Aspekt einer
literarischen P-Tradition her zu formulieren. Beide Texte sind m.E. doch
nicht so unabhängig voneinander formuliert, wie DAUTZENBERG[164] sie ger-
ne sehen möchte, und darüber hinaus müßten sie ja auch bei seiner Interpretation noch immer den gleichen Tendenzen des Editors der P-Briefe und
des (identischen?) Verfassers der Past zugeschrieben werden. Es ist daher
immer noch die bessere Lösung, die beiden Texte auf eine literarische Abhängigkeit zurückzuführen, was dann aber auch für P die Ursprünglichkeit der
Stelle - allerdings als einer lectio difficilior - wahrscheinlich macht. Las
aber der Autor der Past bei P einen dementsprechenden Text, dann entsprach
dieser sicherlich auch seinen eigenen Tendenzen; doch versuchte er noch deutlicher zu werden als das authentische Verbot es war.

Die Ähnlichkeit der Texte bei P und in den Past spricht also durchaus für einen
literarischen Zusammenhang. Die Unterschiede machen die Art der Abhängigkeit erkenntlich, wobei die Entwicklung der Argumentation von P zu den
Past geht. Der Text von 1 Kor 14,34f. ist der allgemeinere, unbestimmtere,
dem gegenüber 1 Tim 2,11 zu interpretieren versucht.
1 Kor 14,34 verpflichtet auf eine in allen pln Kirchen respektierte (vgl. 1 Kor
14,33) Regel, daß Frauen in der Kirche schweigen sollen. Sprechen hingegen

---

161)   Vgl. FITZER, Weib 37. Vgl. dazu auch LEMAIRE, Epistles 32f.

162)   Vgl. DAUTZENBERG, Prophetie 258-273.

163)   Vgl. ebd. 270f. Ähnlich auch K.H.SCHELKLE, Freiheit als Evan-
       gelium. Zum Thema Freiheit in Bibel und Kirche: ThQ 155(1975)
       87-96; 96. Ganz radikal jetzt auch W.O.WALKER, 1 Corinthians
       11,2-16 and Paul's Views Regarding Women: JBL 94(1975) 94-110;
       109.

164)   Vgl. DAUTZENBERG, Prophetie 260.

ist ihnen nicht erlaubt, sondern das Gesetz (vgl. Gen 3,16) gebietet ihnen Unterordnung. Dieser P-Text bleibt notwendigerweise unklar und steht in Spannung mit 1 Kor 11,5ff. oder auch mit Gal 3,28. P rechnet doch offensichtlich auch innerhalb des Gottesdienstes mit einer betenden und prophetisch redenden Frau, nur darf sie dies nicht mit unverhülltem Haupt tun, weil es "schimpflich" (αἰσχρόν 1 Kor 11,6) sei für die Frau, "kahl" zu sein (V. 5f.). Ähnlich bezeichnet auch 1 Kor 14,35 das Reden der Frau in der Kirche als "schimpflich", doch ist an dieser Stelle das verbotene Reden als die Teinahme am Lehrgespräch verstanden. Nicht dabei, sondern zu Hause und in der Frage an die eigenen Männer soll das Lernen der Frau (μαθεῖν) geschehen.

1 Tim 2,12 begründet das Lehrverbot nicht nur mit allgemeinen Konventionsgründen, sondern präzisiert das Verbot als persönliches Verbot des P[165]. Nun ist nicht mehr vom unbestimmten pln λαλεῖν (vgl. 1 Kor 14,34) die Rede, sondern das pln Redeverbot wird in 1 Tim 2,12 als Lehrverbot (διδάσκειν) gedeutet. Nach der Interpretation des pln Lehrverbotes in den Past ist jetzt nicht das Reden der Frau allgemein von P untersagt - was ja im Widerspruch zu 1 Kor 11,5 stünde - , sondern das Lehren. Der bei P zur Erklärung angeführte mögliche Wunsch der Frauen zu lernen[166] ist jetzt als Befehl zum Lernen ausgelegt[167], allerdings als Lernen in der Stille[168], wie mit einem wichtigen Begriff des Kapitels[169] gesagt wird, wobei ἡσυχία parallel zu ὑποταγή steht. Die in beiden Fällen ähnliche Begründung des Lehrverbotes[170] erweist sich in den Past als die genauere. Das nach dem pseudepigraphen P untersagte Lehren der Frau steht nicht nur allgemein gegen die gebotene Unterordnung, sondern ist jetzt gleichbedeutend mit einem αὐθεντεῖν ἀνδρός [171], mit einer Bevormundung des Mannes (1 Tim 2,12).

---

165) Vgl. οὐ... ἐπιτρέπεται (1 Kor 14,34) mit οὐκ ἐπιτρέπω (1 Tim 2,12).

166) Vgl. εἰ δέ τι μαθεῖν θέλουσιν (1 Kor 14,35).

167) Vgl. γυνή... μανθανέτω (1 Tim 2,11).

168) Vgl. ἐν ἡσυχίᾳ (1 Tim 2,11).

169) Vgl. ἡ σ ύ χ ι ο ν βίον (1 Tim 2,2).

170) Vgl. ὑποτασσέσθωσαν (1 Kor 14,34) und ἐν πάσῃ ὑποταγῇ (1 Tim 2,11).

171) Zum formgeschichtlichen Vergleich des Ausdrucks im Rahmen der Pflichtenkataloge vgl. P.TRUMMER, Einehe nach den Pastoralbriefen. Zum Verständnis der Termini μιᾶς γυναικὸς ἀνήρ und ἑνὸς ἀνδρὸς γυνή: Bib. 51(1970) 471-484; 476 Anm. 3. Vgl. auch J.N.HOMMES, Let Women be Silent in Church. A Message concerning the worship service and the decorum to be observed by women: CTJ 4(1969) 5-22; 16.

P hatte zur Begründung des Schweigegebotes an die Unterordnung appelliert und sich dabei auf das Gesetz berufen (vgl. 1 Kor 14,34), ohne sich auf eine bestimmte Stelle der Tora festzulegen. Das Lehrverbot in 1 Tim 2,12 führt diesen allgemeinen pln Hinweis auf das AT durch eine explizite Einführung der Schöpfungs- und Sündenfallsgeschichte aus. Diese Argumentation ist jedoch keine Besonderheit der Past, sondern bereits bei P vorgezeichnet. Schon P argumentierte mit der Schöpfungsgeschichte - allerdings nicht in 1 Kor 14, sondern in 1 Kor 11 - , wo ebenfalls die Problematik des gottesdienstlichen Auftretens der Frau verhandelt wird. Im pln Plädoyer zur Durchsetzung des Schleiers bei der im Gottesdienst prophetisch redenden Frau finden sich die Argumente der Past zur Durchsetzung des Lehrverbotes vorgezeichnet. P folgerte aus der Erschaffung der Frau aus dem Mann (γυνὴ ἐξ ἀνδρός 1 Kor 11,8) auch die Zuordnung der Frau auf den Mann (γυνὴ διὰ τὸν ἄνδρα 1 Kor 11,9). Dabei versuchte er, sein jüdisches Kulturempfinden durch eine theologische Argumentation zu begründen, was ihm jedoch im Laufe seiner Exposition über die Schöpfungsgeschichte immer weniger gelingen konnte. Sein Versuch, mit Hilfe der mythologischen Sprechweise des AT von der Erschaffung der Frau aus dem Mann die Vorordnung des Mannes (V. 8f.) vor der Frau zu begründen, war durch die christliche[172] Erkenntnis der wechselseitigen Abhängigkeit[173] und gegenseitigen Bedingung[174] und durch die Rückführung allen Seins auf Gott[175] entscheidend zu korrigieren. Von der christlichen Betrachtung her sind jedoch die vorher religiös relevanten geschlechtlichen Unterschiede aufgehoben (vgl. Gal 3,28), und so kann natürlich die zuvor versuchte traditionelle Begründung nicht mehr sehr überzeugend ausfallen. Dies zeigt ja auch die Fortführung der pln Argumentation, die vom versuchten Schriftbeweis (1 Kor 11,7-12) zur Frage einer natürlichen Schicklichkeit (1 Kor 11,13ff.) weiterschreitet, um sich letztlich nur auf einen Hinweis auf die Gewohnheit zurückzuziehen (1 Kor 11,16).

Trotz dieser bei P weithin neutralisierten Argumentation aus weltanschaulichen Axiomen greift 1 Tim 2,12 auf diese pln Gedanken zurück[176], vermeidet aber eine weitere Ausführung der Argumentation, sondern verwendet in einer gegenüber P auffallenden Kürze nur schlicht das Prinzip von Priorität und

---

172) Vgl. ἐν κυρίῳ (1 Kor 11,11).

173) Vgl. πλὴν οὔτε... χωρὶς... οὔτε χωρίς... (1 Kor 11,11).

174) Vgl. ὥ σ π ε ρ γὰρ ἡ γυνὴ ἐ κ τοῦ ἀνδρός, οὔτως καὶ ὁ ἀνὴρ δ ι ὰ τῆς γυναικός (1 Kor 11,12ab).

175) Vgl. τὰ δὲ π ά ν τ α ἐ κ τοῦ θεοῦ (1 Kor 11,12c).

176) Vgl. dazu auch D.M.STANLEY, Paul's Interest in the Early Chapters of Genesis, in: SPCIC 1 (= AnBib 17f.), Rom 1963, 241-252; 251.

Posteriorität (πρῶτος - εἶτα V. 13). Das gereicht der Argumentation zum Vorteil, denn wird das begründende Prinzip (vgl. γάρ V. 13) nicht weiter hinterfragt, scheint es auf der Ebene der Konventionen vorerst ja auch wirklich einmal zu bestechen. So bleibt es in den Past, im Unterschied zu P, bei einer einfach begründenden Behauptung mit Hilfe der Schöpfungsgeschichte, während die eigentliche Begründung des Lehrverbotes auf einem anderen Weg versucht wird: mit der Erzählung vom Sündenfall und der Rolle der Frau dabei (vgl. Gen 3).

Auch dieses Bild der Past hat eine pln Parallele, doch steht diese bei P in einem ganz anderen Zusammenhang. In seiner Torenrede (2 Kor 11) eifert P gegen seine Konkurrenten um die Gemeinde von Korinth, die er als eine reine Jungfrau Christus vorstellen möchte (2 Kor 11,2). Dabei fürchtet er, die "Schlange" könnte das Denken dieser Gemeindebraut von der einfältigen, schlichten Hingabe an Christus wegführen und zugrunderichten, "so wie die Schlange Eva in ihrer List betrog" (2 Kor 11,3). Die Sündenfallsgeschichte liefert allerdings bei P - im Gegensatz zu den Past - kein Argument, sondern stellt einen einfachen bildlichen Vergleich dar, der das atl. Motiv auf die Gemeindesituation überträgt.

Der Autor der Past geht in seiner Argumentation zugunsten des Lehrverbotes der Frau über P hinaus. 1 Tim 2,13ff. kombiniert beide Themen der Schöpfungs- und Sündenfallsgeschichte zu einem Argument zugunsten des Lehrverbotes. Dabei setzt sein "Beweis" natürlich unausgesprochene Gedankengänge und besondere syllogistische Prinzipien voraus. Es ist jedoch bei der gemeinantiken Verbreitung der zugrundeliegenden Denkstrukturen nicht angezeigt, das Prinzip der ontologisch-wertmäßigen Priorität hauptsächlich mit rabbinisch-jüdischen Gedankengängen in Zusammenhang zu bringen[177]. Aber auch der zweite Teil der Argumentation mit Hilfe der Sündenfallsgeschichte, der über P hinausgeht, unterscheidet sich von der z.T. romanhaft-pornographischen Ausgestaltung des Themas von Evas Sündenfall in der rabbinischen Literatur[178], sondern hält nur - in einer formulierungsmäßig auffallenden Übereinstimmung mit P[179] - das atl. Motiv der Täuschung fest, ohne näher

---

177)   Wie NAUCK, Herkunft 96.

178)   Vgl. ebd. 96f.

179)   Das Kompositum ἐξαπατάω (vgl. Röm 7,11; 2 Thess 2,3) begegnet im Zusammenhang mit der Täuschung Evas übereinstimmend in 2 Kor 11,3 und 1 Tim 2,14, während die LXX in Gen 3,13 das Simplex ἠπάτησεν liest. Nur die Version des Theodoret hat ἐξηπάτησεν. Vgl. Göttinger LXX. Gen; ed. J.W.WEVERS, Göttingen 1974, 92. Vgl. dazu auch BARNETT, Paul 258.

bestimmen zu wollen, worin die Übertretung bestand[180]. Für den Autor der Past besteht das Argument für das Lehrverbot einzig in der ihm bereits an Hand der Sündenfallsgeschichte ersichtlichen leichteren Täuschbarkeit der Frau. Dieses Argument dient ihm dazu, im Namen des P das Lehren der Frau massiv abzulehnen, während es dem Mann erlaubt ist, weil er ja bekanntlich "nicht" (sc. von der Schlange) getäuscht wurde (vgl. 1 Tim 2,14). Ob über diesen Duktus der Argumentation hinaus die Frau an dieser Stelle durch eine einseitige Schuldfrage diskriminiert werden soll, muß im Gegensatz zu verschiedenen jüdischen Parallelen[181] in den Past fraglich bleiben. Solche Konsequenzen werden in diesem Zusammenhang in den Past gar nicht reflektiert, sondern die verhältnismäßig breite Argumentation zeigt nur das Bestreben, schwache Punkte praktischer Positionen besonders eindrucksvoll abzusichern. Doch bleiben die Past damit durchaus im sonst üblichen pln Rahmen und verfahren dabei weder wesentlich schlechter noch besser als P.

2) Die Frau als Mutter (1 Tim 2,15)

Während so nach dem P der Past das Lehren der Frau unerwünscht ist, findet die Frau ihr Heil durch die Erfüllung ihrer Funktion als Mutter[182], vorausgesetzt[183], sie bleibt[184] in Glaube, Liebe und Heiligung zusammen

---

180) ELLIS, Use 61f, macht darauf aufmerksam, daß 2 Kor 11 für die Erhellung der speziellen Natur von Evas Übertretung nutzlos sei. Ähnliches gilt auch für 1 Tim 2,14. Anders allerdings DIBELIUS-CONZELMANN, Past 39, welche an Unzucht denken. Auch A.T.HANSON, Studies in the Pastoral Epistles, London 1968, 72f, interpretiert im Sinne einer geschlechtlichen Verfehlung.

181) Vgl. etwa Sir 25,24. Näheres bei BROX, Past 135.

182) τεκνογονία meint den ganzen Bereich der Geburt und Erziehung. Das zeigen die formgeschichtlichen Parallelen der Past eindeutig. Vgl. τεκνοτροφεῖν (1 Tim 5,10) und τέκνα ἔχειν (1 Tim 3,4; Tit 1,6). Vgl. auch A.KASSING, Das Heil der Mutterschaft. 1 Tim 2,15 in biblischen Zusammenhängen: LuM 23(1958) 39-63; 40f.

183) Nicht schon die Mutterschaft allein stiftet das Heil. Vgl. ebd. 40. Ähnlich auch R.FALCONER, 1 Timothy 2,14.15. Interpretative Notes: JBL 60(1941) 375-379.

184) Die Inkongruenz von σωθήσεται und μείνωσιν in 1 Tim 2,15 nötigt nicht dazu, im Plural Mann und Frau zusammen angesprochen zu sehen. Gegen KASSING, Heil 40. Diese Inkongruenz ist teilweise eine stilistische Eigenart der Past, teils ein Kennzeichen des paränetischen Stiles überhaupt. Vgl. dazu N.LOHFINK, Das Hauptgebot. Eine Untersuchung literarischer Einleitungsfragen zu Dtn 5-11, AnBib 20, Rom 1963, 247.

mit Sittsamkeit (1 Tim 2,15). Lernen in Unterordnung und das Sein in einem "ruhigen" Leben sind nach dem Verständnis der Past der eigentliche Auftrag der Frau, durch dessen Erfüllung sie auch ihre eschatologische Rettung erfahren wird. Daß diese Rettung in der Aufhebung des Fluches über die Frau (vgl. Gen 3,16) bestehe, dem sie durch die Erfüllung des Gottesgebotes entnommen werde[185], bedeutet eine Überinterpretation des Textes der Past. Die Rettung der Frau, die ihr in der Erfüllung ihrer Mutterschaft verheißen wird, ist nach dem Sprachgebrauch der Past[186], aber auch infolge des Nachwirkens der pln Terminologie[187], in soteriologischem, eschatologischem Sinn zu verstehen. E h e u n d F a m i l i e haben nach der Theologie der Past eine f ü r d a s H e i l b e d e u t s a m e F u n k t i o n. Diese erklärte Position ist nun nicht "in einer urchristlichen Schrift fast unerträglich"[188], sondern eine pointierte Aussage, die erst auf dem Hintergrund ihrer Umwelt und ihrer Gegenpositionen ihre eigentliche Intention freigibt. Die als P-Wort formulierten Ausführungen der Past über die Funktion der Frau stehen sowohl gegen die starken Emanzipationsbestrebungen der Frau im Hellenismus[189] und besonders der Gnosis[190], als auch gegen die ehefeindlichen Tendenzen, wie sie in 1 Tim 4,3 expressis verbis von den Gegnern behauptet werden. Entgegen der Leibfeindlichkeit der Gnosis, aus der sich auch die übrige Askese der Gegner (vgl. 1 Tim 4,8) herleiten dürfte[191], läßt der Autor der Past seinen P in einer bewußt anderen Tonlage sprechen, als sie der authentische P in 1 Kor 7 bevorzugt. Betrachtete P dort die Ehe als Antithese zur Jungfräulichkeit besonders unter dem i n d i v i d u a l i s t i s c h e n Aspekt eines remedium concupiscentiae[192], so reflektieren die Past das Thema im Rahmen der Standesregeln vor allem in seiner s o z i a l e n Funktion, wonach die

---

185)   So NAUCK, Herkunft 100.

186)   Vgl. ἔσωσεν... διὰ λουτροῦ παλιγγενεσίας (Tit 3,5).

187)   Vgl. 1 Kor 3,15: αὐτὸς... σωθήσεται... ὡς διὰ πυρός, wo von der Rettung des Baumeisters nach der Prüfung seines Werkes die Rede ist.

188)   Vgl. MICHEL, Grundfragen 93. Ähnlich auch das Urteil von H.D. WENDLAND, Ethik des NT. Eine Einführung, GNT 4, Göttingen 1970, 97.

189)   Bereits das pln Plädoyer für den Schleier (vgl. 1 Kor 11,5-16) hat darin seinen Anlaß.

190)   Vgl. näheres bei BROX, Past 136f. Vgl. auch G.HAUFE, Gnostische Irrlehre und ihre Abwehr in den Pastoralbriefen, in: Gnosis und NT, hg.v. K.-W.TRÖGER, Gütersloh 1973, 325-339; 331f.

191)   Vgl. S. 166f.

192)   Vgl. 1 Kor 7,2. Vgl. auch SPICQ, Past 383f.

Ehe der Schöpfungsordnung entspricht und dem Erhalt des Menschengeschlechtes dient. Deswegen wird von der Ehe auch so ausdrücklich unter dem Aspekt der Kinder gesprochen[193]. Hatte es P der Witwe freigestellt, sich zu verheiraten, wem sie wolle, ihr aber die Witwenschaft als seliger empfohlen (vgl. 1 Kor 7,39f.) und Heiraten bei unmöglicher Enkratie nur als besser als zu brennen bezeichnet (vgl. 1 Kor 7,8f.), so äußert der P der Past sogar den ausdrücklichen Wunsch, jüngere Witwen unter 60 Jahren sollten wieder heiraten (1 Tim 5,9.14), τεκνογονεῖν und dem Haus vorstehen, was damit begründet wird, dem Widersacher keinen Anlaß zur Lästerrede zu geben (V. 14). Von da her und aus der grundsätzlich positiven Einschätzung der Ehe und der irdischen Wirklichkeit läßt es sich für die Pflichtenkataloge der Past mit guten Gründen glaubhaft machen, daß die Termini μιᾶς γυναικὸς ἀνήρ und ἑνὸς ἀνδρὸς γυνή nicht als Verbot einer Zweitehe betrachtet werden dürfen, sondern als Kurzformeln für eine saubere Eheführung zu verstehen sind[194].

c) Unterhaltsrecht für die nachpln Ämter (1 Tim 5,18; 2 Tim 2,4ff.)

Evidente literarische Abhängigkeit von P zeigt auch die Begründung des Unterhaltsrechtes der Presbyter mit Hilfe von Dtn 25,4, mit deren Interpretation sich P (vgl. 1 Kor 9,9) und die Past charakteristisch vom Judentum unterscheiden. Das Judentum kann diese atl. Stelle auf Grund der Kombination von Dtn 25,4 und Dtn 25,5-10 zur Anwendung der Leviratsehe zitieren[195] oder im Zuge der halachischen Erweiterung den Satz vom dreschenden Ochsen auch auf andere Tiere, andere Arbeiten und auch auf die mitarbeitenden Menschen ausdehnen, so daß nach einer erweiterten Interpretation der Stelle auch der Erntearbeiter von den Erntefrüchten essen darf[196]. Eine P entsprechen-

---

193)   Vgl. 1 Tim 3,4; 5,10.14; Tit 1,6.

194)   Vgl. dazu TRUMMER, Einehe 471-484. Vgl. auch St. LYONNET,
        "Unius uxoris vir" (1 Tim 3,2.12; Tit 1,6): VD 45(1967) 1-10. Zustimmend auch S. CADDEO, La figura degli anziani-sorveglianti: RBR 7
        (1972) 69-96; 94ff. F.J. SCHIERSE, Kennzeichen gesunder und kranker
        Lehre. Zur Ketzerpolemik der Pastoralbriefe: Diakonia 4(1973) 76-86;
        82 Anm. 3, macht darauf aufmerksam, daß die neue römische Diakonatsordnung, die sogar den verheirateten Diakonen eine zweite
        Eheschließung verbietet, sich nicht auf die Past berufen kann.

195)   Das Targum Jerusch. I, Dtn 25,4, bezieht beide aufeinanderfolgenden,
        verschiedenen Gesetze aufeinander: Die verwitwete Schwägerin ist
        nicht unbedingt und ausnahmslos an jeden beliebigen Schwager zu binden. Vgl. dazu BILLERBECK, Kommentar 3 392f.

196)   Vgl. ebd. 384f.

de Erklärung der Stelle findet sich jedoch im Judentum, auch bei Philo, nicht[197]. Die Begründung des apostolischen Unterhaltsrechtes mit Hilfe der atl. Tierschutzbestimmung ist - soweit die Vergleichstexte ein vollständiges Bild bieten - originär pln, so daß trotz des verschiedenen Wortlautes des Zitates bei P und in den Past[198] auf Grund der spezifischen Verwendung der Dtn-Stelle eine literarische Abhängigkeit der Past von P offenkundig ist. Neben dem gemeinsamen Dtn-Zitat findet sich ferner sowohl bei P als auch in den Past ein Rekurs auf ein Herrenwort[199]; ebenso zeigt auch der dementsprechende Abschnitt 2 Tim 2, 4ff. eine deutliche Anlehnung an die pln Argumentation in 1 Kor 9. Eine Erklärung beider Stellen aus einer gemeinsamen paränetischen Tradition ohne literarische Beziehung reicht daher nicht mehr aus[200], auch wenn 2 Tim 2, 4ff. keine bloße Wiederholung von 1 Kor 9, 7 darstellt, sondern durchaus seinen eigenen Akzent trägt[201].

In der Verwendung der Bilder und Argumente für den apostolischen Lebensunterhalt bei P und in den Past fällt zunächst einmal auf, daß die Argumente zugunsten des Lebensunterhaltes bei P gehäufter sind als in den Past. P betont die Rechte des Apostels, nicht zu arbeiten, sondern selber und auch mit seiner Frau von der Gemeinde erhalten zu werden (vgl. 1 Kor 9, 4ff. [202]), und führt dabei folgende Argumente an:
ein dreifaches Bildgleichnis vom Soldaten, Weinbauern und Hirten (1 Kor 9, 7)[203],
die Tora in einer allegorischen Auslegung von Dtn 25, 4 mit einer Anwendung auf den Pflüger und Drescher (1 Kor 9, 8ff.), die Praxis der Priester (vgl. Num 18, 8-32; Dtn 18, 1-8) in 1 Kor 9, 13

---

197) Vgl. MICHEL, Paulus 107.

198) Vgl. οὐ κημώσεις βοῦν ἀλοῶντα (1 Kor 9, 9) und βοῦν ἀλοῶντα οὐ φιμώσεις (1 Tim 5, 18), wo die LXX-Fassung zitiert wird. Die Lesart φιμώσεις in 1 Kor 9, 9 ist eine sekundäre Angleichung an die LXX. Die originale Abweichung des P vom LXX-Text ist keineswegs ungewöhnlich. Nur ca. die Hälfte der P-Zitate aus dem AT folgt der LXX. Vgl. dazu ELLIS, Use 12f, 148.

199) Vgl. 1 Kor 9, 14; 1 Tim 5, 18.

200) Gegen BARNETT, Paul 261f.

201) Ähnlich auch K. BERGER, Materialien zu Form und Überlieferungsgeschichte ntl. Gleichnisse: NT 15(1973) 1-37; 30, gegen DIBELIUS-CONZELMANN, Past 81.

202) Vgl. dazu auch J. B. BAUER, Uxores circumducere (1 Kor 9, 5): BZ 3(1959) 94-102.

203) Eine Herleitung der Gleichnisse aus den Evangelien ist nicht möglich. Vgl. BERGER, Materialien 31.

und den Auftrag des Herrn, vom Evangelium zu leben, jedoch ohne ausdrückliches Zitat (1 Kor 9,14).

Die gehäuften Bildvergleiche berühren soziologisch sehr weit gesteckte Lebensräume und umfassen den Bereich des Militärs, des Bauern[204] und Viehzüchters, um so das Verständnis des Unterhaltes des Verkündigers auf eine möglichst breite Basis zu stellen. Alle drei Bildgleichnisse beginnen mit τίς und erheischen die unausgesprochene Antwort: Niemand! [205] Dies macht die Argumentation zugunsten des Lebensunterhaltes besonders zwingend.

Das zweite Argument für das Unterhaltsrecht gewinnt P aus dem Gesetz, indem er Dtn 25,4 allegorisch auslegt[206]. Das Besondere an der pln Deutung besteht darin, daß er den sensus literalis der atl. Tierschutzbestimmung ausdrücklich leugnet (1 Kor 9,9) und sie δι' ἡμᾶς πάντως gesagt sein läßt (V 10). Diese Art der Schriftauslegung ist einmalig bei P. P konnte zwar den Schrifttext des AT frei zitieren oder seinem Zusammenhang anpassen und dabei auch dessen Sinn ändern[207], aber an dieser Stelle deutet er den Satz rein geistig auf die christlichen Missionare und gibt den Sinn des AT vollständig preis[208]. Das AT wollte den Eigentümer von Feldern und Bäumen davor zurückhalten, an die Grenze seiner Rechte zu gehen (vgl. Dtn 24,19ff.), und die Tierschutzbestimmung von Dtn 25,4 versucht, auch den Tieren positiv ihren Teil zu sichern[209]. Nach P aber liegt es Gott überhaupt nicht an den Rindern, sondern die Dtn-Stelle spricht "sicherlich" oder "überhaupt" (πάντως) wegen uns (δι' ἡμᾶς) und den verschiedenen Phasen des apostolischen Dienstes[210]: Der Pflüger und der Drescher können nur in der Hoffnung auf die Teilhabe an der Ernte arbeiten (1 Kor 9,10).

---

204) Auf Grund der verschiedenen Satzform ist es unwahrscheinlich, daß das Bild vom Weinbauern auf Dtn 20,6 (LXX) zurückgeht. Vgl. ebd. 31.

205) Vgl. ebd. 31.

206) Vgl. auch J.BONSIRVEN, Exégèse rabbinique et exégèse paulinienne, Paris 1949, 310.

207) Vgl. z.B. das Zitat aus Hab 2,4: ὁ δὲ δίκαιος ἐκ πίστεως ζήσεται in der pln Auslegung von Gal 3,11; Röm 1,17. Vgl. dazu auch J.SCHMID, Die atl. Zitate bei Paulus und die Theorie vom sensus plenior: BZ 3(1959) 161-173; 165ff.

208) Vgl. ebd. 172.

209) Vgl. auch Dtn 22,4.6.10. Vgl. dazu P.BUIS-J.LECLERCQ, Le Deutéronome, Paris 1963, 163ff. Möglicherweise spielen auch die kanaanäische Mythologie und ein Tabu bei der Bestimmung von Dtn 25,4 mit. Vgl. J.WIJNGAARDS, Deuteronomium, Roermond 1971, 285.

210) Vgl. auch 1 Kor 3,6f, wo P mit den Bildern vom Ackerbau, Pflanzen und Gießen, von der apostolischen Arbeit spricht.

Aus seiner allegorischen Deutung der Stelle leitet P zwei Schlüsse ab, einen vom Schwereren zum Leichteren, einen vom Leichteren zum Schwereren. Die erfolgte Aussaat des Pneumatischen läßt die zukünftige Ernte des Fleischlichen als nichts Besonderes mehr erscheinen (1 Kor 9,11), und wenn schon andere am Vermögen der Gemeinde teilhaben, um wie viel mehr P (1 Kor 9,12), der doch ihr Vater und Pflanzer ist (vgl. 1 Kor 3,6; 4,15).

Nach der ausführlichen Allegorese zu Dtn 25,4 kann P seine weiteren Argumente kurz fassen. Ob die atl. Bestimmungen bezüglich des Priesterunterhaltes bei den korinthischen Adressaten als bekannt vorausgesetzt werden dürfen, bleibt angesichts des Diatribenstils[211] fraglich. Sicher bekannt ist das unausgeführte Herrenwort - offensichtlich ist Lk 10,7[212] gemeint -, das P als Abschluß seiner Ausführungen anzielt und das als "Auftrag"[213] des Herrn auch in der diesbezüglichen Auseinandersetzung mit den Gegnern eine besondere Rolle zu spielen scheint[214]. Die Häufung der pln Argumentation dient dazu, mit dem vielfach begründeten R e c h t des Apostels nur noch deutlicher seinen Rechtsve r z i c h t hervorzuheben. Zu diesem Zweck ist in der Mitte und am Ende seiner positiven Rechtsmotive so nachdrücklich vom Nichtgebrauch dieser Vollmacht die Rede (vgl. 1 Kor 9,12.15), weil P dem Evangelium kein Hindernis in den Weg legen möchte (V. 12)[215], aber auch weil ihm die Verkündigung als Z w a n g auferlegt ist[216], wofür er keinen Lohn fordern kann, der ihm zustünde, wenn er aus freien Stücken in seine Arbeit getreten wäre (1 Kor 9,16f.).

In den Past ist die pln Argumentation zugunsten des apostolischen Unterhaltsrechtes aufgenommen, doch nicht so konzentriert wie in dem pln Exkurs von 1 Kor 9 zur Götzenopferfleischfrage (1 Kor 8-10), sondern auf zwei Blöcke

---

211) Vgl. οὐκ οἴδατε (1 Kor 9,13).

212) G.DAUTZENBERG, Der Verzicht auf das apostolische Unterhaltsrecht. Eine exegetische Untersuchung zu 1 Kor 9: Bib. 50(1969) 212-232; 217ff, vermutet einen Zusammenhang mit der Q-Tradition.

213) Vgl. οὕτως καὶ ὁ κύριος δ ι έ τ α ξ ε ν κ.τ.λ. (1 Kor 9,14).

214) Vgl. auch G.THEISSEN, Legitimation und Lebensunterhalt. Ein Beitrag zur Soziologie urchristlicher Missionare: NTS 21(1975) 192-221; 207ff.

215) Vgl. DAUTZENBERG, Verzicht 218f.

216) Vgl. dazu auch E.KÄSEMANN, Eine paulinische Variation des "amor fati", in: Ders., Exegetische Versuche und Besinnungen 2, Göttingen 1964, 223-239; 235.

verteilt (vgl. 1 Tim 5,18; 2 Tim 2,4ff.). Dtn 25,4 in Verbindung mit einem
Herrenwort bildet auch für die Past das Motiv dafür, daß die gut vorstehen-
den Presbyter "doppelter Ehre" (1 Tim 5,17)[217] für wert eingeschätzt werden müssen, besonders jene, die sich in Wort und Lehre mühen (V. 17). Das
bedeutet, daß die Wortverkündigung in der Zeit der Past bereits eine wichtige
(vgl. μάλιστα V. 17b) Aufgabe der oder bestimmter Presbyter ist, welche
auch mit einem Anspruch auf Bezahlung verbunden ist. Die Argumente, welche die Past zugunsten des Lebensunterhaltes der Presbyter beibringen,
bleiben die traditionell pln, doch ist die Weise ihrer Anwendung in den Past
bezeichnend. Der doppelte pln Rekurs auf das Gesetz bzw. auf das Gesetz
des Mose (vgl. 1 Kor 9,8f.) wird jetzt als formeller Schriftbeweis eingeführt,
was angesichts der zurückhaltenden Verwendung des AT in den Past auffällig
ist[218]. Das Dtn-Zitat ist gegen die pln Version an die LXX angeglichen[219]
und das Herrenwort, das P (1 Kor 9,14) nur andeutet, ist ausdrücklich ange-
führt, womit sich der Text der Past wieder einmal als der s e k u n d ä r e
erweist[220]. Das beiordnende καί verbindet die beiden Argumente untereinander, nicht aber bezieht sich das einführende λέγει... ἡ γραφή formell
auch auf das folgende Herrenwort (1 Tim 5,18c), wohl aber läßt sich in der
Beiordnung eines Herrenwortes zur atl. Schrift auch schon die faktische Hochschätzung der neben den atl. Kanon tretenden Autorität Jesu ablesen[221].

---

217) τιμή ist sicher auch im Sinne einer Bezahlung zu lesen. διπλή
      scheint weniger exakt die genaue Maßeinheit angeben zu wollen.
      Gegen BARTSCH, Anfänge 93.

218) Vgl. S. 108f.

219) οὐ φιμώσεις (1 Tim 5,18) anstelle des unliterarischen οὐ
      κημώσεις in 1 Kor 9,9.

220) Vgl. dazu auch MICHEL, Paulus 198.

221) Die verhältnismäßig späte Datierung der pln Pseudepigraphie der
      Past setzt allerdings schon eine bemerkenswerte Geschichte einer
      beginnenden Kanonbildung der pln Schriften voraus und macht auch
      das Vorhandensein bereits schriftlicher Evangelientraditionen - wie
      sie ja auch in der Zweiquellentheorie vorausgesetzt sind - für die
      Past wahrscheinlich. Fraglich bleiben muß allerdings für die Past
      die formelle Anwendung von γραφή auf ntl. Schriften, die erst
      in der Zeit von 2 Klemens (vgl. 2 Klem 2,4) belegt ist. - Nach
      ELLIS, Use 36, scheint das Jesuswort logisch und grammatisch
      innerhalb des Zitates zu stehen, sogar bei vorausgesetzter Authenti-
      zität!

Die Past übertragen das apostolische Unterhaltsrecht auf die Presbyter allgemein und besonders auf die Verkündiger. Sie berühren dieses Thema aber auch noch an einer zweiten Stelle (2 Tim 2, 4ff.), worin sie wieder der pln Argumentation folgen. Zusammen mit P beginnen die Past mit ihren Bildvergleichen in 2 Tim 2, 4 im militärischen Bereich und gehen dann in den landwirtschaftlichen über, wobei das pln Gleichnis dieses zweiten Bereiches[222] in den Past gestrafft ist[223]. Die allgemeine Form der pln Gleichniszusammenstellung mit τίς (1 Kor 9, 7) hat in 2 Tim 2, 4 ihre sinngemäße Antwort mit οὐδείς erfahren, doch ist die Anwendung der Vergleiche modifiziert. Während die pln Gleichniszusammenstellung allgemein Lohn für die Arbeit fordert, lehnt 2 Tim 2, 4ff. Erwerbsgeschäfte des Kämpfers ab, um dem Kriegsherrn zu gefallen. Aber nicht schon irgendein Kampf verdient Lohn, sondern allein der gesetzentsprechende[224]. In dieser Bestimmung zeigt sich in den Past das Bestreben, die Unterhaltsverpflichtung nicht generell zu postulieren, sondern sie auf die wirkliche und entsprechende Anstrengung einzuschränken. Anderseits aber wird für den sich mühenden Bauern nicht nur allgemein die Teilhabe am Erfolg der Arbeit gefordert wie in 1 Kor 9, 7bc, sondern jetzt ist es die Erstlingsfrucht, die dem Arbeiter zusteht[225].

Der Abschnitt über den Lohn des Apostelschülers schließt mit einer Aufforderung zur Einsicht. Einerseits wird an die eigene Einsicht in das Gesagte appelliert (2 Tim 2, 7a), anderseits äußert sich die Glaubensgewißheit, daß der Herr selber Verständnis in allem geben wird (V. 7b). Ohne diese doppelte Einsicht ist die Frage des Lebensunterhaltes der kirchlichen Amtsträger auch in nachpln Zeit nicht lösbar.

Daß dieses Thema auch in der Form des P-Testamentes im Zusammenhang mit der Aufforderung zum Mitleiden mit dem gefangenen Apostel aufgenommen wird, scheint bedeutsam. Die Past halten einerseits den einzigartigen pln Unterhaltsverzicht nicht auf der ganzen Breite des kirchlichen Amtes durch. Der exemplarische Verzicht des P, dessen Ruhm er auf keinen Fall preisgeben wollte (vgl. 1 Kor 9, 15), ist in den Past nicht auf der ganzen Breite des nachpln Amtes durchführbar. Die Ursachen dafür liegen wohl in dem großen personalen Bedarf lokaler Ämter, im Verständnis ihrer freien Erstrebbarkeit[226] gegenüber der schicksalhaften Beauftragung bei P[227] und in den

---

222) Vgl. τίς φυτεύει... τίς ποιμαίνει (1 Kor 9, 7).

223) Vgl. γεωργός (2 Tim 2, 6).

224) Vgl. νομίμως (2 Tim 2, 5). Vgl. auch BERGER, Materialien 30.

225) Vgl. δεῖ πρῶτον (2 Tim 2, 6).

226) Vgl. ... ἐπισκοπῆς ὀρέγεται (1 Tim 3, 1).

227) Vgl. ἀνάγκη γάρ μοι ἐπίκειται (1 Kor 9, 16c).

zunehmenden Anstrengungen dieser Amtsträger in Richtung auf die Lehre[228]. Doch ist anderseits in den Past die Praxis des P nicht vergessen. Die Annahme des Unterhaltes durch die Gemeinde schafft auch für den Amtsträger der Past noch keine ruhige "bürgerliche" Existenz, wie ja die Behandlung dieses Themas gerade innerhalb einer L e i d e n sparänese zeigt. Die Aufforderung zum Erstarken in der Gnade (2 Tim 2,1) und zum Mitleiden (V. 3) mit dem gefangenen Apostel (2 Tim 1,16) gebraucht das Bild des "guten Soldaten Christi Jesu", nicht um es im Sinne einer militia Christi anzuwenden, sondern um daran die Frage des Lebensunterhaltes zu demonstrieren. Die Inanspruchnahme des Unterhaltsrechtes unterliegt in den Past durchaus kritischen Begleitmaßnahmen, wie der Kontext der Paränese zeigt. Es gibt aber auch sonst Anzeichen dafür, daß die Frage des Lebensunterhaltes für die Past ein wesentliches Amtskriterium darstellt, wie die Pflichtenspiegel[229] und die Polemik gegen die Gegner[230] zeigen, und wenn einige Beobachtungen nicht trügen, ist auch die persönliche Bemerkung in 2 Tim 4,13 im Kontext des pln Vorbildes für die Past zu lesen[231]. Die versuchte Ausrichtung der Past an P ist trotz der einmaligen und unwiederholbaren Situation des P gerade in der Frage des Lebensunterhaltes der nachpln Presbyter nicht zu übersehen.

d) Zwei oder drei Zeugen (1 Tim 5,19)

Innerhalb der Bestimmungen über die Presbyter begegnet eine zweite Anspielung der Past auf das AT, welche ebenfalls ein pln Analogon hat. Das Rechtsprinzip aus Dtn 19,15, das in 1 Tim 5,19 Anwendung findet, bildet auch den Hintergrund von 2 Kor 13,1. Auf Grund der weiten Verbreitung dieses atl. Rechtsprinzips aus Dtn 19,15 par im NT[232] ist eine l i t e r a r i s c h e Beziehung zwischen den Past und P an dieser Stelle nicht ohne weiteres anzunehmen[233]. Dennoch ist hier kurz die ntl. Traditionsgeschichte dieser

---

228) Vgl. S. 83 Anm. 149.

229) Vgl. 1 Tim 3,3.8; Tit 1,7.

230) Vgl. 1 Tim 6,5; 2 Tim 3,2; Tit 1,11.

231) Vgl. S. 80-84.

232) Vgl. Mt 18,16; Joh 8,16f; Hebr 10,28. Zur Sache vgl. auch 1 Joh 5,7f.

233) Gegen BARNETT, Paul 262, der eine ähnliche Verwendung des Zitates in 2 Kor 13,1 und 1 Tim 5,19 konstatiert, um damit eine literarische Abhängigkeit wahrscheinlich zu machen.

atl. Stelle zu vergleichen.

Der in Dtn 19,15 festgelegte Rechtsgrundsatz in der Zivil- und vor allem in
der Strafprozeßordnung geht weit über die altorientalischen Ansätze der Funktion von Prozeßzeugen hinaus[234] und unterscheidet sich auch von der hellenistischen und römischen Rechtsordnung[235]. Die auffallend häufige Verwendung
dieses atl. Grundsatzes[236] bei den ntl. Autoren[237] zeigt, daß sie ihn als
unaufgebbaren Bestandteil auch des christlichen Rechtes einschätzen und gegen
die ganz anders orientierte hellenistisch-römische Rechtspraxis durchhalten.

Das NT bedient sich des öfteren dieses Rechtsprinzips, ohne es ausdrücklich
zu nennen, wie etwa P mit seinem Hinweis auf das (zweifache) Zeugnis von
Gesetz und Propheten (vgl. Röm 3,21)[238]. Ausdrücklich nennt auch 1 Joh
5,7f. Geist, Wasser und Blut als die drei Zeugen für Christus und Joh 8,17f.
wendet dieses mosaische Gesetz in der christologischen Auseinandersetzung
mit dem Judentum ad hominem an, um die "doppelte" Zeugenschaft Jesu und
des ihn sendenden Vaters zu statuieren[239]. Hebr 10,28 zitiert die Stelle in
der Parallele Dtn 17,6 und insistiert auf der unbarmherzigen und todbringen-
den Wirkung der doppelten und dreifachen Zeugenschaft im Kapitalprozeß, um
daraus die Unmöglichkeit einer zweiten Buße abzuleiten[240].

Während die bisher genannten Stellen - bis auf Hebr 10,28 - den atl. Rechtsgrundsatz auf der Ebene der theologischen Argumentation anwenden,
zeigt Mt 18,16 - ähnlich wie P und die Past - eine juridisch-pragmatische
Ausrichtung der atl. Bestimmung und versteht darunter nach dem gescheiter-
ten Schlichtungsversuch unter vier Augen die Appellation an die Kirche als die
zweite Instanz eines Ermahnungsversuches am sündigen Bruder. Auf der
Linie dieser verfahrenstechnischen Anwendung des atl. Prinzips bewegt sich

---

234) Vgl. dazu besonders H.VAN VLIET, No single Testimony. A Study
on the Adoption of the Law of Deut. 19,15 par into the NT, Utrecht
1958, 67.

235) Vgl. ebd. 63. Vgl. auch SPICQ, Past 545.

236) Vgl. G.E.WRIGHT, The Book of Deuteronomy, IntB 2, (New York
1953), 454.

237) Vgl. VAN VLIET, Testimony 90f. Vgl. auch J.D.M.DERRETT,
Law in the NT. The Story of the Woman taken in Adultery: NTS
10(1963f.) 1-26; 5.

238) Vgl. VAN VLIET, Testimony 5.

239) Zur Eigenart der Verwendung an dieser Stelle vgl. R.SCHNACKEN-
BURG, Das Johannesevangelium 2, HThK 4/2, Freiburg-Basel-Wien
1971, 246f.

240) Vgl. Hebr 10,26-31.

auch die eigenartige Verwendung dieser AT-Stelle in 2 Kor 13,1, wo P damit
die juridische Gewichtigkeit seines "dreifachen" Zeugnisses unterstreicht:
Schon bei seiner Anwesenheit hat P Zeugnis gegen die Sünder in der Gemeinde abgelegt und das zweitemal in Abwesenheit offensichtlich durch einen Brief,
so daß bei seinem dritten[241] Kommen keine Schonung mehr sein kann. Die
Anwendung des Dtn-Zitates bei P ist freier Natur. Nicht von drei Z e u g e n
ist die Rede, sondern von einem dreifachen Z e u g n i s [242], ohne daß P den
Wortlaut des Zitates wesentlich ändert, außer daß er sinngemäß das doppelte ἐπὶ στόματος von Dtn 19,15 (LXX) reduziert, vielleicht auch, um die
Unterschiedlichkeit der zeugnisablegenden Rechtspersonen in seiner Anwendung zu verdecken. Auch in den Past fehlt das ἐπὶ στόματος, sogar zweimal, aber dennoch ist keine besondere Abhängigkeit dieses atl. Zitates in
den Past von P gegeben, da die Past den Rechtsgrundsatz offensichtlich nach
der atl. Parallele in Dtn 17,6[243] zitieren.
Die Anwendung dieses Prinzips auf die Presbyter in 1 Tim 5,19 bedeutet keine Bevorrechtung ihrer Stellung, sondern nur, daß der aus dem Judentum
übernommene Rechtsgrundsatz a u c h auf die Presbyter Anwendung findet.
Wenn in 1 Tim 5,19 nur von ihnen die Rede ist, hängt dies mit dem Kontext
zusammen, der eine spezielle Presbyterordnung bietet[244]. Dabei ist neben
ihrem Unterhaltsrecht (1 Tim 5,17-20) auch deutlich davon die Rede, daß
gegen verifizierbare Verstöße von seiten der Presbyter auch Verfahren einzu-

---

241) Vgl. 2 Kor 12,14, woraus sich ein "Zwischenbesuch" innerhalb
      der korinthischen Korrespondenz ergibt.

242) Vgl. auch LIETZMANN, 1/2 Kor 160f.

243) Vgl. ἐπὶ δυσὶν μάρτυσιν ἢ ἐπὶ τρισὶν μάρτυσιν κ.τ.λ.
      (Dtn 17,6).

244) Eine Unterteilung der Perikope, wonach ab 1 Tim 5,20 von einer
      allgemeinen Kirchenbuße die Rede wäre, ist nicht notwendig. Vgl.
      dazu BROX, Past 201f, mit Hinweis auf N.ADLER, Die Handauf-
      legung im NT bereits ein Bußritus? Zur Auslegung von 1 Tim
      5,22, in: Ntl. Aufsätze, (Fs. J.SCHMID), Regensburg 1963, 1-6.
      Gegen P.GALTIER, La réconciliation des pécheurs dans la I
      épître à Timothée: RSR 39(1951) 317-320. Vgl. dazu auch J.P.
      MEIER, Presbyteros in the Pastoral Epistles: CBQ 35(1973) 323-
      345; 333; G.THERRIEN, Le Discernement dans les écrits pau-
      liniens, Paris 1973, 226.

leiten sind und die sündigen Presbyter[245] - und nur von ihnen ist die Rede -
vor allen zurechtzuweisen sind, wobei eine dreifache Beschwörungsformel
unter Anrufung Gottes, Christi Jesu und der erwählten Engel die Lauterkeit
des Verfahrens sicherstellen möchte (vgl. 1 Tim 5,21). Die Anweisungen bezüglich der Presbyter blicken gegenüber P offensichtlich auch schon auf eine
eigene Erfahrung zurück: Presbyter sind einerseits besonders der Kritik ausgesetzt[246], anderseits sind konkrete Vorsichtsregeln[247] und Disziplinar-
maßnahmen in bezug auf sie notwendig geworden. Ein wichtiger Bestandteil
des auch die Presbyter umfassenden Rechtes der Past liegt in der atl. Bestimmung der zwei oder drei Zeugen. Die Past stehen in der Anwendung dieses
Rechtsgrundsatzes zwar nicht in literarischer Abhängigkeit von P, sachlich
aber durchaus in pln Tradition.

---

245)   Gegen BARTSCH, Anfänge 99, der die spätere Gerichtsbarkeit der
Presbyter über die Gemeinde bereits hier belegt sehen möchte,
allerdings entgegen dem Kontext. Vgl. BROX, Past 200.- In dieser
Interpretation zeigt sich die methodische Schwäche des Ansatzes von
BARTSCH. So wichtig eine Untersuchung der kirchlichen Rechtsge-
schichte von ihren Anfängen her auch ist, so erweist sich doch nicht
der Blick von den späteren Kirchenordnungen her, sondern die an P
orientierte Perspektive der Past als der primäre Verständnisansatz.
Die Past sind in erster Linie von P her zu lesen. Demgegenüber
stellt die oft recht spezielle zeitliche und geographische Entwicklung
der nachntl. Kirchenordnungen viel weniger Interpretationshilfe für
die Past dar.

246)   Vgl. die Forderungen nach dem guten Leumund in 1 Tim 3,7.10;
Tit 1,6.

247)   Vgl. den Vorbehalt gegen Neugetaufte (1 Tim 3,6) und die Warnung
vor voreiliger Handauflegung (1 Tim 5,22).

IV. DIE THEOLOGIE DER PAST ALS P-TRADITION

Vorbemerkung

Wenn nach der "literarischen P-Tradition" des vorhergehenden Kapitels im
folgenden von der "T h e o l o g i e der Past als P-Tradition" die Rede ist,
heißt dies nicht, daß jetzt die Frage nach den literarischen Beziehungen zwischen den Past und P aufgegeben werden könnte, oder daß nicht schon die
"literarischen" Vergleiche auch t h e o l o g i s c h e Intentionen der Past sichtbar machen könnten. Doch sollen jetzt die Beziehungen zwischen den Past
und P in stärker systematischer Zusammenschau gesehen werden. Dabei sind
jene Themenkreise zu befragen, welche Gegenstand einer "Ntl. Theologie"
sind. Unter dem Aspekt der "literarischen" P-Tradition konnten auch anscheinend bescheidenere Beziehungen behandelt werden, welche jedoch nicht
übergangen werden durften, um den Umfang und die Intensität der P-Tradition der Past exakter bestimmen zu können. Dennoch erfolgt die Auswahl der
theologischen Fragen auch im folgenden streng nach dem Gesichtspunkt der
literarischen Verbindungen zwischen den Past und P. Das bedeutet, daß Themenkreise, welche eine solche Beziehung nicht erkennen lassen, wie etwa
die "Theo-logie" der Past im strengen Sinn als die Darstellung ihres Gottes-
bildes, welches sich stark in atl. Begrifflichkeit bewegt[1], auch in diesem
Kapitel ausgeklammert bleiben. Wohl aber soll hier durch die einzelnen Themen hindurch mehr nach den Konsequenzen einzelner Beobachtungen für die
Interpretation der Past als P-Tradition gefragt werden.
Zunächst aber ist noch der Hintergrund dieser eigenartigen pln-nachpln
Theologie näher zu beleuchten.

1. Die Theologie der Past als Kontroverse

a) Die nachpln Polemik der Past

Eine wichtige Frage für die Interpretation ntl. Texte ist die Frage nach ihren
sie veranlassenden Faktoren. Sehr oft nämlich erweist sich ja gerade die
K o n t r o v e r s e als ein stark theologiebildendes Element. Nur auf dem Hintergrund ihrer meist nicht mehr direkt greifbaren Gesprächspartner kann die
Theologie einzelner ntl. Schriften ihr Profil gewinnen. Schon für die Auslegung

---

1)   Vgl. dazu auch LOCK, Past XXI.

der authentischen Paulinen ist die Bestimmung der von P bekämpften Gegner und deren Positionen eine unerläßliche, jedoch nicht immer leicht klärbare Voraussetzung. Die Frage nach dem Gegenüber der Theologie der Past ist jedoch insofern noch verwickelter, als mit der Erkenntnis der Pseudepigraphie die Empfänger ihre konkrete historische Gestalt zugunsten allgemeiner nachpln Adressaten verlieren. Dennoch ist auch für die Beschreibung der Theologie der Past der Versuch einer näheren Standortbestimmung ihrer Gegner notwendig.

Schon immer konzentrierte sich die Auslegung der Past auch auf die Frage ihrer Gegnerschaft, um mit deren näherer Identifizierung auch eine bessere theologiegeschichtliche Einordnung der Past zu ermöglichen. Die vielen Bemühungen haben keine völlige, aber doch hilfreiche Klärung dieses Komplexes erreicht. So ist eine extreme Spätdatierung der Past auf Grund der Gleichsetzung ihrer Gegner mit Gnostikern des 2. Jahrhunderts[2] heute kaum mehr mit guten Gründen zu vertreten[3], doch macht das bunt schillernde Bild eine weitere Definition schwer. Dennoch weicht die oft versuchte Annahme verschiedenster bekämpfter Gruppen[4] und deren Kombination untereinander[5] zusehends der Auffassung einer einheitlichen Gegnerschaft, welche gewöhnlich in der jüdischen Gnosis bzw. Vorgnosis lokalisiert wird[6], was jedoch nur mit Vorbehalt geschehen kann, solange die Gnosisfrage nicht weiter geklärt ist[7].
Doch erfordert eine exaktere Bestimmung der Gegnerschaft[8] auch weitere methodische Überlegungen von dem pseudepigraphischen, nachpln Aspekt der Past her.

---

2) Vgl. S. 21, 43f.

3) Vgl. auch den Bericht bei LEMAIRE, Epistles 34.

4) Vgl. den Überblick bei J.J.GUNTHER, St. Paul's Opponents and their Background. A Study of Apocalyptic and Jewish Sectarian Teachings, NT.S 35, Leiden 1973, 4, welcher 19 verschiedene Spielarten an vermuteten Gegnern in den Past aufzählt.

5) So z.B A.HILGENFELD, Die Irrlehrer der Hirtenbriefe des Paulus: ZWTh 23(1880) 448-464; 453; W.LÜTGERT, Die Irrlehrer der Pastoralbriefe, BFChTh 13/3, Gütersloh 1909, 91f.

6) Vgl. BROX, Past 33-39; LEMAIRE, Epistles 34; HAUFE, Irrlehre 327-331.

7) Zur Kritik vgl. neuerdings auch A.SAND, Anfänge einer Koordinierung verschiedener Gemeindeordnungen nach den Pastoralbriefen, in: Kirche im Werden. Studien zum Thema Amt und Gemeinde im NT, hg.v. J. HAINZ, München-Paderborn-Wien 1976, 215-237; 218 Anm. 7.

8) Der Versuch einer weiteren Identifizierung der Gegner als Protomontanisten bei J.M.FORD, A Note on Proto-Montanism in the Pastoral Epistles: NTS 17(1970f.) 338-346; 344ff, ist zu gewagt.

R.J.KARRIS[9] hat in seinen Untersuchungen zur Polemik der Past auf ihren zum Teil recht formelhaften Charakter hingewiesen. Die Vorwürfe der Habgier, Täuschung, des Nichtpraktizierens der Lehre, der Diskutiersucht, der verschiedenen Laster und der Frauenfängerei sind gar keine so spezifischen Vorwürfe der Past, sondern ein gängiges Schema der Philosophenpolemik, mit der sich auch im profanen Bereich die Philosophen von den Sophisten und ihrer Lehre abzugrenzen suchen[10]. Wie nun schon die Polemik der philosophischen Literatur kaum als eine exakte Beschreibung der Gegner zu werten ist[11], so legt auch die Erkenntnis des formelhaften Charakters der Polemik der Past Zurückhaltung bei der näheren Bestimmung ihres Gegenübers auf[12]. Nach Abzug der traditionellen Elemente der Polemik verbleiben in den Past nach KARRIS an bezeichnenden Konturen für die Gegner: die jüdischen Gesetzesstreitigkeiten[13], Mythen und Genealogien (1 Tim 1, 4), Enthaltsamkeitsforderungen und Speisegebote (1 Tim 4, 3-5), die Behauptung der schon geschehenen Auferstehung (2 Tim 2, 18) und auch der Erfolg unter den Frauen (2 Tim 3, 6f.)[14].

Aber noch ein zusätzlicher Gesichtspunkt macht eine nähere Bestimmung der Gegner schwierig. In der Polemik der Past überschneiden sich mehrere Aspekte, die pln und die gegenwärtige Zeit, in welcher anscheinend auch ein weiterer Blick in die Zukunft eingeschlossen ist. So wird einerseits die Häresie in die Zeit des P zurückverlegt und erscheint so im Briefstil als gegenwärtig, wie in 1 Tim 1, 3. 20[15], andererseits hat die Polemik die gegenwärtige nachpln Zeit im Auge und spricht im Briefstil von der Häresie als einer Erscheinung der zukünftigen Zeit (vgl. 1 Tim 4; 2 Tim 3). Dennoch ermöglicht die Erkenntnis dieser beiden Aspekte noch keine geschlossene Beschreibung der Gegner. Die Sicht der Past richtet sich nicht nur auf eine konkrete, gegenwärtige und lokale Häresie, die sie einmal un-

---

9) Vgl. R.J.KARRIS, The Background and Significance of the Polemic of the Pastoral Letters: JBL 92(1973) 549-564; Ders., The Function and Sitz im Leben of the Paraenetic Elements in the Pastoral Epistles, Diss. Mikrofilm Harvard 1971, 155; Vgl. dazu auch Ders., Abstract in: HThR 64(1971) 577.

10) Vgl. Ders., Function 3ff, 20f, 40, passim; Ders., Background 550-556.

11) Vgl. KARRIS, Function 20f.

12) Vgl. KARRIS, Background 557-562.

13) Vgl. Tit 3, 9. Vgl. auch Tit 1, 14; 1 Tim 1, 7.

14) Vgl. KARRIS, Background 562ff.

15) Auch der Vergleich von 2 Tim 1, 20 hat gegenwärtige Zustände im Blick.

ter der Fiktion der gegenwärtigen Zeit und einmal als zukünftig darstellt, sondern sie tendiert auf größere Räume und wohl auch grundsätzlicher in nachpln
Zeit als nur in die eigene. Das bedeutet dann aber: Nicht eine bestimmte
Gegnerschaft in irgendeiner Gemeinde und deren Einzugsbereich bildet den einzigen Anlaß zu dieser brieflichen Auseinandersetzung wie noch in den authentischen Paulinen, sondern der Widerstand gegen die Irrlehre ist
aus der Sicht der Past eine so allgemeine Aufgabe der nachpln
Zeit, daß sie mit der Bekämpfung gewisser gegenwärtiger Phänomene noch
nicht abgeschlossen sein kann. Die Beispiele, die für die Positionen der Irrlehre gegeben werden, bilden zwar noch kein "apologetisches Vademecum"
jedweder Ketzerbekämpfung[16], sie bieten auch kein vollständiges Negativ
ihres Gegenübers, sondern sie verstehen sich eher als Paradigmen häreti-
scher Positionen entweder aus der Zeit des P oder aus der eigenen. Dabei
hat die Auslegung zum Teil richtig erkannt, daß die Past weniger die Irrlehre
bekämpfen als die Irrlehrer selbst[17], und auf den sachlich geänderten Stil
dieser Auseinandersetzung mit der Häresie hingewiesen[18]: Während P in
die Diskussion mit den Gegnern eintritt, liefern die Past ein fertiges Bild
von ihren Gegnern, verzichten größtenteils auf eine inhaltliche Widerlegung
und drängen nur auf ihre formale Zurückweisung.

Was jedoch bei solchen Beobachtungen in den Past bereits an Klischees späterer Ketzerpolemik sichtbar wird, muß eingebunden bleiben in ihr Gesamt-
konzept nachpln Kirche und Theologie. So wenig wie die genannten Gegenpositionen eine exakte und geschlossene Beschreibung ihrer konkreten Gegner
liefern, so wenig bieten die Past auch eine thematische Auseinandersetzung mit ihnen. Dies liegt zum Teil daran, daß sie gängige profane Sche-
mata der Polemik übernehmen können, zum Teil aber auch daran, daß sie die
Häresie als ein ständiges und bleibendes Problem der Kirche betrachten[19],
das sich durch die theologische Diskussion auch nie ganz verhindern oder
unterbinden läßt. Die eigentlich theologische Antwort der Past auf die
Häresie ist keine inhaltliche, auch keine rein formale, sondern eine personale. Ihr Widerstand gegen die nachpln Häresie vielfältiger Art liegt in ihrer
Sorge um das nachpln Amt, das der Kirche auch und gerade angesichts der
Häresie ihren Weiterbestand ermöglichen soll.

---

16)   Vgl. DIBELIUS-CONZELMANN, Past 54.

17)   Vgl. V.HASLER, Das nomistische Verständnis des Evangeliums in den
        Pastoralbriefen: SThU 28(1958) 65-77; 68. Vgl. dazu auch BROX, Past
        39.

18)   Vgl. bereits SCHLEIERMACHER, 1 Tim 155. Vgl. die zusammen-
        fassende Darstellung bei BROX, Past 39-43.

19)   Vgl. S. 168f.

b) Antijüdische Polemik

Ein auffälliger Zug der Polemik der Past liegt in ihrer Auseinandersetzung mit dem Judentum. Ihre ausgeprägte antijüdische Polemik steht der pln kaum nach. So nehmen die Einleitungen von 1 Tim und Tit jeweils jüdische Gegner aufs Korn[20] und ebenso weist der Schluß des Tit (vgl. 3, 9) in antijüdische Richtung. Auch das disqualifizierende Zitat aus Epimenides in Tit 1, 12 steht in diesem Zusammenhang und muß wohl ebenfalls als Teil antijüdischer Polemik gelesen werden[21]. Unter authentischen Voraussetzungen allerdings geht diese, stark auf das Gesetz gerichtete, antijüdische Polemik der Past jedoch nicht gut damit zusammen, daß die "pln" Rechtfertigungslehre der Past[22] so ganz ohne den Hintergrund der jüdischen Gesetzestheologie, welche eine grundlegende theologische Voraussetzung der authentischen Paulinen darstellt, auskommen kann. Die Fragen um das Gesetz als den Zentralbegriff einer ganzen Theologie und Weltanschauung haben in den Past nicht mehr jene fundamentale Stellung inne wie noch bei P. Auseinandersetzungen um das Gesetz, dessen Güte eigens konstatiert wird (vgl. 1 Tim 1, 8), können vom Blickwinkel der Past her als töricht, unnütz und zwecklos zurückgewiesen werden (vgl. Tit 3, 9). Das führt allerdings in eine entschieden andere geschichtliche und theologische Situation, als sie etwa der Gal und Röm anpeilen. Man darf aber diesen Befund der Past nicht an einem pln "Kanon im Kanon" messen[23], ohne jedoch den nachpln Charakter der Past auch positiv zu bedenken. Ihre gegenüber P geänderte Tonlage bedeutet ja nicht nur einen "Abfall" von der theologischen Höhe pln Auseinandersetzung auf die Ebene eines praktischen Christentums[24], sondern zunächst einmal kirchengeschichtlich wohl auch, daß den pln Bemühungen um eine Entflechtung der Kirche vom jüdischen Gesetzesdenken zur Zeit der Past bereits ein grundsätzlicher Erfolg beschieden war. Für die Auslegung der Past heißt dies: Die Auseinandersetzung mit dem Judentum ist für sie nicht mehr jenes theologiebildende, schöpferische Element wie noch bei P. Ihrer antijüdischen Polemik kommt von ihrer Theologie her gesehen fast nur so etwas wie eine anamnetische Funktion zu, was allerdings nicht heißen soll, daß für die Kirche der Past auf der pragmatischen Ebene jede Auseinandersetzung mit dem Judentum bereits bereinigt wäre. Es

---

20) Vgl. 1 Tim 1, 7; Tit 1, 10-14.

21) Vgl. S. 140f.

22) Vgl. S. 186f, 191ff.

23) Vgl. S. 249f.

24) Auch SAND, Anfänge 233, vermag diese Tendenzen nicht ganz zu vermeiden.

ist jedoch auffällig, daß auch die antijüdische Polemik der Past nirgendwo über den auch sonst bemerkbaren topischen Charakter der Polemik hinausgeht. Schon aús diesem Grund muß eine nähere Identifizierung der möglichen jüdischen Gegenpositionen in den Past fragwürdig bleiben[25].

c) Konkrete Züge

Echte Ansätze zu einer theologischen Auseinandersetzung mit gegnerischen Positionen zeigen sich eigentlich nur in 1 Tim 4. Hier spricht sich unter dem Aspekt der zukünftigen Zeit doch wohl eine konkrete Gegenposition der Past aus, wobei der Glaubensabfall "wörtlich"[26] beschrieben wird: Bei der Lehre der Gegner handelt es sich um eine Behinderung oder um ein Verbot des Heiratens und um Enthaltung von (bestimmten?) Speisen (V. 3). Ähnliche Positionen und Verbote werden auch in Kol 2,16-23 sichtbar, dort allerdings ohne ausdrückliche Ehefeindlichkeit, jedoch mit einem auffälligen Interesse für Kalenderfragen. Während jedoch die Nähe der Gegenpositionen im Kol und in den Past auffällig ist[27], unterscheidet sich in ihnen die Art und Weise ihrer Bekämpfung: der Kol begegnet den selbstauferlegten Vorschriften (vgl. Kol 2,23) mit der Entwicklung einer kirchlichen, die kosmologischen Spekulationen der Gegner heilsgeschichtlich interpretierenden Christologie unter Aufnahme der gegnerischen Schlagworte[28], was z.T. über die sprachlichen Schwierigkeiten hinweg als ein Zeichen der Authentizität gewertet wird[29]. In den Past zeigt sich zunächst auch hier wieder der stereotype Charakter[30] der einleitenden Polemik: Die Gegner halten sich an "Truggeister und Dämonenlehren" (1 Tim 4,1) und haben "aufgrund der Heuchelei von Lügnern ihr eigenes Gewissen gebrandmarkt" (V. 2). Auffallenderweise versuchen die Past hingegen an dieser Stelle auch, dem aszetischen

---

25)   Gegen F.H.COLSON, 'Myths and Genealogies' - A Note on the Polemic of the Pastoral Epistles: JThS 19(1918) 265-271; 269, welcher dahinter eine Bekämpfung pseudohellenistischen Judentums sieht. S.SANDMEL, Myths, Genealogies, and Jewish Myths and the Writings of Gospels: HUCA 27(1956) 201-211; 206, vermutet sogar eine konkrete Polemik gegen die Genealogie Jesu in den Kindheitsgeschichten.

26)   Vgl. ῥητῶς (1 Tim 4,1).

27)   Vgl. BROX, Past 33.

28)   Vgl. Kol 2,9-15. Vgl. auch Kol 1,15-20.

29)   Vgl. KÜMMEL, Einleitung 300ff.

30)   Vgl. DIBELIUS-CONZELMANN, Past 52ff. Vgl. auch HAUFE, Irrlehre 333-338.

Rigorismus der Gegner nicht nur polemisch, sondern auch a r g u m e n t a t i v
mit Hilfe einer Theologia naturalis beizukommen. Doch gerade diese Argumentation hebt sich wieder deutlich von den authentischen P-Briefen ab. Die
Speisefragen des P aus 1 Kor 8-10 stehen im Zusammenhang mit der Frage
des Götzenopferfleisches, dessen Genuß bereits innerhalb der jüdischen Vorgeschichte zu einer besonderen Frage des Glaubensbekenntnisses geworden
war, und auch in Röm 14 bildet die r i t u e l l e Reinheit den Hintergrund der
Diskussion mit den "Starken" und den "Schwachen"[31]. Ist aber die pln Auseinandersetzung um die Speisefragen vorwiegend mit dem Judentum verbunden, verbietet sich für die Past - trotz Tit 1, 14f. - eine unmittelbare Herleitung der bekämpften Gegenposition aus dem Judentum. Das Heiratsverbot,
das einen markanten Punkt der gegnerischen Lehre darstellt, ist aus dem
Judentum nicht begründbar. Auch die Speiseverbote fußen nicht auf originär
jüdischen Motiven, sondern hängen mit speziellen Geisterspekulationen und
Dämonenlehren zusammen. Falls die persönliche Notiz in 1 Tim 5, 23 als
eine literarische Replik auf eine diesbezügliche Position der Gegner zu werten ist[32], würde auch das dahinterstehende völlige Weinverbot der Gegner
ihre direkte Herleitung aus dem Judentum verbieten.

Die Zurückweisung der gegnerischen aszetischen Parolen wird mit einer
dreifachen Begründung versehen (vgl. 1 Tim 4, 3-5), die an das ἀπέχεσθαι
βρωμάτων in V. 3 angeschlossen ist, während das Heiratsverbot - vielleicht auch wegen seiner ausführlichen impliziten Widerlegung in 1 Tim 2, 15 -
hier keine ausdrückliche Beantwortung erfährt. Diese ist jedoch im zweiten
Teil, der mit der Gesamtheit der Schöpfung argumentiert, mitenthalten[33].
Der Ansatzpunkt der Widerlegung der gegnerischen Askese liegt in der Tatsache von Gottes S c h ö p f u n g , nicht aber wird wie bei P (vgl. 1 Kor 8, 11)
mit der Kreuzestheologie argumentiert oder wie in Kol 2, 20f. mit der in
Christi Tod gewonnenen Freiheit. Für die Past ist die Schöpfung der Ausgangspunkt einer Argumentation gegenüber den Gegnern. Schöpfung bedeutet für
sie auch ihren Gebrauch von seiten des Menschen. Für die Christen[34] ist
es ein Gebrauch mit Danksagung, wie das zweimalige μετὰ εὐχαριστίας
(1 Tim 4, 3. 4) betont.
Der zweite Teil der Argumentation geht über den Bezug auf die Speisen hinaus ins G r u n d s ä t z l i c h e und spricht von πᾶν bzw. οὐδέν : "Denn die
ganze Schöpfung ist gut und nichts ist zurückzuweisen, wenn es mit Danksagung genommen wird" (V. 4). Die Heiligkeit alles Geschaffenen ist begrün-

---

31) Vgl. κοινόν in Röm 14, 14.

32) Vgl. DIBELIUS-CONZELMANN, Past 63.

33) Vgl. πᾶν κτίσμα (1 Tim 4, 4).

34) Vgl. τοῖς πιστοῖς κ.τ.λ. (1 Tim 4, 3).

det durch das Wort Gottes[35] und durch das Bittgebet (V. 5)[36]. Dadurch wird der dankbare Gebrauch der Schöpfung ermöglicht.

Ganz anders dagegen fiel die Argumentation des P in diesen Fragen aus. P konnte hinsichtlich der Speisevorschriften mit der Kategorie des Adiaphoron (vgl. 1 Kor 8, 8), der grundsätzlichen Reinheit von allem (vgl. Röm 14, 14. 20) oder mit der Einheit Gottes (vgl. 1 Kor 8, 4) argumentieren und daraus den geringen Stellenwert von Speisen und Speisevorschriften ableiten; P jedoch erklärte sich immer auch bereit, diese seine grundsätzliche Erkenntnis zugunsten des Bruders, der Ärgernis nehmen könnte, zurückzustellen[37], worin sich neben der besonderen pln Theologie auch der aktuelle, auf die Gemeinde bezogene Charakter seiner Ausführungen zeigt.
Die Diskussion der Past um die Speisevorschriften bewegt sich auf einem anderen Terrain. Die häretische Begründung der bekämpften Verbote hängt offensichtlich mit Spekulationen über den bösen Charakter von Schöpfung und Materie zusammen[38]. Die leibliche Askese[39] der bekämpften Gegner fußt auf "gottlosen und altweibermäßigen Mythen" (1 Tim 4, 7), auf Dämonenlehren und Lügen (V. 1f.). Gegenüber einem Gewissen, das eine solche Askese begründet (vgl. V. 2) wird in den Past kein pln Rechtsverzicht geübt[40].

d) Häresie als bleibendes kirchliches Phänomen (2 Tim 2, 20)

2 Tim 2, 14-21 geht über die sonst praktizierte Polemik gegen die Häretiker hinaus und versucht eine Deutung dieses Phänomens. Mit Hilfe des Bildes von den verschiedenartigsten Gefäßen wird in 2 Tim 2, 20 von dem Nebeneinander von Kirche und Häresie gesprochen. Diese Reflexion über die Häresie steht bezeichnenderweise im Kontext der Paränese von 2 Tim 2, 8ff, in welcher der nachpln Amtsträger zum Mitleiden aufgefordert wird (V. 3). Das

---

35) Ob Gottes Wort in der Schöpfung oder im Sakrament gemeint ist, wird nicht näher spezifiziert.

36) Vgl. ἔντευξις als Gebetsterminus neben εὐχαριστία in 1 Tim 2, 1, ohne jedoch damit identisch zu sein.

37) Vgl. 1 Kor 8, 9-13; 10, 23; Röm 14, 20f.

38) Vgl. BROX, Past 37, 167f.

39) σωματικὴ γυμνασία in 1 Tim 4, 8 meint nicht den Sport, sondern die Askese. Gegen C.SPICQ, Gymnastique et morale, d'après 1 Tim 4, 7-8: RB 54(1947) 229-242. Vgl. BROX, Past 172.

40) Vgl. 1 Tim 4, 2 mit 1 Kor 8, 7-13; 10, 25-29.

Evangelium und das Leidensvorbild des P (V. 8-13) sollen dem nachpln Adressaten der Past sein eigenes Handeln motivieren. In der Erinnerung daran hat
der Nachfolger des Apostels feierlich vor Gott zu versichern, keinen Wort-
kampf zu führen, was zu nichts nützlich ist und die Zuhörer verstört (V.
14), sondern danach zu streben, sich bewährt zu machen als Arbeiter, der sich
nicht schämt[41] und das Wort der Wahrheit geradlinig führt (V. 15), "un-
heilige Leerreden" jedoch umgeht, da ihr Fortschritt nur in noch mehr Gott-
losigkeit besteht (V. 16). Die Zielstrebigkeit in der Verkündigung des Evangeliums soll nicht durch Diskussionen beeinträchtigt werden.
In solcher Sicht erweist sich die Häresie als eine Erscheinung, die durch
Streitgespräche eigentlich gar nicht recht einzudämmen ist, als eine Krank-
heit, die sich wie ein Geschwür ausbreitet und ausbreiten wird (V. 17), mit
der aber doch zu leben gelernt werden muß. Beispielhaft für die Häretiker
und ihre Position werden Hymenaios und Philetos genannt, deren glaubensbe-
drohende Behauptung wörtlich zitiert wird (V. 17ff)[42], die aber keinen Versuch einer argumentativen Zurückweisung erfährt. Dies entspricht ganz dem
von den Past gegenüber den Häretikern geforderten Verhalten, ist aber auch
bezeichnend für ihre Einschätzung des Problems überhaupt. Der Paränese
der Past geht es weniger um eine Auseinandersetzung mit einer bestimmten
Häresie, sondern um die Kirche angesichts der Häresie überhaupt. Die Häresie als solche ist nicht zu verhindern, dennoch hat gegenüber
der den Glauben umstürzenden Behauptung der Häretiker das "feste Fundament" Gottes Bestand.

Eine solche Zuversicht stützt sich auf das Verständnis von Num 16,5: "Es
erkannte der Herr die Seinen" (2 Tim 2,19). Dieser Satz, der das Siegel
des Kirchenfundamentes bildet, wird durch die Einleitung mit ἔχων τὴν
σφραγῖδα ταύτην als bewußtes Zitat kenntlich gemacht[43]: Die Kirche ist
hinsichtlich der Häretiker in ähnlicher Situation wie Mose und Aaron gegenüber
Korach und seinen Gefolgsleuten. Auch in der Kirche ist das "Wort der Wahrheit" (V. 15) neben "ihrem" Wort (V. 17), sind der Glaube und die Abweichung
von ihm unmittelbar nebeneinander. Daß die Kirche trotzdem nicht ihr Fundament verliert, wird ihr durch die Erkenntnis des Herrn und die Zurückhaltung
vom Unrecht ermöglicht.
Der zweite Teil der Inschrift: καὶ ἀποστήτω ἀπὸ ἀδικίας πᾶς ὁ
ὀνομάζων τὸ ὄνομα τοῦ κυρίου muß nicht als Zitat verstanden werden[44], sondern ist eher eine Kombination biblischer Redeweise[45]. Seine

---

41) Zur Übersetzung des Hapaxlegomenon ἀνεπαίσχυντος in 2 Tim 2,15
     vgl. die Verwendung von μὴ... ἐπαισχυνθῇς in 2 Tim 1,8.12. Vgl.
     auch 2 Tim 1,16. Vgl. dazu BROX, Past 246f.

42) Vgl. S. 139f.

43) Vgl. BONSIRVEN, Exégèse 279.

44) Vgl. auch die Verbindung mit καί in 1 Tim 5,18.

45) DIBELIUS-CONZELMANN, Past 84, sprechen von "urchristlicher Poesie",
     die vom Autor der Past zitiert wird.

sachliche, jedoch nicht sprachliche Verknüpfung hat dieser Satz mit dem
ersten Zitat ebenfalls durch die Geschichte der Rotte Korachs. Auch in Num
16 steht neben der Gewißheit, daß Gott die Seinen kennt, die Aufforderung
an die Gemeinde zur Trennung von den Aufrührern (vgl. Num 16,26). Doch
nicht die Scheidung von jenen, die das allgemeine Priestertum fordern (vgl.
Num 16,3.10), bildet den Gegenstand der Mahnung in den Past, sondern die
Zurückhaltung vom Unrecht. Sie ist eine Verpflichtung für jeden, "der den
Namen des Herrn anruft". Mit der Anspielung auf die atl. Wüstenerzählung[46]
wird der Ernst der Entscheidung für die Gemeinde verdeutlicht.
Doch nicht exklusives Heilsverständnis wird gegen die Häretiker mobilisiert,
sondern angesichts der Häresie wird nur noch nachdrücklicher die Verpflich-
tung zum Zurückstehen vom Unrecht eingeschärft.

Dies ist auch der Tenor des folgenden Vergleiches, der das Bild vom Haus
noch einmal aufgreift: In einem "großen"[47] Haus gibt es Gefäße aus ver-
schiedenstem Material, "die einen zur Ehre, die anderen zur Unehre" (2
Tim 2,20). Das bekannte Bild von den Gefäßen[48] spielt in seiner sprach -
lichen Durchführung stark an den Wortlaut von Röm 9,21[49] an, ist aber
in anderer Funktion als bei P gebraucht. P verwendet in seiner diatri-
bischen Argumentation bei der Frage nach dem Heil Israels (Röm 9-11)[50]
dieses Bild, um anhand des Töpfers die Freiheit Gottes, zu erwählen und zu
verwerfen, zu veranschaulichen[51]: Wie der Töpfer frei und willkürlich den
unterschiedlichen Gebrauch seiner Produkte bestimmen kann, so bleibt für P
gegenüber einer rechtenden Auseinandersetzung mit Gott dessen Allmacht und
Heilshandeln für den Menschen als Geschöpf letztlich undurchschaubar und
unanfechtbar.
Die Past sehen das Bild der Töpfe nicht vom Erzeuger her unter dem Aspekt
von Erwählung und Verwerfung, sondern erkennen in der Vielzahl von Gefäßen in einem Haus die Situation der Kirche wieder, in der es unterschiedliche Glieder mit verschiedener Funktion gibt. Das Bild zeigt eine eigentlich

---

46)   Vgl. auch den Hinweis auf Jannes und Jambres in 2 Tim 3,8.

47)   Die Charakterisierung des Hauses als "groß" (vgl. 2 Tim 2,20)
       setzt auch schon eine recht erfahrbare Größe von Kirche voraus.

48)   Zur übertragenen Verwendung von σκεῦος vgl. BILLERBECK,
       Kommentar 3 271.

49)   Vgl. ποιῆσαι ὃ μὲν εἰς τιμὴν σκεῦος ὃ δὲ εἰς ἀτιμίαν
       (Röm 9,21).

50)   Jedoch zeigen sich auch schon bei P in dieser Frage nicht nur
       israelkritische, sondern auch kirchenkritische Akzente. Vgl. dazu
       G.EICHHOLZ, Die Theologie des Paulus im Umriß, Neukirchen-
       Vluyn 1972, 296.

51)   Vgl. dazu KÄSEMANN, Röm 257-263.

inadäquate Verwendung[52], welche hauptsächlich von seiner paränetischen Ausrichtung herrührt. Die tatsächliche Existenz und Notwendigkeit der "unehrenhaften" Gefäße in einem Haus wird zwar nicht in Frage gestellt, doch wird im Anschluß daran in sehr metaphorischer Anwendung des Bildes auf Menschen davon gesprochen, daß einer sich "von diesen"[53] r e i n i g e n könne und so ein "ehrenhaftes, geheiligtes, dem Herrn brauchbares, zu jedem guten Werk bereitetes Gefäß" sein werde (2 Tim 2, 21). Der folgende V. 22 legt in Form einer Ermahnung an die Amtsträger den Inhalt einer solchen Selbstreinigung hinsichtlich der Häresie vor. Die Paränese enthält negativ die Warnung vor jugendlichen Begierden und wird positiv als Verfolgung von Gerechtigkeit, Glaube, Liebe und Frieden zusammen mit allen Christen umschrieben. An der Verfolgung dieser Tugenden erweist sich der Reinigungsprozeß gegenüber der Häresie, nicht aber in unsinnigen Streitgesprächen, die nur neue Kämpfe provozieren (V. 23). Das Verhalten eines "Herrenknechtes" muß vielmehr absolut irenisch sein[54], auch gegenüber denen, die sich widersetzen, und so Erziehungsarbeit an ihnen leisten (V. 24f.). Nicht die Argumentation ist es, welche die Gegner umstimmen kann, sondern das friedfertige Verhalten ihnen gegenüber ist Ausdruck des Wunsches und der Hoffnung, ob Gott selbst ihnen vielleicht ein "Umdenken zur Erkenntnis der Wahrheit" geben wird (V. 25). Der sachliche Grund für die nachdrücklich erklärte Aussichtslosigkeit von Streitgesprächen mit den Häretikern liegt für die Past darin, daß sich rechte und falsche Glaubenserkenntnis für sie letztlich nicht auf der Ebene von Kontroversen und Argumenten bewegen, sondern in den undurchschaubaren Zusammenhängen von Gottes Gabe und der "Fessel des Teufels" (V. 26) stehen. Die Polemik gegen die Irrlehre und die pejorative Etikettierung ihrer Praxis ist an dieser Stelle verbunden mit der Bewährung grundlegend christlichen Verhaltens in der mitmenschlichen Begegnung mit ihnen.

---

52) Vgl. dazu auch A.PENNA, "In magna autem domo...", in: SPCIC 2 (=AnBib 17f.), Rom 1963, 119-125.

53) ἀπὸ τούτων (2 Tim 2, 21) bleibt eigenartig unbestimmt. Es bezieht sich wohl auf die unehrenhafte Verwendung von Gefäßen und damit im übertragenen Sinn auch auf die Irrlehrer und ihre Position.

54) Vgl. die Konzentration der Begriffe οὐ δεῖ μάχεσθαι... ἤπιον εἶναι... ἀνεξίκακον in 2 Tim 2, 24.

e) Zusammenfassung

Wie schon die pln Literatur so entsteht auch die pln Pseudepigraphie aus der konkreten Absicht heraus, der Gefahr eines falschen Glaubensverständnisses zu begegnen. Die bekämpfte Irrlehre ist jedoch in den Past nur wenig konkret umschrieben, was mit ihrem besonderen nachpln Blick zusammenhängt. Die pseudepigraphe Form der Schreiben vermischt die beiden Aspekte der Zeit des P und der eigenen und hat als Corpus nicht nur bestimmte lokale Formen von Häresie im Auge, sondern einen grundsätzlich offenen, nachpln Horizont. Das führt allerdings auch zu einer sehr klischeehaften Charakterisierung der Gegner. Echte Aktualität für die Kirche der Past scheint vor allem in einer besonderen Form von Askese zu bestehen, die ihre Begründung jedoch nicht in einem direkten Rückgriff auf Reinheitsvorschriften des Judentums, sondern in kosmologischen, genealogischen u.a. Spekulationen hat, ohne sich mit irgendeinem der uns bekannten gnostischen Systeme wirklich identifizieren zu lassen. Nur an diesem Punkt, nämlich hinsichtlich des rechten Gebrauches der irdischen Wirklichkeit zeigen die Past auch eine thematische Auseinandersetzung mit den Gegnern auf der Basis einer Theologia naturalis.
Die von den Past versuchten Antworten greifen notwendigerweise über die pln Praxis und Theologie hinaus. Für die Past ist es nicht die theologische Auseinandersetzung, welche in ihrer exemplarischen Nennung von Häresien beabsichtigt ist, sondern die Antwort der Past auf das Phänomen der Häresie liegt in der Verlängerung der pln Funktion im Amt, das seinerseits der Irrlehre Widerstand entgegensetzen soll. Über diesen Widerpart des Amtes gegenüber der Häresie hinaus hat jedoch die Kirche der Past zu lernen, mit der Häresie als einem bleibenden kirchlichen Phänomen zu leben. Das Problem der Kirche heißt in nachpln Zeit nicht mehr Israel, sondern Häresie. Sie ist kein vorübergehendes, sondern ein ständiges Problem für die Kirche, das sich nicht durch Diskussionen aus der Welt schaffen läßt. Dagegen ist für die Past neben dem Festhalten am überkommenen Glauben und seinen Formulierungen vor allem die richtige Praxis entscheidend. Ihr Verständnis von Frömmigkeit als einem ganz pragmatisch christlichen Verhalten und Handeln wird auch in der Abgrenzung gegenüber der Irrlehre wirksam. Gegenüber den angedeuteten und allen anderen möglichen Irrlehren möchte die Theologie der Past ihren Wahrheitsbeweis vor allem durch die bessere Praxis antreten, welche jedoch durch das bessere Glaubensbekenntnis und -verständnis getragen werden muß. -

Daß sich die Widerlegung der Häresie in den Past so exklusiv an P orientiert, hängt mit ihrem eigenen Standort in der pseudepigraphen P-Tradition zusammen und ist nicht als Hinweis darauf zu werten, daß sich die bekämpfte Häresie gerade auf diesen Apostel als ihren Kronzeugen berufen hätte. Als Versuch einer besonderen P-Apologie hätte die Pseudepigraphie der Past wohl viel konkretere und massivere Züge annehmen müssen.

2. Rechtfertigung

Vorbemerkung[55]

Kein Kapitel der pln Theologie ist so sehr diskutiert worden wie die Frage der Rechtfertigung, was sich u.a. auch an einer gar nicht mehr übersehbaren Literatur abzeichnet[56]. Die Rechtfertigungslehre stellt das grundlegende Modell dar, anhand dessen P sein Verständnis des Christusgeschehens darlegt und an dem sich auch die spätere Rezeption und das Verständnis des P und seiner Theologie immer wieder zu messen und zu bewähren haben. Kaum ein Kapitel der pln Theologie ist wie die Rechtfertigungslehre daher auch so dazu prädestiniert, um daran die Weitergabe der P-Tradition abzuwägen. Freilich zeigt sich in einer ersten Betrachtung der Texte auch, daß sie sich einerseits einer traditionellen literarisch-philologischen Arbeit ziemlich widersetzen[57], andererseits doch sofort zu schwerwiegenden Werturteilen[58] Anlaß geben.

---

55) Für das folgende Kapitel habe ich besonders F.MUSSNER für seine Hilfe und Anregung zu danken. MUSSNER machte mir freundlicherweise auch die umfangreiche Materialsammlung seines Seminars "Transformationen der pln Rechtfertigungslehre" im WS 1974/75 zugänglich. Von einer direkten Benützung seines noch unveröffentlichten Materials habe ich jedoch Abstand genommen. - Mittlerweile ist es zugänglich geworden in: F.MUSSNER, Petrus und Paulus - Pole der Einheit, QD 76, Freiburg-Basel-Wien 1976.

56) Nur sehr exemplarisch seien genannt: K.KERTELGE, "Rechtfertigung" bei Paulus. Studien zur Struktur und zum Bedeutungsgehalt des paulinischen Rechtfertigungsbegriffes, NTA 3, Münster 1966; W.LOHFF-Ch.WALTHER (Hg.), Rechtfertigung im neuzeitlichen Lebenszusammenhang. Studien zur Neuinterpretation der Rechtfertigungslehre, Gütersloh 1974. Vgl. auch die Beiträge von H.GROSS, F.MUSSNER, P.FRANSEN, M.LOHNER in: Mysterium salutis 4/2 (Einsiedeln-Zürich-Köln 1973), und bes. O.H.PESCH, Gottes Gnadenhandeln als Rechtfertigung des Menschen, ebd. 595-920; bes. 831-920.

57) BARNETT, Paul 265, notiert für 2 Tim 1,9 Parallelen aus Röm und Eph, rechnet aber Tit 3,5ff. höchstens unter eine mögliche literarische Beeinflussung. Ebd. 277.

58) So schon bei HOLTZMANN, Past 173-190.

Aus diesem Grund werden im folgenden stärker linguistische Methoden berücksichtigt, um die historisch-kritische Arbeitsweise um ein zusätzliches Instrument zu bereichern. Eine solche methodische Erweiterung der Exegese kann negativ ein Korrektiv gegen zu gewagte literarkritische Konstruktionen darstellen. Positiv ermöglicht die Berücksichtigung der "generativen Grammatik"[59], welche der Erzeugung der zu interpretierenden Texte nachgeht, auch eine präzisierte Vergleichsmöglichkeit zur Bedeutungsgleichheit und -verschiedenheit auf der Satzebene. Gerade dort, wo sich die Theologie so sehr in Sätzen ausgesprochen hat, wie in der pln Rechtfertigungslehre, bietet sich nicht - wie etwa bei Erzählungen und anderen längeren Texteinheiten - die strukturale Literaturinterpretation, sondern die "Transformationsgrammatik"[60] als eine adäquate Arbeitsmethode auch innerhalb der Exegese an. Dennoch wird hier diese Methode auf Grund ihrer noch ungeklärten Fragen bei weitem nicht strikt im Sinne ihres Erfinders N. CHOMSKY[61] und vor allem nicht ausschließlich angewandt, weil die Rechtfertigungssätze nur in Verbindung mit der traditionellen historisch-kritischen Fragestellung ihre Bedeutung und ihren Bedeutungswandel freigeben.

Da der Schwerpunkt der Betrachtung auf der nachpln Seite des Problems liegt, ist eine Beschränkung hinsichtlich der authentischen Paulinen angezeigt und das verglichene Stellenmaterial bei P nur unter dem Aspekt der pln Überlieferungsgeschichte ausgewählt.

a) Die Texte zur Rechtfertigung

1) Die Sätze der Past

Daß die Past mit ihrem Verständnis von Erlösung auch in pln Tradition stehen, ist außer Zweifel. Texte wie 2 Tim 1,9 und Tit 3,5ff. zeigen das zur Genüge. Die Frage ist nur, welche Funktion diesen Texten in den Past zu-

---

59)   Es sei nur ganz allgemein auf die neueren exegetischen Bemühungen
      in dieser Richtung hingewiesen. Vgl. z.B. E.GÜTTGEMANNS,
      Linguistisch-literaturwissenschaftliche Grundlegung einer Ntl. Theo-
      logie: Linguistica biblica 13/14; 2(1973) 2-18; 4.

60)   Zu Begriff und Methode vgl. etwa J.BECHERT u.a., Einführung in
      die generative Transformationsgrammatik, (Linguistische Reihe 2),
      3.Aufl. München 1973; Funk-Kolleg Sprache 1, (Fischer Taschenbuch
      6111), Frankfurt 1973; 209-419; bes. 212f.

61)   Vgl. z.B. N.CHOMSKY, Aspekte der Syntax-Theorie, (Suhrkamp
      Taschenbuch Wissenschaft 42), Berlin 1969.

kommt und in welchem Verhältnis sie zu den Sätzen des P stehen[61a].

Der deutlichste Text ist Tit 3, 5ff:

V. 5 οὐκ ἐξ ἔργων τῶν ἐν δικαιοσύνῃ ἃ ἐποιήσαμεν ἡμεῖς
ἀλλὰ κατὰ τὸ αὐτοῦ ἔλεος ἔσωσεν ἡμᾶς διὰ λουτροῦ
παλιγγενεσίας καὶ ἀνακαινώσεως πνεύματος ἁγίου...
V. 7 ἵνα δικαιωθέντες τῇ ἐκείνου χάριτι κληρονόμοι γενηθῶμεν
κατ' ἐλπίδα ζωῆς αἰωνίου.

Der Zusammenhang dieses Textes mit der pln Tradition ist durch οὐκ ἐξ
ἔργων und δικαιωθῆναι eindeutig gegeben.
Auch der Text von 2 Tim 1, 9 führt in pln Begrifflichkeit, zumindest was die
grundsätzliche Negation der Werke (V. 9b) anlangt:

... θεοῦ
a) τοῦ σώσαντος ἡμᾶς καὶ καλέσαντος κλήσει ἁγίᾳ
b) οὐ κατὰ τὰ ἔργα ἡμῶν ἀλλὰ κατὰ ἰδίαν πρόθεσιν καὶ χάριν
c) τὴν δοθεῖσαν ἡμῖν ἐν Χριστῷ 'Ιησοῦ πρὸ χρόνων αἰωνίων...

Die Bedeutung solch pln klingender Sätze in den Past läßt sich allerdings erst
ermessen, wenn ihre Transformationen gegenüber den pln Thesen beachtet
werden; erst dann kann die Frage nach der Funktion dieser Sätze im Rahmen
der Past überhaupt näher verhandelt werden.

2) Die Sätze des P

Die pln Thesen über die Rechtfertigung sind besonders[62] im Gal und Röm
niedergelegt. Der konkrete Anlaß für die Formulierung der pln Position im
Gal[63] ist die Argumentation der Gegner, welche den Christusglauben als
die unmittelbare Verlängerung des bisher von Gott den Juden angebotenen
Heilsweges betrachten und diese Kontinuität auch durch die nachträgliche Über-

---

61a)   Vgl. zum Thema jetzt auch U.LUZ, Rechtfertigung bei den Paulus-
       Schülern, in: Rechtfertigung, (Fs. E.KÄSEMANN), Tübingen 1976,
       365-383. LUZ bestätigt die größtenteils pln Gestalt der Rechtfertigungs-
       lehre in den Past, zweifelt aber an ihrer zentralen Funktion für deren
       Theologie. Ebd. 377-380.

62)   Das heißt aber nicht, daß diese Thematik nicht auch an anderen Stellen be-
       gegnet. Vgl. etwa Phil 3, 1b-4, 1; 1 Kor 7, 17ff. oder grundsätzlich auch 1
       Kor 1-2. Zur Nähe des Gal mit der Thematik von 2 Kor vgl. bes. U.BORSE,
       Der Standort des Galaterbriefes, BBB 41, Köln 1972, 107-113.

63)   Vgl. dazu bes. F.MUSSNER, Der Galaterbrief, HThK 9, 3.Aufl. Frei-
       burg-Basel-Wien 1977; J.ECKERT, Die urchristliche Verkündigung im
       Streit zwischen Paulus und seinen Gegnern nach dem Galaterbrief, BU 6,
       Regensburg 1971.

nahme der Beschneidung als dem verpflichtenden Zeichen des Bundes Gottes mit den Menschen dokumentieren wollen. Gegen diese Gegner, die er in seiner Polemik jedoch verzeichnet[64], formuliert P seine eigene Stellungnahme im Gal; er möchte diese jedoch bei der Überbringung der Kollekte auch der Gemeinde in Jerusalem vorlegen, und so wird seine nach Jerusalem gerichtete theologische Apologie in dem gleichzeitig verfaßten Schreiben an die Gemeinde von Rom greifbar[65].

Die für die Past relevanten pln Vergleichstexte zur Rechtfertigung finden sich vor allem in Gal 2, 16; 3, 11. 24.

Gal 2, 16:

a) εἰδότες (δὲ)
   ὅτι οὐ δικαιοῦται ἄνθρωπος ἐξ ἔργων νόμου
   ἐὰν μὴ διὰ πίστεως 'Ιησοῦ Χριστοῦ
b) καὶ ἡμεῖς εἰς Χριστὸν 'Ιησοῦν ἐπιστεύσαμεν
c) ἵνα δικαιωθῶμεν ἐκ πίστεως Χριστοῦ
   καὶ οὐκ ἐξ ἔργων νόμου
d) ὅτι ἐξ ἔργων νόμου οὐ δικαιωθήσεται πᾶσα σάρξ.

Die pln These der Rechtfertigung findet bei P zwei Aussageformen: sie wird negativ und positiv formuliert. Negativ mit ὅτι οὐ δικαιοῦται ἄνθρωπος ἐξ ἔργων νόμου in Gal 2, 16a, positiv mit ἵνα δικαιωθῶμεν ἐκ πίστεως Χριστοῦ in Gal 2, 16c, wobei die beiden Sätze innerlich durch das Finalitätsprinzip zusammengehalten sind.

Diese "Grund-Sätze" der pln Rechtfertigung können auch von P selbst variiert werden; in ihrer negativen Form kann die These auch mit der Ausdrucksweise von Ps 143, 2 in Gal 2, 16d (= Röm 3, 20) heißen: ἐξ ἔργων νόμου οὐ δικαιωθήσεται πᾶσα σάρξ [66]. Hierbei ändert P das πᾶς ζῶν der LXX (MT: כָּל־חָי) auf πᾶσα σάρξ ab, um in einer auch vom hebräischen Denken her möglichen Formulierung einen wichtigen Begriff seiner eigenen Theologie im Schrifttext wiederzufinden.
Eine andere pln Paraphrase dieses Satzes findet sich in Gal 3, 11:
ἐν νόμῳ οὐδεὶς δικαιοῦται παρὰ τῷ θεῷ.

Die positive Formulierung der Rechtfertigungsthese kann lauten:
(ἐπιστεύσαμεν) ἵνα δικαιωθῶμεν ἐκ πίστεως Χριστοῦ (Gal 2, 16c),
oder δικαιωθῆναι ἐν Χριστῷ (Gal 2, 17),

---

64) Zum Problem vgl. MUSSNER, Gal 27f.

65) Vgl. dazu G. BORNKAMM, Paulus 103-115; D. GEORGI, Die Geschichte der Kollekte des Paulus für Jerusalem, ThF 38, Hamburg 1965, 90.

66) Ps 142, 2 (LXX): ὅτι οὐ δικαιωθήσεται ἐνώπιόν σου πᾶς ζῶν.
    Ps 143, 2 (MT): כִּי לֹא־יִצְדַּק לְפָנֶיךָ כָל־חָי

ἐκ πίστεως δικαιοῖ (τὰ ἔθνη) ὁ θεός   (Gal 3, 8),
δικαιώσει (περιτομὴν... καὶ ἀκροβυστίαν) ἐκ πίστεως (Röm 3, 30),
ἵνα ἐκ πίστεως δικαιωθῶμεν   (Gal 3, 24),
δικαιούμενοι δωρεὰν τῇ αὐτοῦ χάριτι   (Röm 3, 24),
δικαιοῦντα τὸν ἐκ πίστεως 'Ιησοῦ   (Röm 3, 26),
δικαιοῦσθαι πίστει ἄνθρωπον   (Röm 3, 28),
θεὸς ὁ δικαιῶν   (Röm 8, 33)[67].

Die negativen pln Aussagen zur Rechtfertigung lassen sich auf eine gemeinsame "Struktur"[68] zurückführen. Sie sprechen vom Menschen schlechthin[69]
oder überhaupt von jedem natürlichen Leben[70]. Sie verstehen sich absolut
und ohne jede Ausnahme[71]. Das Subjekt weist das Verständnis der pln Negation jeweils als einen Universalsatz aus: Die Nominalphrase bezieht jedes
menschliche Leben in die Negation des Rechtfertigungsgeschehens mit ein. Freilich ist dies ein Universalsatz, der nur von einem besonderen Glaubenswissen her gemacht werden kann[72].
Bezeichnenderweise wird das Prädikat der pln Negation im Passiv formuliert: Nicht der Mensch selbst rechtfertigt sich nicht, sondern er wird nicht
gerechtfertigt[73]. Die Negativsätze zur Rechtfertigung jedoch bleiben auf den
anthropologischen Aspekt dieses Geschehens eingeschränkt, während von
der Seite göttlichen Handelns nicht oder nur sehr indirekt und zurückhaltend
die Rede ist. Man wird hinter οὐ δικαιοῦται kein theologisches Passiv
suchen dürfen, weil ja eine Aktivität Gottes in den Negationssätzen gerade bestritten werden soll. Wo auch bereits hier der theologische Aspekt der
Rechtfertigung in den Blick kommt, ist nur von einem οὐ δικαιοῦσθαι
π α ρ ὰ τῷ θεῷ (vgl. Gal 3, 11) die Rede, wobei παρά - zumindest nach
seinem klassischen Gebrauch - nicht den direkten Urheber einer Aktion bezeichnet[74], sondern eine mittelbare Veranlassung 'neben', 'auf seiten'
oder 'von seiten Gottes her' meint.

---

67)   Vgl. Röm 4, 5: πιστεύοντι... ἐπὶ τὸν δικαιοῦντα τὸν ἀσεβῆ.
       Vgl. auch Röm 3, 26: εἰς τὸ εἶναι αὐτὸν δίκαιον καὶ δικαι-
       οῦντα κ.τ.λ.

68)   Ob diesen Sätzen wirklich auch eine gemeinsame Tiefenstruktur im
       Sinne der Transformationsgrammatik entspricht, muß dahingestellt
       bleiben.

69)   Vgl. ἄνθρωπος (Gal 2, 16a).

70)   Vgl. πᾶσα σάρξ (Gal 2, 16d; Röm 3, 20).

71)   Vgl. οὐδείς (Gal 3, 11).

72)   Vgl. εἰδότες (Gal 2, 16a), ἐπιστεύσαμεν (Gal 2, 16b).

73)   Vgl. δικαιοῦται (Gal 2, 16a) als Passiv, nicht als Medium.

74)   Vgl. M. ZERWICK, Graecitas biblica, 5. Aufl. Rom 1966, § 90.

Die Präpositionalphrase des Negationssatzes heißt: ἐξ ἔργων νόμου
(Gal 2,16a.c.d; Röm 3,20[75]) bzw. ἐν νόμῳ (Gal 3,11; vgl. 5,4) bzw.
in einem weiteren Sinnkreis auch ἐξ ἔργων (Röm 9,32; 11,6). Man kann
bei den negierten ἔργα νόμου direkt von einem t.t. der pln Argumentation sprechen, welcher zeigt, daß die Hauptstoßrichtung der pln Kritik sich nicht so sehr gegen die "Werke" als solche, als gegen die "Werke
der Tora" richtet. Dies gilt selbst dort, wo P ohne die Genitivapposition
νόμου allgemein von den ἔργα spricht, wie in der Abrahamsgeschichte
(Röm 4,2.6), wo er die zeitliche Differenz zwischen der Patriarchener-
zählung und der Sinaigesetzgebung durch die Weglassung von νόμου ver-
deckt (vgl. Röm 9,12.32; 11,6). Doch wird auch hier aus dem Zusammenhang der Rettung Israels von den "Werken" letztlich doch vor allem unter
dem Aspekt der Tora gesprochen, d.h., die pln Negation der Rechtfertigung
"aus Werken" ist zwar absolut und universal formuliert, sie ist jedoch eine
Negation, die nicht primär die Werke allgemein, sondern die der Tora betrifft, deren heilsschaffende Funktion von P ausdrücklich und grundsätzlich
geleugnet wird. Die pln Antithesen sind also vor allem heilsgeschichtlich, d.h., von seiner Christologie her bestimmt und erst mittelbar
auch anthropologische Aussagen[76].

Die positiven Sätze zur Rechtfertigung haben ebenfalls eine gemeinsame
"Struktur". Das Subjekt der Rechtfertigung ist der Mensch, dessen persön-
liches Betroffensein durch die passivischen Formulierungen in der ersten
Person Plural zum Ausdruck kommt[77]. Im Gegensatz zu den Negativsätzen

---

75) Vgl. auch Röm 3,28.

76) Dies ist vor allem gegenüber einer zu betonten existentialen Interpre-
     tation der Rechtfertigungsaussagen festzuhalten. Vgl. dazu A.VAN
     DÜLMEN, Die Theologie des Gesetzes bei Paulus, SBM 5, Stuttgart
     1968, 133, 213, 251, passim. Vgl. auch EICHHOLZ, Theologie 237;
     U.LUZ, Das Geschichtsverständnis des Paulus, BEvTh 49, München
     1960, 186, passim. Es ist jedoch unbestreitbar, daß es innerhalb des
     christologischen Konzeptes bei P auch zu anthropologischen Aussagen
     kommt. Zur Diskussion vgl. auch U.WILCKENS, Was heißt bei Paulus:
     "Aus Werken des Gesetzes wird kein Mensch gerecht"?, in: EKK Vor-
     arbeiten 1, Zürich-Neukirchen 1969, 51-77; J.BLANK, Warum sagt
     Paulus: "Aus Werken des Gesetzes wird niemand gerecht"?, ebd. 79-95.

77) Vgl. δικαιωθῶμεν (Gal 2,16c; 3,24) und δικαιούμενοι (Röm 3,24).
     Aber auch der Infinitiv δικαιωθῆναι in Gal 2,17 ist durch den Kon-
     text ζητοῦντες...εὑρέθημεν eindeutig als "wir" bestimmt. Ähnliches
     gilt auch für den Infinitiv δικαιοῦσθαι in Röm 3,28, dessen allge-
     mein formulierter Grundsatz δικαιοῦσθαι πίστει ἄνθρωπον
     durch das einleitende λογιζόμεθα γάρ auf die persönliche Glaubens-
     erfahrung bezogen wird. Auch das δικαιωθέντες in Röm 5,1.9 ver-
     sucht, die in der Glaubensgemeinschaft möglichen und notwendigen Konse-
     quenzen der erfahrenen Rechtfertigung auszusagen. Vgl. ἔχομεν bzw.
     ἔχωμεν in Röm 5,1 und σωθησόμεθα (Röm 5,9).

der Rechtfertigung, in denen das Passivum δικαιοῦσθαι auf Grund des zurückhaltenden pln Sprachgebrauchs nicht als theologisches Passivum zu betrachten ist, zeigen die positiven Aussagen sowohl a k t i v e wie p a s s i v i s c h e Formulierungen: Für δικαιωθῆναι ἐν Χριστῷ (Gal 2,17) steht in Gal 3,8 ἐκ πίστεως δικαιοῖ τὰ ἔθνη ὁ θεός , in Röm 3,30 heißt es von der Beschneidung und Unbeschnittenheit: δικαιώσει (sc. εἷς ὁ θεός) κ.τ.λ, Röm 8,30 blickt auf die bereits geschehene Erwählung, Berufung, Rechtfertigung[78] und Verherrlichung zurück, und Röm 8,33 bezeichnet Gott als ὁ δικαιῶν.

Die Positivsätze sprechen von der Rechtfertigung sowohl unter anthropologischem wie theologischem Aspekt. Dabei unterliegt die Präpositionalphrase in den positiven Sätzen größeren Veränderungen als die dementsprechenden Konstituenten in den Negationssätzen. Der Gegensatz zu οὐκ ἐξ ἔργων (νόμου) bzw. οὐκ ἐν νόμῳ heißt ἐκ πίστεως Χριστοῦ (Gal 2,16c), ἐν Χριστῷ (Gal 2,17), ἐκ πίστεως (Gal 3,8.24; Röm 3,30; 5,1); er kann auch - in Aufnahme einer traditionellen urchristlichen Formulierung -, ἐν τῷ αὐτοῦ αἵματι (Röm 3,25) lauten, eine Formel, die P um ein erklärendes δωρεὰν τῇ αὐτοῦ χάριτι (V. 24) und διὰ πίστεως (V. 25) erweitert[79].

Will man die atl. Vorgeschichte und das jüdische Verständnis der Rechtfertigung[80] von P her nicht verzeichnen, muß man den c h r i s t o l o g i s c h e n Ausgangs- und Beziehungspunkt seiner Thesen, welche die Konsequenzen von G o t t e s Handeln in Christi T o d zu beschreiben suchen, festhalten. Dieser exegetische Befund bestätigt sich auch durch den p r a g m a t i s c h e n Aspekt der pln Texte: Was P durch seine Überlegungen hinsichtlich der Gerechtigkeit

---

78) Vgl. das zweimalige ἐδικαίωσεν (Röm 8,30).

79) Vgl. dazu R.BULTMANN, Theologie des NT, 5.Aufl. Tübingen 1965, 41. Vgl. dazu auch E.KÄSEMANN, Zum Verständnis von Röm 3,24-26, in: Ders., Exegetische Versuche und Besinnungen 1, 3.Aufl. Göttingen 1964, 96-100; P.STUHLMACHER, Gerechtigkeit Gottes bei Paulus, FRLANT 87, 2.Aufl. Göttingen 1966, 88ff; Ders., Theologische Probleme gegenwärtiger Paulusinterpretation: ThLZ 98(1973) 721-732; 726.

80) M.LIMBECK, Die Ordnung des Heils. Untersuchungen zum Gesetzesverständnis des Frühjudentums, Düsseldorf 1971, hat einen wesentlichen Beitrag zum Gesetzesverständnis des Judentums erbracht, von dem her auch die oft dogmatisch fixierte P-Interpretation aufgebrochen werden kann. Jedenfalls ist die Polemik des P nicht der richtige Ausgangspunkt, von dem her das Judentum adäquat zu verstehen ist. Das Judentum war nicht so ausschließlich auf das L e i s t u n g s d e n k e n im Gesetz fixiert, wie dies aus der pln Darstellung heraus den Anschein haben könnte, sondern es betrachtet die Verwirklichung des Gesetzes eher als die K o n s e q u e n z der von Gott geschenkten Gemeinschaft. Vgl. ebd. 190, passim. Aber auch im pln Gesetzesverständnis verbleiben über alle Erklärung hinaus immer noch einige Aporien. Vgl. dazu MUSSNER, Gal 199-204.

aus dem Gesetz und der Gerechtigkeit aus dem Glauben für die kirchliche Praxis erreichen möchte, ist die Freiheit der Heidenmission in Sachen Beschneidung und Gesetzesbeobachtung. Daß er dabei auch selber entschiedene Ketzerpolemik betreibt, wird immer mehr erkannt und zugestanden[81]. Nicht der später in der Gnadenlehre so heiß diskutierte Gegensatz zwischen Gnade und Werken steht im Vordergrund der pln Betrachtung, sondern die für ihn durch seine Christuserkenntnis gegebene neue heilsgeschichtliche Situation, durch die er das Gesetz und sein Prinzip des Tuns (vgl. Röm 3, 27) durch den "Glauben des Christus" oder den "Glauben an Christus"[82] für beendet sieht (vgl. Röm 10, 4). P hat die Gefahr einer Gettoisierung des Christentums innerhalb der jüdischen Religion erkannt, eine Einsicht, die bei Jesus und seiner vordringlich innerjüdischen Predigt (vgl. Mt 15, 21-28 par.) noch nicht in jener Deutlichkeit möglich war, wie für P in seiner Situation der nachösterlichen, in ungeheure Dimensionen aufbrechenden Heidenmission[83]. In dieser Verkündigungssituation der vorbehaltlosen pln Öffnung zu den Heidenchristen und ihrer Bedrohung durch die nachträgliche Verpflichtung auf das Gesetz ist die polemische Auseinandersetzung des P im Gal formuliert, und auch die mehr systematisch-apologetische Darstellung seines Standpunktes für Jerusalem im Röm modifiziert zwar die Polemik des Gal, versucht aber auch ihrerseits die gesetzesfreie Mission des P zu rechtfertigen.

Anerkennt man nun diesen zeitgeschichtlichen Hintergrund der theologischen Aussagen des P im Gal und Röm, ist es "zunächst weder überraschend noch bedauerlich, wenn die Bedeutung der paulinischen Rechtfertigungslehre im Fortgang der Geschichte sich abschwächt"[84] oder verändert. Vielmehr zeigt die Transformation der pln Rechtfertigungslehre im Rahmen der P-Tradition grund-

---

81) Vgl. etwa ECKERT, Verkündigung 110ff, 123ff, 229-232, passim.

82) Die ausführliche Diskussion um πίστις Χριστοῦ in der Alternative von Genetivus subjectivus oder objectivus ist eine Frage, die semantisch nur im Sinne eines et - et zu entscheiden ist. Der jeweilige Kontext bestimmt dann die Dominanz je eines Aspektes, ohne daß damit der andere ausgeschlossen werden kann. Vgl. dazu auch die synonyme Verwendung von ἐκ πίστεως Χριστοῦ (Gal 2, 16c) mit ἐν Χριστῷ (Gal 2, 17) bzw. ἐκ πίστεως (Gal 3, 8, passim).

83) Vgl. dazu auch E. KÄSEMANN, Zum Thema der urchristlichen Apokalyptik, in: Ders., Exegetische Versuche und Besinnungen 2, Göttingen 1964, 105-131; 113f; ECKERT, Verkündigung 124. Zur Vorgeschichte und Problematik der Frage bei Jesus und P vgl. auch M. HENGEL, Judentum und Hellenismus, WUNT 10, Tübingen 1969, 308-318, 551-570.

84) So PESCH, Gnadenhandeln 838.

sätzlich ein Zweifaches: Daß einerseits die theologischen Thesen des P über ihren zeitgeschichtlichen Hintergrund hinaus als grundlegend erkannt wurden, daß sie aber anderseits in einer bewußten und lebendigen Tradition nicht mehr uninterpretiert in ihrem alten Kontext belassen werden konnten.

3) Die Sätze des Eph

Auch der Eph, dessen nachpln Charakter von der neueren Exegese immer mehr gesehen und positiv gedeutet wird[85], spricht in Form und Kontext einer P-Anamnese ausdrücklich von der Rechtfertigung. Die Tradition und Transformation der pln Rechtfertigungslehre in Eph 2 ist um so bedeutungsvoller, als sie der Eph entgegen seiner literarischen Vorlage, welche diese Thematik nicht nennt (vgl. Kol 1-2), in seine Theologie einbringt: In der Darstellung des neuen Seins der Christen als Auferweckung aus dem Tod in den Sünden und der Mitlebendigmachung in Christus (Eph 2, 5) wird in einer Parenthese der Zuruf χάριτί ἐστε σεσῳσμένοι eingeschaltet. Was dieser Ruf bedeutet, führt Eph 2, 8f. näher aus:

8: τῇ γὰρ χάριτί ἐστε σεσῳσμένοι διὰ πίστεως
     καὶ τοῦτο οὐκ ἐξ ὑμῶν, θεοῦ τὸ δῶρον
9: οὐκ ἐξ ἔργων, ἵνα μή τις καυχήσηται.

Mit διὰ πίστεως, οὐκ ἐξ ἔργων und der Ausschließung des Rühmens[86] werden eindeutig pln Töne angeschlagen. Doch fällt auf, daß sich die Aussagen gegenüber den authentischen Sätzen des P entscheidend verändert haben.

Während der nähere Kontext von der uns[87] widerfahrenen Liebe Gottes spricht, ruft die Parenthese die "euch" geschenkte Rettung ins Bewußtsein: ἐστέ σεσῳσμένοι. Die entscheidende Präpositionalphrase heißt im Eph mit einer P entsprechenden festen Wendung χάριτι (Eph 2, 5) bzw. τῇ... χάριτι (V. 8). Der Kontext zeigt allerdings das Bestreben, eine solche Beschreibung von Erlösung nicht isoliert stehen zu lassen, sondern durch eine ganze Reihe von weiteren Begriffen zu erklären: διὰ πίστεως, οὐκ ἐξ ὑμῶν, θεοῦ τὸ δῶρον (V. 8) und οὐκ ἐξ ἔργων (V. 9). Auffallend gegenüber den pln Rechtfertigungssätzen ist im Eph die Substitution von δικαιοῦν bzw. δικαιοῦσθαι durch σῴζεσθαι . Diese Substitution geschieht nicht nur beiläufig, sondern mit besonderer Betonung[88]. Jedoch nicht nur auf der Ebene der Semantik kommt es in der Verbalphrase des Eph zu einer bedeutsamen Transformation gegenüber P; es zeigt sich ebenso eine

---

85)   Vgl. S. 92f.

86)   Vgl. ἵνα μή τις καυχήσηται (Eph 2, 9b).

87)   Vgl. ἡμᾶς (Eph 2, 4. 5. 7). Vgl. auch ἡμεῖς in V. 3.

88)   Vgl. σεσῳσμένοι in Eph 2, 5. 8.

Verschiebung des temporalen Aspektes. Die vorwiegend präsentischen bzw. futurischen Rechtfertigungsaussagen des P sind zu Partizipien des Perfekts auf σω- transformiert. Darin äußert sich eine Sicht, welche die Errettung deswegen in ihrem Effekt als gegenwärtig betrachten kann[89], weil sie diese Erlösung durch überschaubare historische Fakten initiiert sieht. Das zeigen neben dem historischen Aspekt des Perfekts auf σω- auch die Aoriste συνεζωοποίησεν, συνήγειρεν, συνεκάθισεν (Eph 2, 5f.) und προητοίμασεν (V. 10).

Das Erlösungsverständnis kann sich bereits im Eph nicht mehr mit den authentisch pln Sätzen nach dem Modell der Rechtfertigung aussprechen, und so bewirkt gerade der bewußte Wille zur P-Tradition auch die Transformation der pln Sätze, deren Ausmaß noch näher zu bestimmen ist.

Die Substitution des δικαιοῦσθαι durch σώζεσθαι entspricht bis zu einem gewissen Grad dem pln Sprachgebrauch. Auch P kann von σώζειν bzw. σωτηρία in unmittelbarem Zusammenhang mit der rechtfertigenden Kraft des Evangeliums reden (vgl. etwa Röm 1, 16. 17), doch sind δικαιοῦν bzw. δικαιοσύνη und σώζειν bzw. σωτηρία für P nicht einfach Synonyme, sondern σω- erweist sich eher als Hyponym von δικαιο - mit der besonderen Bedeutung der eschatologischen Rettung, welche die Folge der Rechtfertigung darstellt.

Die P-Tradition des Eph jedoch spricht vom Heil nur mit dem Begriff σώζειν und insistiert hinsichtlich des temporalen Aspektes der Aussage entgegen der pln Dialektik von Gegenwart und Zukunft ausschließlich auf dem präsentischen Verständnis der Erlösung, womit der Eph zusammen mit seiner Vorlage, dem Kol[90], gegen P geht.

Die entscheidendste Änderung der "Rechtfertigungssätze" des Eph gegenüber P besteht jedoch in der konsequenten Tilgung von νόμος und des pln Gesetzeskontextes. Zwar wird mit οὐκ ἐξ ἔργων eine an sich pln Wendung aufgenommen, aber bei P steht diese auch dort, wo ein erklärendes νόμου fehlt, im Bereich seiner Auseinandersetzung mit dem Judentum[91]. Im Eph dagegen unterbleibt jede nähere Bestimmung der negierten Werke als Gesetzeswerke, denn selbst dort, wo hier die Thematik des Gesetzes auftaucht (Eph 2, 14-22), unterscheidet sich seine Einschätzung grundlegend von der des P: Während P von der Tora als einer einheitlichen, vor allem "theologischen" Größe sprechen konnte, die sich zwischen Gott und Menschen stellt und welche auch im heilsgeschichtlichen Konzept nicht direkt einzuordnen ist (vgl. Röm 5, 20; Gal 3, 19), betrachtet der Eph das Gesetz als die Summe von

---

89)   Vgl. den präsentischen Aspekt des Perfekts.

90)   Vgl. Kol 2-3.

91)   Vgl. S. 177f.

Einzelvorschriften[92] unter primär s o z i o l o g i s c h e m Aspekt. Es ist die durch die vielen Gesetzesvorschriften bestimmte L e b e n s w e i s e der Juden, welche das Gesetz als Trennwand zwischen Juden und Heiden erscheinen läßt. Diesen "Zaun" hat Christus "umgelegt" (vgl. Eph 2,14f.), so daß die e i n e Kirche aus Juden und Heiden möglich geworden ist (vgl. V. 16-20). Die Reflexion des Eph über die Heilstat Christi - auch im Hinblick auf die Trennung von Juden und Heiden - bewegt sich allerdings nicht mehr in einem judaistischen Milieu, sondern diese Sätze sind zu einer h e i d e n c h r i s t l i c h e n Kirche gesagt, welche Gefahr läuft, die Herkunft der Kirche aus Israel zu vergessen. In einer solchen Situation können die in judenchristlichen Kontroversen formulierten R e c h t f e r t i g u n g s s ä t z e des P nicht einfach w i e d e r - h o l t w e r d e n. Dennoch wird in der P-Tradition des Eph die für die Kirche auch weiterhin verbindliche Aussage des P erkannt und so werden die pln Sätze transformiert und in die neuen Fragestellungen eingebracht.

Dies macht sich zunächst an dem Stellenwert der Polemik und damit zusammenhängend auch in der S t e l l u n g d e r p l n N e g a t i o n in den Sätzen des Eph bemerkbar. Hatte die Negation bei P meist die dominierende Satzstellung, so steht die Negation der Werke jetzt an letzter Stelle der erklärenden Begriffe. Die viel weitere Formulierung der negativen Präpositionalphrase οὐκ ἐξ ὑμῶν in Eph 2,8 wird erst in V. 9 durch οὐκ ἐξ ἔργων ausgelegt, wobei jedoch der pln Gesetzeskontext nicht beibehalten wird. Die T i l g u n g v o n νόμου bei οὐκ ἐξ ἔργων gegenüber der pln Vorlage verläßt die geschichtliche Bedingtheit der pln These, sie entschärft aber nicht die Geltung der Negation, sondern verschärft sie eher und bringt eine Tendenz zum Durchbruch, welche bei P nicht in dieser Ausdrücklichkeit vorhanden war. Nicht mehr von "Werken d e s G e s e t z e s" ist die Rede, sondern im Eph werden W e r k e a n s i c h und prinzipiell n e g i e r t. Sie haben auf seiten des Menschen nichts zur Rettung einzubringen; ihnen kommt keine Ausgangsposition (vgl. ἐξ V. 8f.) für das Heil zu. Der Mensch hat von sich aus überhaupt nichts zur Erlösung beizutragen (vgl. οὐκ ἐξ ὑμῶν V. 8b), weil Selbstruhm und Selbstbehauptung vor Gott grundsätzlich ausgeschlossen sein müssen (vgl. V. 9b). Damit ist eine typisch pln Überlegung aufgegriffen, doch ist der pln Gegensatz zwischen der Tora als Werkprinzip und Christus als Gnaden- bzw. Glaubensprinzip umgelegt auf den Glauben bzw. die Gnade und die Werke allgemein. Der T i l g u n g von νόμου bei οὐκ ἐξ ἔργων entspricht die Tilgung von Χριστοῦ bei διὰ πίστεως, dafür steht die Insertion θεοῦ τὸ δῶρον, welche den von G o t t geschenkten Glauben im Gegensatz zu den eigenen Möglichkeiten sieht. Der pln Gesetzeskontext der Frage "Glaube oder Werke" ist auf eine konsequent t h e o - l o g i s c h e Argumentation umgelegt: Das absolute χάριτι steht zwar zweimal in unmittelbarer Nähe von Χριστῷ (vgl. V. 5. 7f.), die Syntax jedoch erklärt die Apposition τῆς χάριτος αὐτοῦ als die von G o t t in Christus geschenkte

---

92)   Vgl. die schwerfällige Formulierung τὸν νόμον τῶν ἐντολῶν ἐν δόγμασιν in Eph 2,15.

Freundlichkeit[93]. Die Beschreibung des Heils mit der Gegenüberstellung von "Einst" und "Jetzt" als einem urchristlichen, auch von P gebrauchten Modell[94] ist im Eph beibehalten, gedehnt und zugleich verdichtet (vgl. Eph 2, 1ff.)[95], doch sind auch die Änderungen in den Aussagen unverkennbar.

Nicht nur auf der Ebene der Semantik oder des Satzes lassen sich auffällige Transformationen gegenüber den pln Aussagen von der Rechtfertigung ausmachen, sondern das ganze Grundverständnis von Erlösung hat sich gegenüber P geändert. Hatte das Modell der Rechtfertigung bei P seinen Ansatzpunkt im Verständnis des Kreuzestodes Jesu[96] - ohne daß damit die Funktion seiner Auferstehung für die Rechtfertigung ausgeschlossen wäre[97] -, spricht der Eph von der Erlösung ausschließlich im Zusammenhang mit der Auferstehung Christi. Dem entspricht auch die Beschreibung unserer Erlösung als Mitauferweckung aus dem Tod in den Sünden und als Mitlebendigmachung und Miteinsetzung im Himmel (vgl. Eph 2, 5f.). Konsequenterweise findet in dieser Betrachtung der Ausschluß der Werke seine Begründung nicht mehr wie bei P durch die Tat Christi am Kreuz (vgl. z.B. Gal 2, 21), sondern die Möglichkeit von Werken wird jetzt bereits auf Grund der Schöpfungstatsache ausgeschlossen[98], wobei die Schöpfung als Schöpfung in Christus gesehen wird, die ihren Zweck und ihr Ziel in guten Werken hat[99]. Ein menschlich eigenständiger Charakter dieser guten Werke, welcher Selbstruhm oder Heil bewirken könnte, ist jedoch ausgeschlossen; Gott selbst nämlich ist in ihrer Ermöglichung dem Menschen bereits zuvorgekommen[100], so daß der menschliche Anteil an diesen Werken nur noch als "Wandel in ihnen" beschrieben werden kann[101]. Die Begründung des Erlösungsverständnisses durch eine Theologie der Schöpfung, welche ihre Erneuerung in der Auferstehung findet, führt dann auch zur unmittelbaren Gegenüberstellung der Negation οὐκ ἐξ ἔργων in Eph 2, 9 und der Bestimmung der Erlösung mit

---

93) Vgl. ἐν χρηστότητι ἐφ᾽ ἡμᾶς ἐν Χριστῷ ᾽Ιησοῦ (Eph 2, 7).

94) Vgl. z.B. Röm 5, 8-11; Gal 4, 3ff.

95) Vgl. dazu P. TACHAU, "Einst" und "Jetzt" im NT. Beobachtungen zu einem urchristlichen Predigtschema in der ntl. Briefliteratur und zu seiner Vorgeschichte, FRLANT 105, Göttingen 1972, 134-143.

96) Vgl. 2 Kor 5, 14; Gal 2, 21.

97) Vgl. Röm 4, 25; 2 Kor 5, 15.

98) Vgl. αὐτοῦ γάρ ἐσμεν ποίημα (Eph 2, 10a).

99) Vgl. κτισθέντες ἐν Χριστῷ ᾽Ιησοῦ ἐπὶ ἔργοις ἀγαθοῖς (Eph 2, 10b).

100) Vgl. οἷς προητοίμασεν ὁ θεός (Eph 2, 10c).

101) Vgl. ἵνα ἐν αὐτοῖς περιπατήσωμεν (Eph 2, 10d).

ἐπὶ ἔργοις ἀγαθοῖς in V. 10: Da ihre nicht heilsschaffende Funktion klargestellt ist, kann vorbehaltlos von der Verpflichtung zu "guten Werken" gesprochen werden.

Stärker als bei P der Zusammenhang von Rechtfertigung und Taufe gesehen werden konnte[102], ist das Heilsverständnis des Eph sakramental begründet. So haben Eph 1,13 oder das Liedfragment in 5,14 wahrscheinlich ihren Sitz im Leben in der Taufe[103], und auch Eph 5,26 spricht von der Heiligung und Reinigung der Kirche "durch das Bad des Wassers im Wort". In dieselbe Richtung weist auch die Transformation der Rechtfertigungssätze aus ihrem thesenhaft theologischen Charakter bei P[104] zu einer liturgisch-homiletischen Anrede mit ὑμεῖς und ἡμεῖς[105]. Das bedeutet, daß sich für den Eph das Geheimnis der Erlösung nicht allein im Bereich rational theologischer Argumentation aussprechen kann, sondern der Ergänzung durch den symbolisch feiernden Vollzug in der Liturgie bedarf. Neben einer Verschiebung im Ort des Verständnisses weist diese Transposition des Kontextes der Rechtfertigungslehre im Eph auf eine merklich weiter fortgeschrittene Zeit der Kirche hin, als sie die Situation des pln Durchbruchs darstellt.

b) Das Erlösungsverständnis der Past

Die Rechtfertigungstexte der Past zeigen eine doppelte Affinität. Einerseits stehen sie in enger Beziehung zu Denken und Sprachgebrauch des Eph, anderseits greifen sie über den Eph hinaus auf authentisch pln Aussagen zurück[105a]. Analog zum Eph formulieren die Past das Heilsgeschehen mit einem Satz, dessen Tiefenstruktur sich nach 2 Tim 1,9 und Tit 3,5 mit ὁ θεὸς ἔσωσεν ἡμᾶς darstellen läßt. Das Subjekt des Heilshandelns ist an beiden Stellen Gott[106], obwohl sonst in den Past der Titel σωτήρ sowohl von Gott als auch von Christus ausgesagt wird[107]. Inhaltlich steht dieses σώζειν in 2 Tim 1,9 synonym mit καλέσαντος κλήσει ἁγίᾳ , wobei die etymologische Figur mit καλ - κλη primär das anfängliche Ergehen des göttlichen Rufes und nicht die Vollendung des Heiles meint. Die Apposition ἁγίᾳ bei κλήσει bestimmt das Mysterium des Rufes näherhin von der Heiligkeit

---

102) Vgl. dazu KERTELGE, Rechtfertigung 246ff.

103) Vgl. H.SCHLIER, Der Brief an die Epheser, Düsseldorf 1957, 240.

104) Vgl. Röm 3,28; Gal 2,16.

105) Vgl. Eph 2,1.3.5.11.13.

105a) Vgl. dazu auch LUZ, Rechtfertigung 376.

106) Vgl. das vorausgehende θεός in 2 Tim 1,8; Tit 3,4.

107) Vgl. 1 Tim 1,1; 2,3; 4,10; Tit 1,3; 2,10; 3,4 von Gott; in 2 Tim 1,10; Tit 1,4; 2,13; 3,6 von Christus. Vgl. dazu BROX, Past 232.

Gottes her, deutet aber auch ihre menschlich sichtbare, sakramentale Komponente an, ein Gedanke, der in Tit 3, 5 dann ausführlich begegnet. In diesem
Heilsverständnis kann entgegen dem σεσφσμένοι des Eph die Erlösung deutlich als historisches Faktum gesehen werden[108]. Die Präpositionalphrase
des Satzes von der Rettung heißt in 2 Tim 1, 9 διὰ λουτροῦ παλιγγενεσίας
καὶ ἀνακαινώσεως πνεύματος ἁγίου, sie bedeutet eine Rettung "durch
das Bad der Wiedergeburt und durch die Erneuerung, die der Heilige Geist
wirkt"[109]. Der im NT - bis auf Mt 19, 28 - singuläre, wahrscheinlich aus
den Mysterienreligionen stammende[110] Ausdruck παλιγγενεσία[111] um-
schreibt zusammen mit ἀνακαίνωσις die Wirkungen der Neuschöpfung, die
sich aus dem Taufbad ergeben. Stärker als bei P[112] und auch im Eph werden in den Past Gottes rettender Ruf und das Taufsakrament zusammengese-
hen[112a]. Dies darf vielleicht auch als ein Hinweis darauf gelten, daß nach
der Bereinigung der Beschneidungsfrage, anläßlich deren sich die pln Rechtfertigungslehre artikulierte, in der Zeit der Past bereits der christliche Tauf-
ritus - mehr als noch bei P -, einen festen Platz im theologischen Denken
gewonnen hat. Die Frage des Heils stellt sich jetzt für die Christen in Verbindung mit der Taufe, zu der die Beschneidung keine ernstliche theologische
Konkurrenz mehr darstellen kann.

---

108) Vgl. ἔσωσεν in Tit 3, 5. Vgl. auch die schwerfällige Partizipial-
      konstruktion θεοῦ τοῦ σώσαντος κ.τ.λ. (2 Tim 1, 8ff.).

109) In dieser Ausdrucksweise Taufe und Firmung auseinanderzureißen,
      besteht allerdings kein Anlaß. Vgl. dazu J.DEY, ΠΑΛΙΓΓΕΝΕΣΙΑ.
      Ein Beitrag zur Klärung der religionsgeschichtlichen Bedeutung von
      Tit 3, 5, NTA 17/5, Münster 1937, 136. D.L.NORBIE, The Washing
      of Regeneration: EvQ 34(1962) 36-38, hingegen möchte den Akzent we-
      niger auf der Taufe als am Wirken des Heiligen Geistes sehen. Eine
      zu deutliche Unterscheidung und Akzentuierung auf der einen oder
      anderen Seite ist jedoch problematisch, weil der Text das "Bad der
      Wiedergeburt" mit der "Erneuerung des Heiligen Geistes" durch ein
      einfaches "und" verbindet.

110) Vgl. DIBELIUS-CONZELMANN, Past 111ff.

111) Vgl. DEY, ΠΑΛΙΓΓΕΝΕΣΙΑ 133-139.

112) DEY vermag nicht genügend zu nuancieren, da er die Aussagen der
      Past unmittelbar neben die des P stellt. Ähnliches gilt auch von R.
      SCHNACKENBURG, Das Heilsgeschehen bei der Taufe nach dem
      Apostel Paulus. Eine Studie zur paulinischen Theologie, MThS 1/1,
      München 1950, 250.

112a) Vgl. auch F.HAHN, Taufe und Rechtfertigung. Ein Beitrag zur paulini-
      schen Theologie in ihrer Vor- und Nachgeschichte, in: Rechtfertigung,
      (Fs. E.KÄSEMANN), Tübingen-Göttingen 1976, 95-124; 95ff, 103f.

Trotz der stärkeren Verknüpfung der Heilsaussagen mit der Tauftheologie sind die pln Wendungen wie οὐκ ἐξ ἔργων und δικαιωθῆναι aufgenommen, letztere sogar über das Verständnis des Eph hinausgehend in direktem Rückgriff auf P. Die Werke allgemein, nicht nur "Werke des Gesetzes", womit die Past der Transformation des Eph folgen, können keinen kausalen Beitrag zu Gottes Rettertat leisten. Die pln-nachpln Negation der Werke οὐκ ἐξ ἔργων ist aber sogar noch weiter verschärft durch den Zusatz τῶν ἐν δικαιοσύνῃ ἃ ἐποιήσαμεν ἡμεῖς. Die Deutung des hier unvermittelt auftretenden Begriffs der δικαιοσύνη bereitet Schwierigkeiten[113], weil sie einerseits die natürliche Gerechtigkeit als Rechtschaffenheit meinen kann, anderseits aber bereits so sehr in der Nähe des eindeutig pln verstandenen δικαιωθέντες von Tit 3, 7 steht, daß auch für δικαιοσύνη in V. 5 die pln Bedeutung wenigstens konnotiert gesehen werden darf. Der pln orientierte Begriff hat in den Past jedoch eine andere Satzstellung und Funktion als bei P. Die Negation von "Werken, die wir in Gerechtigkeit taten" (V. 5), radikalisiert die Aussage gegenüber der pln Negation οὐκ ἐξ ἔργων in auffallender Weise. Nicht nur Werke allgemein werden für das Heil negiert, sondern sogar Werke, die wir "in Gerechtigkeit" taten. Auch solche Werke haben keinen ursächlichen Charakter für unsere Erlösung, sondern der Maßstab[114] des Handelns Gottes liegt allein in seinem Erbarmen[115], in seinem Heilswillen (πρόθεσις) und in seiner Gnade (χάρις 2 Tim 1,9). Die Negation der Werke steht hier in Analogie zu P, allerdings nicht in einer den authentischen Briefen oder auch dem Eph entsprechenden Formulierung mit ἐξ, sondern mit der von den Past selbst bevorzugten Konstruktion mit κατά[116]: οὐ κατὰ τὰ ἔργα ἡμῶν (2 Tim 1,9). Die Werke sind kein Maßstab (vgl. κατά) für das Ergehen des göttlichen Heiles und der Berufung. Die Rettung hat vielmehr (ἀλλά) ihr Maß in Gottes Heilswillen und seiner Gnade: κατὰ ἰδίαν πρόθεσιν καὶ χάριν (V. 9).

Diese Formulierung berührt sich wieder mit P: Auch P konnte in der Frage nach dem Heil Israels die Ausschließlichkeit der göttlichen Prädestination ohne Werke mit einem ähnlichen Gedanken ausdrücken, wonach Jakobs Erwählung vor Esau noch vor ihrer Zeugung und vor ihren guten und schlechten Taten erfolgte, ἵνα ἡ κατ' ἐκλογὴν πρόθεσις τοῦ θεοῦ μένῃ, οὐκ ἐξ ἔργων ἀλλ' ἐκ τοῦ καλοῦντος (Röm 9,11f.). Aber auch ohne unmittelbaren Kon-

---

113) Vgl. DEY, ΠΑΛΙΓΓΕΝΕΣΙΑ 137f.

114) Vgl. auch κατά in Tit 3, 5b.

115) Vgl. ἔλεος (Tit 3, 5b). Einen förmlichen Kommentar zu ἔλεος bildet auch das P-Bild von 1 Tim 1,13, nach welchem P gerade als früherer Verfolger Erbarmen gefunden hat (ἠλεήθην).

116) Vgl. κατὰ ἰδίαν πρόθεσιν (2 Tim 1,9), und κατὰ... ἔλεος (Tit 3, 5).

text der Werke findet sich die Frage nach der göttlichen Berufung bei P in
Röm 8,28 in einer ähnlichen Wendung: πάντα συνεργεῖ (sc. ὁ θεός[117])
εἰς ἀγαθὸν τοῖς κατὰ πρόθεσιν κλητοῖς οὖσιν.
Die nachpln Tradition greift durchaus auf den pln Sprachgebrauch zurück, sie
löst sich jedoch aus der pln Kontroverse von Gesetzeswerken und dem Glauben an Christus, beschreibt aber dafür um so nachdrücklicher das Mysterium
der Gnadenwahl Gottes. Die vor allem geschichtstheologische Frage
des P nach dem Heil und der Verstockung Israels (Röm 9-11) oder die pln
Fragestellung nach Heil und Verwerfung[118] überhaupt werden nicht mehr in
der Weise des P weitergedacht, aber die von ihm erklärte Antithese zu den
Werken bleibt erhalten, ja die Ausschließlichkeit der göttlichen Gnade
wird durch die Einbringung der zeitlichen Kategorie sogar verschärft: Gottes Gnade kann ihren Maßstab schon rein deswegen gar nicht an unseren Werken
nehmen, weil unsere Erwählung zum Heil in Christus bereits vor Grundlegung
der Welt erfolgte, wie die hymnische Danksagung des Eph formuliert[119]. Auch
die Past sprechen neben der Rettung durch das Bad der Wiedergeburt (Tit 3,5)
in einer sich an P[120] und Eph[121] anlehnenden Formulierung von der Gnade,
die uns in Christus Jesus bereits vor ewigen Zeiten gegeben wurde (vgl. 2
Tim 1,9c), doch jetzt durch die Epiphanie unseres Erlösers Christus sichtbar
wurde (V. 10), was den logischen Gegensatz von Gnade und Werken durch
die temporale Kategorie ausdrückt. In dieser Sicht der schon von Ewigkeit
her gegebenen Heilsgnade dürfte sich das genuine Verständnis der Past aussprechen.
Daneben nimmt Tit 3,5ff. aber auch das pln δικαιοῦσθαι auf und spricht
von der Rettung durch das Bad der Wiedergeburt: ἵνα δικαιωθέντες τῇ
ἐκείνου χάριτι κληρονόμοι γενηθῶμεν κατ' ἐλπίδα ζωῆς αἰωνίου
(Tit 3,7).
An der pln Herkunft und auch an der pln Verwendung von δικαιοῦσθαι
in diesem Zusammenhang wird nicht zu zweifeln sein[122]. Der Text sagt in
einer originär pln Formulierung dasselbe noch einmal, was mit ἔσωσεν ἡμᾶς
bereits ausgesprochen ist. Die Rettung und Rechtfertigung sind in diesem Zusammenhang nicht deutlich zu unterscheiden oder zu trennen, selbst wenn die

---

117) So ausdrücklich die Lesart von p^{46} A B u.a. in Röm 8,28.

118) Vgl. z.B. 1 Kor 1,18.

119) Vgl. Eph 1,3-14; bes. V. 4. Vgl. auch 1,5.11.

120) Vgl. Röm 12,3.6; 15,15; 1 Kor 1,4; 3,10.

121) Vgl. Eph 3,2.7. Vgl. auch Eph 4,7.

122) Gegen DIBELIUS-CONZELMANN, Past 113. Auch HOLTZMANN, Past
498f, überfordert den Text. Vgl. BROX, Past 309. Anderes gilt für
das aus nichtpln Tradition stammende ἐδικαιώθη in 1 Tim 3,16.
Vgl. auch S. 187.

in Christus geschenkte Gnade[123] einmal von der vorzeitigen, ewigen Seite Gottes her und einmal in ihrem in der Taufe wirksamen Aspekt gesehen wird. Auch das δικαιωθέντες läßt sich innerhalb des kerygmatischen Kontextes nicht in ein zeitliches Nacheinander zu σώζειν einordnen, sondern beschreibt nur die Folge, die sich aus der Rettung, die auch mit P als Rechtfertigung ausgesprochen werden kann, ergibt: ἵνα... κληρονόμοι γενηθῶμεν κατ᾽ ἐλπίδα ζωῆς αἰωνίου. Die Zuordnung der Rechtfertigung und des absoluten κληρονόμος besagt in der pln Literatur[124] die Folge der Rechtfertigung in der Sohnschaft. Die Past verstehen die ζωὴ αἰώνιος als das endgültige Ziel der Erlösung und sie richten ihr Augenmerk stärker auf das Erbgut als wie P auf das Erbrecht.

c) Die Rechtfertigungssätze im Kontext der Past

Die Tradition der pln Rechtfertigungslehre steht an jeweils exponierten Stellen in den Past. Im 2 Tim begegnet sie im Kontext der Danksagung, innerhalb derer der nachpln Amtsträger aufgefordert wird, entgegen der Furcht das Charisma zu entfalten (vgl. 2 Tim 1, 6f.). Angesichts des Zeugnisses des Herrn und des gefangenen P soll er mit dem Evangelium mitleiden (V. 8). Der folgende V. 9 bringt den Inhalt des Evangeliums zur Sprache, um damit die Bereitschaft zum Mitleiden zu motivieren: Christus Jesus hat den Tod zerstört und das Leben und die Unvergänglichkeit durch das Evangelium ans Licht gebracht (v. 10). Für diese Botschaft wurde P zum Apostel bestellt (V. 11), aus diesem Grund leidet er auch (V. 12a) im Vertrauen darauf, daß "er" (sc. Gott oder Christus) sein anvertrautes Gut bewachen werde (V. 12d). In dieser Paränese spricht sich die mahnende Hoffnung aus, daß das pln Evangelium, wie es die nachpln Tradition sieht, bis zur zweiten Epiphanie erhalten bleiben werde. Jedenfalls ist das pln Evangelium für den nachpln Amtsträger als "Muster" oder "Vorbild gesunder Worte" einzuschätzen und als "gutes anvertrautes Gut" zu bewahren (vgl. V. 13f.). Gerade im Kontrast zur Verlassenheit des P (V. 15) gewinnt diese Paränese zur P-Nachfolge ins Leiden und zum Festhalten des pln Evangeliums ihren besonderen Sitz im Leben. Sie fordert zur Weitergabe dessen auf ἃ ἤκουσας παρ᾽ ἐμοῦ διὰ πολλῶν μαρτύρων (2 Tim 2, 2). Die übliche Deutung des διά auf die Anwesenheit von Zeugen[125] bei der Ordination des Timotheus durch P verabsolutiert jedoch den Aspekt einer Projektion zeitgeschicht-

---

123) Vgl. 2 Tim 1, 9 und Tit 3, 7. Das ἐκείνου in Tit 3, 7 bezieht sich wohl auf Christus.

124) Vgl. Röm 4, 13f; 8, 17; Gal 3, 29; 4, 7.

125) Vgl. BAUER, Wörterbuch 258f. Ihm folgen die meisten Ausleger.

licher Vorgänge in die Zeit des P. Bezeichnet διά aber hier - wie meist in den Past - die Vermittlung, dann wäre eigentlich von pseudepigraphen Voraussetzungen her besser zu übersetzen: "Was du von mir durch viele Zeugen gehört hast...", womit bereits auf eine längere P-Tradition zurückgeblickt würde. Diese P-Tradition jedenfalls ist zuverlässigen Menschen weiterzugeben, welche ihrerseits wieder imstande sein sollen, andere zu lehren (2 Tim 2,2). An diese Darstellung des pragmatischen Aspektes von 2 Tim und der Past überhaupt schließt sich zusammenfassend wieder die Mahnung συγκακοπάθησον (2 Tim 2,3; vgl. auch 1,8).

Der zweite Text der pln Rechtfertigungslehre steht innerhalb der S c h l u ß p a - r ä n e s e des Tit. Die Aufforderung zur Unterordnung unter die Herrschergewalten, die Bereitschaft zu jedem guten Werk und das irenische Verhalten gegenüber allen Menschen (Tit 3,1f.) werden mit der Güte Gottes gegenüber uns Unerlösten (V. 3f.) motiviert[126]. Hier ist die p l n R e c h t f e r t i g u n g s - l e h r e in einem analogen Sinn a u f d i e c h r i s t l i c h e E t h i k u m g e l e g t. So wie Gottes Güte und Menschenfreundlichkeit nicht in unseren Werken, auch nicht in den gerechten, ihre Ursache hat, so müssen sich die Christen in ihrem Verhalten gegenüber der Staatsgewalt und in ihrer Nachgiebigkeit und Sanftmut gegen alle Menschen auch ohne besondere Voraussetzungen oder Gegenleistungen bewähren (vgl. V. 1f.). Die folgende Beschreibung unseres unerlösten Zustandes bildet nicht nur den Hintergrund der göttlichen Rettung ούκ έξ έργων, sondern auch das Motiv jener Konkretionen, in denen sich christliches Handeln als solches erweisen muß. Den Abschluß dieser allgemeinen Paränese, als deren theologische Begründung die pln Rechtfertigungslehre fungiert, bildet die Zitations- und Beteuerungsformel πιστὸς ὁ λόγος (V. 8): Dafür soll der Adressat nach dem Willen des pseudepigraphen P Zeugnis ablegen, damit die an Gott Glaubenden danach trachten, sich um gute Werke zu sorgen: καλῶν ἔργων προΐστασθαι [127] (V. 8c).

Es verbindet die Past s a c h l i c h durchaus schon mit der pln Literatur[128], s p r a c h l i c h aber mit den Formulierungen des Eph (vgl. Eph 2,10), wenn bei der Betrachtung des göttlichen Heiles die menschlichen Werke zunächst gänzlich ausgeschlossen werden, danach aber ganz unbekümmert von den "guten Werken"[129] oder vom "guten Werk"[130] gesprochen wird. Auffällig gegenüber P

---

126)   Vgl. S. 143f.

127)   Vgl. auch Tit 3,14. In 1 Tim 3,4f.12; 5,17 ist προΐστασθαι im Sinne von 'vorstehen' verwendet.

128)   Vgl. Phil 2,12f.

129)   Vgl. 1 Tim 2,10; 5,10.25; 6,18; Tit 2,7.14.

130)   Vgl. 1 Tim 3,1; 2 Tim 2,21; 3,17; Tit 1,16; 3,1.8.14.

190

und dem Eph aber ist der besondere Schwerpunkt, der in den Past auf dieser Verbindung liegt: Nachdem die Berufung zum Glauben ohne den Beitrag der Werke sichergestellt ist, ist um so mehr von der Verpflichtung zum "guten Werk" die Rede. Denn die Erwartung der Christen blickt nach und trotz der Erkenntnis der Berufung nicht nach Werken auch auf die zweite Ankunft Christi und auf die Zukunft des Heils. Die dabei geforderten guten Werke erhalten allerdings nicht nachträglich wieder einen zuerst negierten Stellenwert, was sich auch darin zeigt, wie von diesen Werken gesprochen wird: Die guten Werke sind der "Schmuck" der Frauen, welche sich zur Gottesverehrung bekennen (vgl. 1 Tim 2,8ff.); auch das Anstreben des Episkopendienstes ist ein "gutes Werk" (1 Tim 3,1), wie jeder "Gottesmann" "zu jedem guten Werk ausgerüstet" sein muß (2 Tim 3,17)[131]; "Reichsein in guten Werken" schafft ein gutes Fundament für die Zukunft, um das wahre Leben zu ergreifen (1 Tim 6,18f.); die Selbsthingabe Christi zur Erweckung und Heiligung seines auserwählten Volkes macht dieses zum "Eiferer guter Werke" (Tit 2,14); die Qualität der Werke wird offenbar (vgl. 1 Tim 5,24f.) und ist der Maßstab der zukünftigen Vergeltung durch den Herrn, wie es mit einer traditionellen[132], auch P geläufigen[133] Formulierung in 2 Tim 4,14 heißt. Die pln Rechtfertigungslehre hebt zwar auch in den Past nicht die Frage des Gerichtes auf, aber durch den nicht mehr heilsbewirkenden Stellenwert der Werke ist auch der Weg für eine unproblematische Einschätzung der "guten Werke" freigeworden. So gesehen ist HOLTZMANNs Urteil richtig, daß gerade die in der P-Tradition stehenden Past es waren, "welche Begriff und Namen der 'guten Werke' in die Kirchenlehre und Kirchensprache recht eigentlich eingeführt haben."[134] Bezeichnenderweise geschieht dies jedoch im Zusammenhang und Kontext der festgehaltenen und transformierten pln Rechtfertigungslehre.

Daß der eigentliche Ausgangspunkt der pln Kontroverse schon merklich zurückliegt, zeigt sich nicht nur in der konsequenten Tilgung des νόμου bei οὐκ ἐξ ἔργων, sondern findet seine Bestätigung auch an anderen Stellen:

Nach dem Statement zum Gesetz und einer an sich ganz pln klingenden Formulierung wie οἴδαμεν δὲ ὅτι καλὸς ὁ νόμος in 1 Tim 1,8, die fast als Wiederaufnahme von Röm 7,14.16 erscheint, wäre eigentlich mehr Auseinandersetzung mit der pln Gesetzeskritik zu erwarten, doch ist die pln Fragestellung

---

131)   Vgl. auch Tit 3,8.

132)   Vgl. 2 Sam 3,39; Ps 28,4; 62,13; Spr 24,12.

133)   Vgl. Röm 2,6.

134)   Vgl. HOLTZMANN, Past 181.

nicht mehr die des pseudepigraphen Autors[135]. Seine Attacke
auf nicht näher definierte νομοδιδάσκαλοι spiegelt höchstens das Bewußtsein,
daß die pln Auseinandersetzung ursprünglich mit dem Judentum zu tun hatte,
wie auch sonst die Polemik einige Male in die jüdische Richtung weist[136].
Doch außer der Polemik gegen Menschengebote und Reinheitsvorschriften (Tit
1,14f.) erinnert in den Past nichts mehr an den jüdischen Hintergrund der pln
Kontroverse. So kommt es zur Aussage: "Wir wissen, daß das Gesetz gut ist,
wenn es einer nur gesetzentsprechend[137] gebraucht." (1 Tim 1,8) P hatte
die Güte des Gesetzes bedingungslos ausgesprochen, um damit nur noch
radikaler das menschliche Unvermögen zu betonen, in Fleisch und Sünde das
Gute zu vollbringen (vgl. Röm 7,14-25). 1 Tim 1,8 greift ebenfalls auf den allgemein anerkannten Grundsatz von der Güte des Gesetzes zurück, stellt ihn
allerdings unter die Bedingung des sinngemäßen Gebrauchs. Nicht die theo-
logisch-anthropologische Frage des P ist wieder aufgenommen, sondern in pln
klingenden Sätzen bekundet sich das vordringlich pragmatische Interesse
der Past. νόμος ist für die Past zunächst das Gesetz im ganz allgemeinen
Sinn. Es zeigt seine Güte erst in der "gesetzentsprechenden" Anwendung. Im
Blick auf den Kontext geht es hier weniger um Fragen einer sinnvollen Interpretation des Gesetzes[138] als um das Ziel der Unterweisung, das in der
praktischen Verwirklichung des Glaubens besteht (vgl. V. 5), nicht in Leer-
rede und Gesetzeslehre (V. 6f.), sondern in "gesetzentsprechendem" Tun.
Dieser "gesetzentsprechende" Gebrauch des Gesetzes ist durch das Wissen ermöglicht[139], daß für[140] einen Gerechten das Gesetz gar nicht gegeben ist,
sondern für Ungesetzmäßige und Ähnliche (V. 8). Diese Feststellung hat nichts
mit der pln Überlegung zu tun, daß der Gerechtfertigte nicht mehr nach dem
Gesetz, sondern aus dem Glauben lebe (vgl. Gal 3,11f; Röm 1,17[141]), oder
daß das Gesetz eigentlich dazu gegeben sei, um die Sünde einzudämmen (vgl.
Röm 7,7), sondern hier spricht sich nur die erstaunlich selbstverständliche

---

135) Vgl. bereits SCHLEIERMACHER, 1 Tim 155ff. Vgl. auch BARNETT,
Paul 254; JEREMIAS, Past[11] 5. Vgl. auch E.ALEITH, Paulusverständnis in der alten Kirche, BZNW 18, Berlin 1937, 15f.

136) Vgl. Tit 1,10.14f; 3,9. Vgl. S. 165f.

137) Vgl. die Paronomasie νόμος - νομίμως (1 Tim 1,8).

138) Anders BROX, Past 104ff.

139) εἰδὼς τοῦτο in V. 9 kann sich grammatisch nur auf τις in V. 8
beziehen.

140) δικαίῳ(V. 9b) ist entweder als Dativus commodi oder incommodi zu
verstehen.

141) Gegen SPICQ, Past 332. Ähnlich DORNIER, Past 39, unter Hinweis
auf Gal 2,19; 5,18.

und allgemeine[142] Feststellung aus, daß der Rechtschaffene offensichtlich auch ohne Gesetz das Richtige zu tun weiß. Dem entspricht auch der folgende Lasterkatalog (1 Tim 1, 9f.), der in vierzehn, dem Dekalog folgenden Beispielen die Stoßrichtung eines so verstandenen Gesetzes aufzeigt.

Zusammenfassung

Die Past zeigen das Bestreben, neben der Verlängerung des pln Amtes auch den grundlegenden theologischen Ansatz des P in nachpln Zeit beizubehalten. Es gehört zu ihrem entscheidenden und unbestreitbaren Verdienst, die pln Rechtfertigungslehre in die nachpln Kirche und Theologie überhaupt e i n g e t r a g e n zu haben[143]. Dies freilich war nur unter Transformation und Interpretation der pln Sätze möglich. Neben der geschichtlich bedingten Änderung und Entschärfung des pln Ansatzes zeigen sich in den Past aber auch deutliche Tendenzen zu einer Ausweitung und Radikalisierung der pln Thesen. Wie schon bei P so stellt auch die transformierte pln Rechtfertigungslehre der Past einen wichtigen Impuls des ethischen Handelns dar.

3. Christologie

Vorbemerkung

Eines der eigenartigsten Phänomene der Past ist ihre Christologie. Ihre so programmatische Ausrichtung an P in der Pseudepigraphie kontrastiert mit der Tatsache, daß sie sich gerade in dieser zentralen Frage deutlich von P unterscheiden. Freilich sind die Darstellung und Beurteilung dieses Problemkreises dadurch erschwert, daß die Christologie der Past vor allem eine T i t e l christologie ist, was die Vergleiche wieder erheblich verunsichert.

---

142) Vgl. die Belege bei SPICQ, Past 332.

143) Vgl. dazu auch F.MUSSNER, Die Ablösung des apostolischen durch das nachapostolische Zeitalter und ihre Konsequenzen, in: Wort Gottes in der Zeit, (Fs. K.H.SCHELKLE), Düsseldorf 1973, 166-177; 172.

a) Titelchristologie

1) Χριστὸς Ἰησοῦς - σωτήρ

Die authentische Christologie des P findet verschiedenste Ausdrucksformen. Neben der Übernahme traditioneller Christologie bietet P selbst ein breites Spektrum christologischer Aussagen: Er beschreibt Christus unter dem Bild des Felsens (vgl. 1 Kor 10,1-5), als Bild und Ebenbild Gottes (vgl. 2 Kor 3,18f; 4,4-6), oder mit Hilfe der Adam-Christus-Typologie (vgl. Röm 5,12-21; 1 Kor 15,22.45)[144]. Auch in der Verwendung der christologischen Titel zeigt P eine große Beweglichkeit. Er spricht einfach von Ἰησοῦς oder Χριστός[145] oder verwendet abwechselnd die Kombinationsformen Ἰησοῦς Χριστός[146] und Χριστὸς Ἰησοῦς[147]. Die Past dagegen haben eine wesentlich einfachere Christologie, wie sich bereits in der Verwendung der christologischen Titulatur zeigt. Die Past bevorzugen als Christustitel eindeutig die Verbindung Χριστὸς Ἰησοῦς[148] vor Ἰησοῦς Χριστός[149], wobei es sich bei der letzteren Formulierung um einen traditionellen Sprachgebrauch handeln dürfte. Während die Nachordnung von Χριστός in der Doppelbezeichnung Ἰησοῦς Χριστός noch für eine gewisse Kenntnis des Χριστός-Titels in seiner Messiasfunktion sprechen dürfte, zeigt sich in der fast ausschließlichen Verwendung von Χριστὸς Ἰησοῦς, daß diese Bezeichnung förmlich als Doppelname verstanden wurde[150]. In diesem Christustitel der Past scheint sich eine spätere Zeit auszusprechen, die Χριστός nicht mehr als die Übersetzung von מָשִׁיחַ empfinden konnte[151].

Die Erstarrung des Titels Χριστός in den Past zu einem bloßen Beinamen wird jedoch durch eine andere Entwicklung aufgewogen, die wiederum nur im griechischen Sprachgebrauch möglich ist. Die Past zeigen eine besondere Vor-

---

144)   Vgl. A.FEUILLET, Christologie paulinienne et tradition biblique, Paris 1973, 11-48.

145)   Ohne Artikel 126 mal, ὁ Χριστός 79 mal. Nach SPICQ, Past 245 Anm.5

146)   Vgl. z.B. Röm 1,6.7.8; 3,22 u.a.

147)   Vgl. Röm 1,1; 3,24; 6,3.11.23 u.a.

148)   26 mal.

149)   4 mal. Vgl. 1 Tim 6,3.14; 2 Tim 2,8; Tit 1,1.

150)   Vgl. F.HAHN, Christologische Hoheitstitel, 2.Aufl. Göttingen 1964, 223ff.

151)   Vgl. LEMAIRE, Epistles 36. Anders jedoch in 1 Tim 1,15, wo der Satz Χριστὸς Ἰησοῦς ἦλθεν κ.τ.λ. noch ein Wissen um die inhaltliche Bedeutung des Christusnamens andeuten dürfte. Vgl. W.GRUNDMANN, Art. χρίω κ.τ.λ, : ThWNT 9, 518-576; 555.

liebe für den Titel σωτήρ, den sie gleichermaßen auf Gott und Christus an- wenden[152]. In seiner spezifischen Christusbezeichnung setzt dieser Titel ur- sprünglich die Kenntnis der Wortbedeutung von יָשַׁע? und seiner Übersetzungsmöglichkeit ins Griechische mit σωτήρ bzw. σώζειν voraus. Wie Phil 3, 20 zeigt, ist dieser griechische Christustitel bereits vorpln und kann von P auf die zukünftige Erlösertätigkeit Christi bezogen werden (vgl. Phil 3, 20)[153]. Zwar ist der Titel σωτήρ als solcher schon vor und bei P bekannt, doch ist seine starke Verwendung und Entfaltung eine Eigenart des ausgehenden Ur- christentums[154], welche die Past besonders mit 2 Petr[155] teilen. Der Titel ist jedoch in den Past keineswegs eine "Leerformel", sondern hat durchaus eine inhaltliche Füllung[156]. In seiner Bedeutung allerdings ist der σωτήρ -Ti- tel in den Past - im Gegensatz zu P - stark von der atl. Gottesvorstellung her geprägt[157]. Er bezeichnet sowohl die schon geschehene Erlösertat (vgl. 2 Tim 1, 10; Tit 3, 4. 6) als auch die zukünftige Rettung (vgl. Tit 2, 13) und meint die Befreiung aus der Sünde[158], die Vernichtung des Todes und das Aufleuchten von Leben und Unsterblichkeit (vgl. 2 Tim 1, 10). Diese theologi- sche Füllung des Begriffes spricht auch dagegen, den σωτήρ-Titel der Past zu sehr im Zusammenhang oder Affront gegen den Kaiserkult zu sehen[159].

2) κύριος

Der bevorzugte Christustitel der Past ist jedoch der Titel κύριος, der in sei- ner Verwendung den echten Paulinen durchaus nahesteht[160]. Die Past ge-

152)   Vgl. S. 185. Vgl. dazu auch S. Ch. AGOURIDIS, Χριστολογία καὶ
       ὑγιαίνουσα διδασκαλία ἐν ταῖς ποιμαντικαῖς ἐπιστολαῖς,
       in: Ders., Biblika Meletemata 1, Thessaloniki 1966, 59-66; 61.

153)   Vgl. auch 1 Thess 1, 10, wo Christus als ὁ ῥυόμενος ἡμᾶς ἐκ τῆς
       ὀργῆς τῆς ἐρχομένης   bezeichnet wird.

154)   Vgl. O. CULLMANN, Christologie des NT, 5. Aufl. Tübingen 1975,
       248-252.

155)   Vgl. 2 Petr 1, 11; 2, 20; 3, 2. 18. In 2 Petr ist der σωτήρ -Titel - im
       Gegensatz zur alternierenden Verwendung von Gott oder Christus in
       den Past - nur auf Christus angewandt.

156)   Vgl. W. FOERSTER, Art. σώζω κ. τ. λ ,: ThWNT 9, 981-1022; 1017.

157)   Zur atl. Vorgeschichte vgl. K. H. SCHELKLE, Theologie des NT 2,
       Düsseldorf 1973, 217f.

158)   Vgl. ἵνα λυτρώσηται ἡμᾶς ἀπὸ πάσης ἀνομίας (Tit 2, 14).

159)   Gegen SPICQ, Past 251.

160)   Vgl. BROX, Past 161.

brauchen den Titel gleichermaßen von Gott und Christus. In den Wünschen und Segensformeln und traditionellen Wendungen steht κύριος absolut, d.h., es herrscht die Beziehung auf Gott vor[161], doch findet sich κύριος auch als Apposition zu Χριστός Ἰησοῦς[162], womit - wie schon bei P - der aus der LXX bekannte Gottesname auf Christus übertragen ist[163]. Neben der christologischen Würdebezeichnung an sich konnotiert der Titel in den Past auch einen konkreten Herrschaftsanspruch Christi gegenüber dem Apostel bzw. seinem Nachfolger[164].

3) μεσίτης - ἄνθρωπος

Singulär in den Past ist der Christustitel μεσίτης (1 Tim 2,5). Obwohl auch P diesen Begriff kennt (vgl. Gal 3,20), ist keine Abhängigkeit dieses Christustitels der Past von P gegeben. P verwendet μεσίτης in einem pejorativen Sinn[165]: Gegenüber der von Gott direkt an Abraham gegebenen Verheißung ist das Gesetz inferior, weil es durch Engel angeordnet ist und einen "Mittler" hat, nämlich Mose[166]. Für die Past ist - ähnlich wie in Hebr 8,6; 9,15; 12,24 - μεσίτης ein Hoheitstitel, der allein Christus vorbehalten ist, wie die ausdrückliche Betonung von εἷς im Anschluß an das Bekenntnis des einen Gottes zeigt (1 Tim 2,5). Die Mittlerschaft Christi ist dabei in einem zweifachen Sinn verstanden: als Mittlerschaft in der Selbsthingabe als Lösegeld und als Mittlerschaft im Zeugnis[167].

---

161) Vgl. z.B. die atl. Anklänge in 2 Tim 2,19c (Num 16,5); 2 Tim 2,19d (z.B. Lev 24,16; Jes 26,13; Jer 20,9); 2 Tim 4,14 (Ps 62, 13). Zur letzten Stelle vgl. auch ZEHRER, Psalmenzitate 263.

162) In 1 Tim 1,1.(2 mal) 2.12; 2 Tim 1,2 Χριστός Ἰησοῦς, in 1 Tim 6,3.14 Ἰησοῦς Χριστός.

163) C.C.OKE, A Doxology not to God but Christ: ET 67(1965) 367f, möchte sogar die nach der Traditionsgeschichte eindeutig auf Gott ausgerichtete Doxologie 1 Tim 1,17 auf Christus bezogen wissen.

164) Vgl. 1 Tim 1,12; 2 Tim 1,8.

165) Der positiven Deutung von R.BRING, Christus und das Gesetz. Die Bedeutung des Gesetzes des AT nach Paulus und sein Glauben an Christus, Leiden 1969, 78-106, kann ich nicht folgen.

166) Zur Auslegung und ihren Schwierigkeiten vgl. MUSSNER, Gal 248ff.

167) Vgl. S. 120.

Der Name des einen Mittlers wird mit ἄνθρωπος Χριστὸς ᾿Ιησοῦς (V.
5c) eingeführt. Dabei steht ἄνθρωπος so exponiert, daß darauf ein besonderer
Akzent liegt, welcher vom christologischen Kontext her wiederum als Hoheitstitel zu verstehen ist[168]. Dafür spricht auch der Zusammenhang dieser Tradition mit Mk 10,45 par[169], nicht mit Röm 5,15, wo ebenfalls vom ἄνθρωπος
᾿Ιησοῦς Χριστός die Rede ist. Als soteriologische Aussage betont ἄνθρωπος
die Menschenwürde und Menschlichkeit Jesu in seiner Selbsthingabe.
So wenig nun bei der Aufnahme christologischer Formeln im einzelnen auf
eine gegnerische Christologie - etwa hier auf einen möglichen Doketismus -,
geschlossen werden darf[170], so wenig bedeutet die Betonung des ἄνθρωπος
an dieser Stelle, daß neben "dem Bekenntnis zur einzigartigen Souveränität
Gottes... strenggenommen nur eine 'Adoptionschristologie' Platz" hätte[171].
Die Funktion der Formeln im Zusammenhang der Past liegt ja nicht in einer
systematischen Theologie bzw. Christologie, sondern sie versuchen, den
Heilswillen unseres Erlösergottes für die Rettung aller Menschen zu beschreiben, was unter Aufnahme verschiedenster, auch nichtpln Traditionsstücke geschehen kann.

Abgeschlossen wird diese inhaltliche Darstellung des Evangeliums (1 Tim
2,5f.) durch eine ausgesprochene P-Anamnese (V. 7). Die Zuordnung dieses
nicht spezifisch pln Kerygmas zur P-Anamnese kann kaum bedeuten, daß der
Autor der Past irrtümlicherweise P für den Schöpfer dieser Tradition hält,
wohl aber sieht er in solchen christologischen Formeln die apostolische und
speziell auch die pln Verkündigung in authentischer Weise ausgesprochen.
Was den auch sonst im kerygmatischen Bestand der Past anzutreffenden
Rekurs an nichtpln Traditionen anlangt, so dürfte das Urteil auf eine "nichtpln" oder "vorpln" Christologie[172] dem Sachverhalt nicht ganz gerecht wer-

---

168)   Zur Verbindung der Mittlervorstellung mit dem transzendenten Gott
       vgl. M.P.NILSSON, The High God and the Mediator: HThR 56(1963)
       101-120.

169)   Vgl. J.JEREMIAS, Das Lösegeld für Viele: Judaica 3(1947) 249-264;
       260. Danach ist 1 Tim 2,5f. die gräzisierte Version des in Mk 10,45
       semitisierend gefaßten Logion. Vgl. dazu auch BROX, Past 128.

170)   So richtig H.WINDISCH, Zur Christologie der Pastoralbriefe: ZNW
       34(1935) 213-238; 229. Vgl. auch STENGER, Christushymnus 255ff;
       HAUFE, Irrlehre 330.

171)   Gegen WINDISCH, Christologie 221. Vgl. auch die Nebeneinander-
       stellung von Gottes- und Christusbekenntnis bei P (1 Kor 8,6).

172)   So WINDISCH, ebd. 229, 236.

den. Die Verwendung der Glaubensformeln in den Past entspringt wohl demselben Prinzip wie bei P, die theologische Argumentation von den in den Gemeinden bekannten Traditionen her aufzubauen. Obwohl nun in der Handhabung der Tradition bei P und in den Past anerkannte Unterschiede bestehen[173], läßt sich auch aus der Einführung von Glaubensformeln im Rahmen der Past schließen, daß diese das christliche Glaubensbekenntnis im Umkreis des Autors oder der Adressaten darstellen. Das heißt im Falle von 1 Tim 2,5f, daß die Verwendung einer der synoptischen Tradition entsprechenden Formulierung auch auf eine Verbreitung der synoptischen Theologie und wohl auch schon der synoptischen Evangelien im Entstehungsraum der Past schließen läßt[174]. Der z.T. nichtpln Charakter speziell der Christologie der Past ist aber dann kein bewußter Rückschritt hinter die Christologie des P, welche besondere Züge dessen Christologie, etwa seine Präexistenzchristologie, ablehnen möchte, sondern ein Hinweis auf eine fortgeschrittene nachpln Zeit, in der sich verschiedene theologische Entwürfe durch ihre faktische Benützung in den Gemeinden langsam zu einem "Kanon" konstituieren. In dieser Situation orientiert sich die Christologie der Past keineswegs ausschließlich nur an P; sie ist aber auch keine programmatische im Sinne eines Ausgleichs verschiedener Theologien, sondern sie kann in "kanonisierender" bzw. "katholisierender" Tendenz ihr Glaubensbekenntnis in Formeln verschiedenster Herkunft aussprechen[175]. Der teilweise nichtpln Charakter der Past gerade auf dem Gebiet der Christologie stellt aber dennoch die Frage nach der Berechtigung ihrer pseudepigraphischen Vereinnahmung auch der nichtpln Theologie in ihren eigenen "pln" Rahmen. Diese Frage ist jedoch nicht nur im literarischen Vergleich der Past mit den authentischen Paulinen zu beantworten, weil die Briefe allein doch wohl kein vollständiges Bild frühchristlicher Gemeinden bieten können, auch nicht hinsichtlich der Christologie. Soweit es sich aber in den Past hier eindeutig um nichtpln Gut handelt, sind für den Autor der Past die Anfänge der Kirche so entscheidend mit P verbunden, daß er auch das in dieser nachpln Kirche rezipierte originär nichtpln Gut in seine pln Pseudepigraphie mit einbeziehen und so auch eine teilweise nichtpln Christologie als Wort und Brief des P aussprechen kann. Wie schon P auf die in den Gemeinden bekannten christologischen Traditionen zurückgreift[176], so

---

173)   Vgl. dazu etwa K.WEGENAST, Das Verständnis der Tradition bei Paulus und in den Deuteropaulinen, WMANT 8, Neukirchen 1962, 152-158, passim; A.STECKER, Formen und Formeln in den paulinischen Hauptbriefen und den Pastoralbriefen, Diss. typoprint. Münster 1968, 195ff, passim.

174)   Vgl. dazu auch 1 Tim 5,18; 6,3.

175)   Ob die Past damit richtigerweise als "synkretistisch" bezeichnet werden sollten, wie neuerdings bei SAND, Anfänge 218, muß fraglich bleiben.

176)   Vgl. etwa die Verwendung und Redaktion des vorpln Christushymnus in Phil 2,6-11 oder die Anspielung darauf in 2 Kor 8,9.

motivieren auch die Past mit Hilfe von allgemeinen christologisch-soteriologischen Formeln ihre kirchenordnende Tendenz.

b) ἐν Χριστῷ Ἰησοῦ

Die pln Formel ἐν Χριστῷ begegnet 9 mal in den Past als ἐν Χριστῷ Ἰησοῦ. Ihre Verwendung weicht deutlich vom pln Sprachgebrauch ab[177]. Während der Gebrauch der Formel im Eph gegenüber P um die Hälfte ansteigt, findet sich in den Past nur ein Sechstel des Gebrauches gegenüber dem Eph, d.h., also nur ein Drittel gegenüber P[178]. P verwendet die Formel ἐν Χριστῷ sehr häufig auf der p e r s o n a l e n Ebene, in den Past jedoch ist die Verbindung mit a b s t r a k t e n Nomina auffällig. J.A.ALLAN wertet das Fehlen einer "mystischen" Tiefe der Formel - außer in 1 Tim 1,14 -, und die Reduktion des pln Ausdrucksreichtums auf eine einzige stereotype Formel in den Past als ein evidentes Zeichen der nichtpln Verfasserschaft[179]. Doch so richtig die Erkenntnis des "formelhaften" ἐν Χριστῷ Ἰησοῦ in den Past auch ist, so problematisch ist es, allein den "mystischen" Gebrauch bei P zur sprachlichen und theologischen Vergleichsnorm zu erheben. Auch dem an sich formelhaften Gebrauch läßt sich in den Past aus dem Kontext heraus kaum eine schwerwiegende Verwendung absprechen:

So fügt 2 Tim 3,12 dem griechischen Ideal des εὐσεβῶς ζῆν die Wendung ἐν Χριστῷ Ἰησοῦ hinzu und verchristlicht damit eine hochstehende nichtchristliche Ethik[180]. Daß dies keinen leichtfertigen Kompromiß bedeutet, zeigt schon das Wissen darüber, daß allein der Wille zu einem ζῆν εὐσεβῶς ἐν Χριστῷ Ἰησοῦ (2 Tim 3,12) zur Verfolgung führt[181].
Mit besonderer Vorliebe und Häufigkeit fügen die Past die Formel ἐν Χριστῷ Ἰησοῦ mit dem G l a u b e n s b e g r i f f zusammen. Dem entspricht bei P ein äußerst seltener Sprachgebrauch, der allerdings dadurch bedingt ist, "daß die πίστις meint, was ἐν Χριστῷ zu bestimmen sucht"[182]. Beide Begriffe stehen bei P in einem tiefen, sachlichen Zusammenhang, so daß man fast von einer Tautologie sprechen könnte[183]. Die Past verbinden beide Begriffe

---

177) Vgl. J.A.ALLAN, The 'In Christ' Formula in the Pastoral Epistles: NTS 10(1963f.) 115-121.

178) Vgl. ebd. 116.

179) Vgl. ebd. 117.

180) Vgl. auch die Funktion von ἐν κυρίῳ bzw. τῷ κυρίῳ bei der Verchristlichung der Haustafelethik in Kol 3,20.23.24.

181) Vgl. πάντες... διωχθήσονται (2 Tim 3,12).

182) Vgl. F.NEUGEBAUER, In Christus. Eine Untersuchung zum paulinischen Glaubensverständnis, Göttingen 1961, 171.

183) Vgl. ebd. 173.

und sprechen von der πίστις ἐν Χριστῷ ᾿Ιησοῦ, von dem "in" und
"durch"[184] Christus Jesus ermöglichten Glauben. Dieser ist mit der "Liebe in Christus Jesus" verbunden, mit der Gnade des Herrn, die überreich
wurde (vgl. 1 Tim 1,14); mit der Gnade, die "in Christus Jesus" ist (vgl.
2 Tim 2,1) und schon von Ewigkeit her "uns in Christus Jesus gegeben wurde" (2 Tim 1,9); dieser Glaube "in Christus Jesus" ermöglicht den gut dienen-
den Diakonen "viel Freimut" (1 Tim 3,13) und führt zum Heil (2 Tim 3,15;
vgl. 2 Tim 2,10). Die Formel ἐν Χριστῷ ᾿Ιησοῦ hat in den Past einen
eindeutig soteriologischen Bezug und stellt den Versuch dar, in einer
pln Wendung die im Glauben ermöglichte Verbindung mit Christus bis in die
letzten Konsequenzen des Heiles und des Handelns hinein zu beschreiben. Bei
sprachlicher Stereotypie und statistisch eindeutig selteneren Gebrauch der
Formel darf jedoch hierin von einer sachlichen Übereinstimmung der Past mit
P und von einer bewußten Weitergabe der pln Soteriologie in den Past gesprochen werden[185].

c) ἐπιφάνεια

Ein wichtiger Terminus in der Christologie der Past ist ferner der Begriff
ἐπιφάνεια, mit dem sich die Past wieder charakteristisch von P unterscheiden. P verwendet den Begriff überhaupt nicht[186], wogegen das relativ
häufige Vorkommen in den Past auffällt[187]. ἐπιφάνεια stellt förmlich
ein "Lieblingswort"[188] der Past dar, mit dem sie über das sonst traditionell
formulierte Glaubensgut hinaus ihr eigenes christologisches Verständnis ausdrücken dürften.
In der Mehrzahl der Belege herrscht eine eindeutig eschatologische Aus-

---

184)   Das ἐν ist hier wohl wie bei P in seinem weitesten Sinn gebraucht
       und erlaubt keine Beschränkung auf einen lokalen oder instrumentalen
       Gebrauch.

185)   Vgl. NEUGEBAUER, In Christus 175 Anm. 1, welcher die Formel
       ἐν Χριστῷ ᾿Ιησοῦ in den Past ausschließlich im pln Sinn verwen-
       det sieht. Eine Ausnahme macht 2 Tim 3,12, wo von P her eher ἐν
       κυρίῳ zu erwarten wäre.

186)   Nur 2 Thess 2,8 spricht von τῇ ἐπιφανείᾳ τῆς παρουσίας αὐτοῦ,
       doch handelt es sich dabei wahrscheinlich wieder um ein Pseudepigra-
       phon.

187)   Vgl. den nominalen Gebrauch in 1 Tim 6,14; 2 Tim 1,10; 4,1.8;
       Tit 2,13 und die verbale Verwendung in Tit 2,11; 3,4.

188)   Vgl. PAX, ΕΠΙΦΑΝΕΙΑ 247.

richtung von ἐπιφάνεια vor, so in 1 Tim 6,14, wo im Anschluß an das Zeugnis Christi Jesu dazu gemahnt wird: τηρῆσαί σε τὴν ἐντολὴν... μέχρι τῆς ἐπιφανείας τοῦ κυρίου ἡμῶν. Diese Epiphanie, die noch aussteht, wird "zu eigenen Zeiten" Gott selbst zeigen (V. 15).
Auch die Beschwörung vor Gott und Christus Jesus, dem zukünftigen Richter, steht in bezug auf seine Epiphanie (vgl. 2 Tim 4,1ff.). Eindeutig eschatologische Orientierung zeigt auch 2 Tim 4,8, wo die Erwartung des Endlohnes bzw. der Vollendung der Gerechtigkeit[189] im Gericht für P und alle, "die seine Epiphanie liebgewonnen haben", gilt. Aber nicht nur im Hinblick auf das Gericht ist von der Epiphanie die Rede, sondern auch von der Erwartung der Epiphanie als einer Offenbarung "der Herrlichkeit des großen Gottes und unseres Erlösers Jesus Christus" (Tit 2,13).
Dagegen spricht 2 Tim 1,10 von der Epiphanie als einem gegenwärtigen oder vergangenen Faktum. Doch schon PAX hat darauf hingewiesen, daß es nicht richtig sei, den Epiphaniebegriff in 2 Tim 1,9ff. nur auf die Inkarnation zu beziehen[190], und dabei den "Entwicklungsgedanken" der Epiphanie in den Past hervorgehoben: "Sie gehört nicht nur der Vergangenheit an, sondern ist wesensmäßig auf die zweite Epiphanie ausgerichtet, die sie zu ihrer Enthüllung benötigt, da sie nur ein kurzes Aufleuchten war."[191]
Nur Tit 2,11 und Tit 3,4 blicken auf das Aufstrahlen der Erlösergnade (Tit 2,11) bzw. der Güte und Menschenfreundlichkeit unseres Erlösergottes (Tit 3,4) zurück, richten aber den Blick gleich wieder auf die endzeitliche Epiphanie (vgl. Tit 2,13) bzw. darauf, "daß wir Erben werden gemäß der Hoffnung ewigen Lebens" (Tit 3,7).
Trotz des Einschlusses der ersten Epiphanie, welche bei P nicht diese Rolle spielt[192], ist in den Past durchaus die Ausrichtung auf die zweite Ankunft Christi bestimmend, was besonders im Zusammenhang der Paränesen deutlich wird. Die Parusiehoffnung ist für die Past noch ein starkes Motiv christlichen Glaubens[193]. Diese Ausrichtung der Epiphanie auf die zweite Ankunft Christi bzw. die Bedeutung von ἐπιφάνεια als einem christologischen Grundbegriff der Past spricht auch gegen eine unmittelbare, polemische Beziehung

---

189) Vgl. ὁ τῆς δικαιοσύνης στέφανος in 2 Tim 4,8.

190) Vgl. PAX, ΕΠΙΦΑΝΕΙΑ 234.

191) Vgl. ebd. 234.

192) Vgl. auch ebd. 247.

193) Vgl. F.J.SCHIERSE, Eschatologische Existenz und christliche Bürgerlichkeit: GuL 32(1959) 280-291; 280. Vgl. auch A.STÖGER, Die Christologie der paulinischen und von Paulus abhängigen Briefe: ThJb(L) 1965, 279-299; 295.

des Epiphaniebegriffs der Past zum Kaiserkult[194]. Die Past blicken mit diesem Begriff trotz der starken Verantwortung für die Bewältigung der irdischen Wirklichkeit und Gegenwart auf die bis zur Epiphanie Christi noch ausstehende Zukunft des Heils[195]. Inhaltlich ist der im profangriechischen Gebrauch seltene Begriff der ἐπιφάνεια auf Grund der LXX und der jüdisch-hellenistischen Tradition auf die Heilserwartungen von Leben, Licht und Unsterblichkeit ausgerichtet[196]. Das zeigen auch die eindeutig religiösen Konnotationen und Verbindungen von ἐπιφάνεια mit φωτίζειν (2 Tim 1, 10) oder παιδεύειν (Tit 2, 11) und ihr Bezug zu κύριος (1 Tim 6, 14) und σωτήρ (2 Tim 1, 10; Tit 2, 11; 3, 4)[197].

d) Pln Kerygma (2 Tim 2, 8-13)

1) Christusbekenntnis 2 Tim 2, 8

2 Tim zeigt eine sehr enge Anlehnung an P, auch in seinem kerygmatischen Bestand. Die Aufforderung an den Apostelschüler zum Mitleiden unter dem Bild des guten Soldaten Christi Jesu (2 Tim 2, 3) erhält ihr Motiv in der Erinnerung an das pln Evangelium, das mit einer traditionellen, auch von P verwendeten Formel (vgl. Röm 1, 3-5) ausgesprochen wird:

Μνημόνευε Ἰησοῦν Χριστόν
            ἐγηγερμένον ἐκ νεκρῶν
            ἐκ σπέρματος Δαυίδ
κατὰ τὸ εὐαγγέλιόν μου   (2 Tim 2, 8).

Die Röm 1, 3f. zugrundeliegende Formel ist in ihrem Grundbestand vorpln[198], doch wie P in der Aufnahme und Erweiterung dieser Formel auch sein Evangelium aussprechen konnte, so sieht auch der Autor der Past darin eine mar-

---

194)   Gegen Ch. MOHRMANN, Epiphania: RSPhTh 37(1953) 644-670; 646-649; SPICQ, Past 240.

195)   Vgl. PAX, ΕΠΙΦΑΝΕΙΑ 247ff.

196)   Vgl. A. J. VERMEULEN, Le développement sémasiologique d'
        ΕΠΙΦΑΝΕΙΑ, et la fête de l'Épiphanie, in: GLCP 1, Nijmegen
        1964, 7-44; 19ff.

197)   Vgl. ebd. 17f.

198)   Vgl. dazu H. ZIMMERMANN, Ntl. Methodenlehre. Darstellung der
        historisch-kritischen Methode, 5. Aufl. Stuttgart 1976, 203-213, und
        die dort genannte Literatur.

kante Zusammenfassung gerade des pln Evangeliums. Daß er dabei nicht auf die vorpln Tradition zurückgreift, sondern die Formel in ihrer pln Redaktion kennt, liegt wohl schon allein aus der auch sonst im 2 Tim feststellbaren engen Anlehnung an den Röm nahe[199]. Die Auslegung dieser Glaubensformel in den Past hat deswegen auch der besonderen pln Tradition nachzugehen.

P hatte die Formel, welche ursprünglich den Wortlaut

(γενόμενος) ἐκ σπέρματος Δαυίδ
ὁρισθεὶς υἱὸς θεοῦ ἐξ ἀναστάσεως νεκρῶν

gehabt haben dürfte, dahingehend interpretiert, daß Jesus "sein (sc. Gottes) Sohn" (Röm 1,3) durch die Totenauferweckung als Gottessohn in Macht eingesetzt wurde[200]. Die pln Redaktion des vorpln Kerygmas setzt also den Akzent unter Beibehaltung des chronologischen Schemas von Menschwerdung und Auferstehung auf die mit der Auferstehung sichtbar gewordene entscheiden- de Stellung und Funktion Jesu. Auch die Past betonen innerhalb der Glaubens- formel besonders die Auferweckung, ohne jedoch dem besonderen Wortlaut der pln Redaktion zu folgen[201]. Sie nennen aber die Totenauferweckung noch vor der Inkarnation (2 Tim 2,8). Doch auch in dieser Erinnerung an den zen- tralen Inhalt des Evangeliums unterbleibt nicht das Bekenntnis zu Jesus Chri- stus als dem "aus dem Samen Davids" (V. 8b). Die Verwendung der tradi- tionellen Glaubensformel beinhaltet aber keinen ausdrücklichen Hinweis auf die jüdische Herkunft Jesu oder eine Hervorhebung seiner davidischen Abstam- mung als christologischen Hoheitstitel; vielmehr wird mit der tradi- tionellen bzw. pln Formel die menschliche Herkunft Jesu auch als des Auferstandenen festgehalten, was aber noch nicht heißt, daß die Formel in den Past nicht mehr verstanden würde[202]. Ähnlich wird auch in 1 Tim 2,5 vom "Menschen Christus Jesus" gesprochen, um seine wahre Hingabe für alle her- vorzuheben. Der Hinweis auf die Inkarnation erklärt sich an beiden Stellen

---

199) So ist 2 Tim 1,3-5 deutlich an Röm 1,8-11 orientiert. Auch κατὰ τὸ εὐαγγέλιόν μου (2 Tim 2,8) ist als Anlehnung an Röm 2,16 zu verstehen.

200) Vgl. dazu auch ZIMMERMANN, Methodenlehre 200ff.

201) Vgl. auch die verschiedene syntaktische Einbettung bei P als Genitivkonstruktion περὶ τοῦ υἱοῦ αὐτοῦ τοῦ γενομένου ἐκ σπέρματος Δαυίδ κ.τ.λ. (Röm 1,3f.) und als Objektsatz Μνημόνευε Ἰησοῦν Χριστὸν ἐγηγερμένον ἐκ νεκρῶν κ.τ.λ. (2 Tim 2,8).

202) Daß die Aussage der Davidabstammung in 2 Tim 2,18 im Gegensatz zu Röm 1,3f. "unverstanden... eher Wert für den Sammler theologi- scher Sätze als lebendig erfahrene Aussagekraft" hätte, wie STECKER, Formen 81, urteilt, wird den Past nicht gerecht.

hinreichend aus der Theologie der Past und aus ihrem Verständnis des Evangeliums[203] und bedeutet nicht notwendig einen Affront gegen eine mögliche doketische Anschauung der Gegner.

2) Das Verständnis von συν- (2 Tim 2,11ff.)

Die Verkündigung des pln Evangeliums führt ins Leiden (2 Tim 2,9). Das zeigt die Gestalt des P in der Paränese nur zu deutlich. P selber erfährt das, wozu die Paränese auffordert[204]. Das Leiden geht bis zu den Fesseln[205] des Verkündigers (2 Tim 2,9a), das Evangelium aber bleibt auch in solcher Situation ungebunden[206]. In bezug auf P dürfte dieses Wissen auf Phil 1 zurückgreifen[207], die nachpln Formulierung aber ist grundsätzlicher als in der authentischen Mitteilung des P. Weil Gottes Wort nicht gebunden ist, ist P bereit, "alles" zu ertragen (2 Tim 2,10), was in seiner weiteren Bedeutung auch den Tod des Apostels mit einschließt. P leidet "wegen der Erwählten, damit auch sie das Heil in Christus Jesus mit ewiger Herrlichkeit erlangen" (2 Tim 2,10). Das Leiden des P ist ein besonderer Gegenstand der nachpln Reflexion[208]. In den Past jedoch an ein s t e l l v e r t r e t e n d e s Leiden des P zu denken[209], verbietet die kausale Formulierung δ ι ὰ τοὺς ἐκλεκτούς (2 Tim 2,10a), welche die Bemühungen des P für die Verkündigung des Evangeliums begründet und in der Erlangung des Heils das Ziel des Evangeliums aufzeigt.

2 Tim 2,11f. wendet das pln Paradigma auf die nachpln Amtsträger und alle Christen an. Die Aussagen über das Leiden und die Geduld des P werden durch plural formulierte Sätze weitergeführt[210]. Dieses Verständnis greift auf ein vorhandenes Glaubenswissen zurück, wie die Beteuerungsformel πιστὸς ὁ

---

203)   Vgl. κατὰ τὸ εὐαγγέλιόν μου (2 Tim 2,8c).

204)   Vgl. κακοπαθῶ in V. 9 mit συγκακοπάθησον in V. 3.

205)   Vgl. μέχρι δεσμῶν (V. 9a). Erst 2 Tim 4,6 spricht von der konkreten Todesmöglichkeit, während die Paränese allgemein eine solch letzte Konsequenz der P-Nachfolge nicht berührt.

206)   Vgl. οὐ δέδεται (V. 9b).

207)   Vgl. bes. Phil 1,7.12-14.

208)   Vgl. S. 129.

209)   Gegen JEREMIAS, Past[11] 54, der die Stelle von Kol 1,24 her zu ergänzen sucht.

210)   Vgl. συναπεθάνομεν κ.τ.λ.(2 Tim 2,11ff.).

λόγος [211] zeigt. Der Abschnitt 2 Tim 2,11ff. zeigt eine bewußte sprachliche Gestaltung. Bis auf den Tempuswechsel in V. 12b sind die beiden Doppelzeiler streng parallel formuliert. Sie werden durch einen einzeiligen Nachsatz (V. 13b) abgeschlossen, in welchem etwas neu und unvermittelt die Spitze der Aussagen liegt. Das in dieser Glaubensformel verwendete Gut entstammt verschiedenen Traditionsströmen, doch wird sie mit einer auffälligen A n l e h - n u n g an P eröffnet. 2 Tim 2,11b greift auf Röm 6,8 zurück; das zeigt der eigenartig verkürzt redende Stil in 2 Tim 2,11, der das Verständnis von σὺν Χριστῷ bzw. αὐτῷ aus Röm 6,8 voraussetzt, wobei allerdings unwahrscheinlich ist, daß P sich selbst so zitiert hätte[212]. Das Mitsterben mit Christus ist die Voraussetzung für den Glauben an ein zukünftiges Leben mit ihm. Dies ist die gemeinsame Aussage von Röm 6,8 und 2 Tim 2,11. Dem πιστεύομεν ὅτι aus Röm 6,8 entspricht die Zitationsformel πιστὸς ὁ λόγος (2 Tim 2,11a). Entgegen der stark aktualisierenden bzw. präsentischen Eschatologie des Eph (vgl. 2,4-6) ist der Rückgriff auf die spannungsreicheren authentischen Aussagen des P in den Past bemerkenswert: Die Past greifen auf die Dialektik des authentischen ἀπεθάνομεν bzw. συζήσομεν aus Röm 6,8 zurück. Als eine wohl bereits traditionell gewordene Glaubensformel zeigt die Formulierung von 2 Tim 2,11ff. einen breiteren Widerhall der P-Tradition, welche über die Past hinausreichen dürfte[213]. Ob man freilich dieses Gemeindelied als "wichtiges Dokument für ein v e r e i n f a c h e n d e s (Hervorhebung vom Vf.) Verständnis paulinischer Grundaussagen"[214] ansprechen darf, muß angesichts der vorliegenden hymnischen Gestaltung des Textes fraglich bleiben, weil die Formgesetze und auch der Inhalt des Hymnus wohl andere sind als jene einer primär theologischen Argumentation. Doch wird man hier nicht von einer bloßen Rezitation sprechen dürfen, sondern neben dem Rückgriff auf die pln Theologie in der ersten Zeile des Liedes findet sich - wahrscheinlich schon vor den Past -, durchaus so etwas wie ein Versuch einer I n t e r p r e - t a t i o n des Gesagten oder wenigstens einer assoziierenden Umschreibung des Glaubensinhaltes auch mittels anderer Traditionen: Das Sterben mit Christus erhält im ὑπομένομεν (V. 11) seine Entsprechung und Erklärung. Erst in

---

211) Die Formel steht jeweils in Verbindung mit zentralen kerygmatischen Formulierungen. Zu Stellung und Funktion der Formel vgl. B.NOACK, Pastoralbrevenes "trovaerdige tale": DTT 32(1969) 1-22; KNIGHT, Sayings 138-152, passim.

212) Vgl. HARRISON, Problem 92.

213) Vgl. auch die ähnliche Wendung bei Polykarp Phil 5,2, die weniger ein Zitat als ein unabhängiges Echo derselben Tradition darstellt. Vgl. DIBELIUS-CONZELMANN, Past 81f.

214) Vgl. W.GRUNDMANN, Art. σύν - μετά κ.τ.λ.,: ThWNT 7, 766-798; 794, Z. 24f. Zustimmend auch BROX, Past 244.

unserer Geduld[215] bewährt sich das solidarische Verständnis mit dem Tod
Jesu. Im paränetischen Kontext der Past heißt dies, das Mitleiden und Mitsterben bestehen vor allem in der Verwirklichung der Geduld, während das
konkrete Todesschicksal besonders in der Gestalt des P vorgestellt wird.
Das zukünftige Mit-ihm-Leben ist als die Teilhabe an seiner Herrschaft verstanden, ohne daß näher gesagt wird, worin diese besteht[216].
Der zweite Teil des Liedes führt einen neuen Gedanken ein, der wohl eine
direkte Anspielung an das Mt 10,33 par tradierte Logion darstellt. Neben der
ausgesprochenen Hoffnung auf die Zukunft des Heiles mit Christus steht der
Ernst unserer Entscheidung. Das objektlose ἀρνησόμεθα (2 Tim 2,12c) meint
die Absage oder praktische Verleugnung Christi[217]: "Wenn wir (sc. ihn)
verleugnen, wird auch jener uns (sc. im Gericht) verleugnen" (V. 12b). Zukünftiges Mit-Leben und Mit-Herrschen schaffen noch keine Heilsgewißheit,
welche die eigene Bewährung hinfällig machen würden. Unsere Verleugnung
nach erfahrener Erlösung zieht als Konsequenz auch seine Verleugnung nach
sich. Die dritte Zeile des Liedes macht also die Folgen des eigenen Versagens deutlich. Doch ist das Heil letztlich nicht allein in einer vom Menschen
ausgehenden Kausalität begründet, sondern in der Treue Christi verankert:
"Wenn wir untreu sind, jener bleibt uns treu, denn er kann sich nicht verleugnen." (V. 13). Jenseits unserer Verleugnung und seiner damit gegebenen
Verleugnung und über unsere Untreue hinaus steht Christus treu zu sich selber, d.h. in diesem Zusammenhang wohl: zum göttlichen Heilswillen.

---

215) Das Verb ὑπομένειν (2 Tim 2,11) ist in seiner speziellen Zuordnung
      auf die pln ὑπομονή zu verstehen.

216) Das authentische Hapaxlegomenon συμβασιλεύειν in 1 Kor 4,8
      steht im Bedeutungsbereich von Sättigung, Reichtum und Herrschaft,
      welche die Korinther ohne P erreicht zu haben glauben. Diese Ver-
      wendung bei P trägt für die Interpretation unserer Stelle wenig ein.
      Eine eher sachliche als sprachliche Parallele liegt in Röm 5,17,
      wonach die, welche das überreiche Gnadengeschenk der Rechtfertigung
      empfangen haben ἐν ζωῇ βασιλεύσουσιν διὰ τοῦ ἑνὸς Ἰησοῦ
      Χριστοῦ.

217) Schon bei den vorausgehenden drei Komposita mit συν- ist sinnge-
      mäß Χριστῷ zu ergänzen. Dasselbe gilt auch für ἀρνεῖσθαι, das
      eines ergänzenden Objektes bedarf. Das Wort, das in den Past ins-
      gesamt 7 mal vorkommt (vgl. außer 2 Tim 2,12b.(2 mal) 13b auch 1
      Tim 5,8; 2 Tim 3,5; Tit 1,16; 2,12), unterscheidet die Past wieder
      auffällig von P, bei dem das Wort völlig fehlt. Vgl. dazu auch A.
      FRIDRICHSEN, Zu APNEIΣΘAI im NT insonderheit in den Pastoral-
      briefen: CNT 6(1942) 94-96; 96, welcher übersetzt: "Wenn wir ver-
      sagen, gibt er uns die Absage." Die Berührung der Formulierung mit
      Mt 10,33 hält FRIDRICHSEN für zufällig. Vgl. ebd. 96 Anm. 5.

Die Redaktion der Past sieht auch in dieser hymnischen Formulierung eine
authentische und adäquate Zusammenfassung des pln Evangeliums, das auch
dem nachpln Amtsträger den schweren Dienst für das Evangelium ermöglichen
soll.

e) Zusammenfassung

Die Christologie der Past zeigt insgesamt eine eigentümliche Mischung aus
P, traditionellem - auch nichtpln - Gut und eigener Terminologie, wobei die
verwendeten kerygmatischen Formeln und Traditionen sich gegen einen syste-
matisierenden Vergleich wehren. Die Aufnahme "vorpln" Traditionen in die
Past ist kaum im Sinne einer bewußten Tendenz zu deuten, daß die Past ihr
Glaubensbekenntnis mit möglichst archaischen Sätzen formulieren wollten[218].
Das Unpln in der Christologie erklärt sich vielmehr ungezwungen als Einfluß
der gemeinsamen frühchristlichen Sprache und Theologie[219], die
in einem deutlichen Ausmaß auch nichtpln Elemente enthalten. So konnte
schon P auf allgemeine christologische Traditionen in den Gemeinden zurückgreifen, und in noch viel höherem Grad gilt dies auch für die nachpln Situation, die bereits einen merklichen Schritt in Richtung einer ntl. Kanonbildung
darstellt. So ist auch die kerygmatische Formulierung von 2 Tim 2,11ff. kaum
ad hoc geschaffen, sondern greift wohl auf eine bereits vorgebildete Tradition
zurück. Diese geht von einem genuin pln Satz aus, den sie z.T. unter Verwendung anderer Traditionen, z.T. ohne erkennbare Vorlage interpretiert und
damit das Heil in seiner Zukünftigkeit und Größe, aber auch in seiner Ge-
fährdung beschreibt, jedoch über alles menschliche Versagen hinaus an die
Treue Christi bzw. Gottes zu seinem Heilswillen appelliert.
Über das Einwirken der synoptischen Tradition hinaus scheinen in den
Past überdies auch Berührungen mit der johanneischen Theologie vorzuliegen[220], was für eine Verwandtschaft des Entstehungsmilieus der Past mit
Bereichen der johanneischen Traditionsgeschichte sprechen dürfte.

---

218) Dazu tendiert teilweise N.BROX, Amt, Kirche und Theologie in der
nachapostolischen Epoche. Die Pastoralbriefe, in: Gestalt und Anspruch des NT, hg.v. J.SCHREINER, Würzburg 1969, 120-133; 131.

219) Vgl. auch GRUNDMANN, χρίω 557.

220) Vgl. etwa die "johanneische Formulierung" in 1 Tim 1,16: "Christus
Jesus kam in die Welt". Vgl. dazu auch STÖGER, Christologie 295.
Vgl. auch die von SPICQ, Past 239ff, aufgezeigten Parallelen. Besonders PAX, ΕΠΙΦΑΝΕΙΑ 249, hat die Past als wichtiges Verbin-
dungsglied zwischen P und Johannes erkannt.

Die vielfältige, teilweise auch zusammengesetzte christologische Titulatur deutet auf eine liturgische Verwendung[221], wie überhaupt weite Teile der Past ihren Sitz im Leben im Gottesdienst der nachpln Kirche haben dürften[222]. Die in Form von verschiedenen Glaubensbekenntnissen ausgesprochene synthetische Christologie der Past widersetzt sich auch einer gewaltsamen antihäretischen Funktionalisierung[223]. Sie hat wohl in ihrer Gesamtheit, nicht aber in ihren einzelnen Formeln und Details, auch eine antihäretische Spitze. Ihr gemeinsamer Nenner liegt vor allem in ihrem s o t e r i o l o g i s c h e n Aspekt, der die universale Weite des in Christus initiierten Heiles ausspricht[224]. Für die Past fungieren diese verschiedensten Glaubensformeln auch als geeignete Zusammenfassungen des pln Evangeliums, von dem her sie das nachpln Amt und überhaupt christliches Handeln motivieren wollen.

4. Ekklesiologie

a) Das Kirchenproblem der Past

Die Theologie der Past präsentiert sich auf weite Strecken hin als Ekklesiologie, jedoch als Ekklesiologie unter besonderen Vorzeichen. Ihre eigentliche theologische Absicht liegt nicht in einer systematischen Darstellung eines Kirchenkonzeptes, sondern von ihrer pseudepigraphischen Anlage her in einer p r a g m a t i s c h k i r c h e n o r d n e n d e n T e n d e n z. Mit Recht stellt sich daher auch die heutige ekklesiologische Fragestellung diesen so einschlägigen ntl. Zeugnissen, wobei die Urteile über die Ekklesiologie der Past und ihren Wert aus vielfältigen historischen und sachlichen Gründen stark differieren.

---

221) Vgl. G.DELLING, Zusammengesetzte Gottes- und Christusbezeichnungen in den Paulusbriefen, in: Kirche - Theologie - Frömmigkeit, (Fs. G.HOLTZ), Berlin 1965, 65-71; 70f.

222) HOLTZ, Past 93-96, welcher diesen Aspekt besonders hervorgehoben hat, ist allerdings zu zuversichtlich bei einer genauen Identifizierung des konkreten liturgischen Ortes.

223) Gegen GUNTHER, Opponents 225ff, der neuerdings wieder zu sehr einen Zusammenhang mit bestimmten christologischen Kontroversen sehen möchte.

224) Vgl. auch STENGER, Christushymnus 257ff.

Es ist im Rahmen dieses Themas nicht angezeigt, in die weitverzweigte neuere Diskussion über Amt und Kirche[225] einzugreifen, doch kann und muß versucht werden, die kirchenordnenden Aussagen der Past auch unter dem Aspekt der P-Tradition zu betrachten, was allerdings im weiteren auch Konsequenzen für das heutige theologische Urteil über die Past und auch die gegenwärtige Ekklesiologie mit sich bringen wird.

Ein Vergleich der ekklesiologischen Aussagen der Past mit den authentischen Paulinen sieht sich jedoch mit einer Reihe von Fragen konfrontiert, die sorgfältig erwogen werden müssen, um Fehlurteile zu vermeiden. Vor allem muß sich ein Vergleich der Past mit P auf dem ekklesiologischen Sektor zunächst einmal der Frage stellen, wie weit sich aus den authentischen Paulinen und ihren fragmentarischen Streiflichtern auf kirchliche "Ämter" und Gemeindeverhältnisse überhaupt Modelle erheben lassen, die einen Vergleich mit den ausgesprochen kirchenordnenden Aussagen der Past zu einem sinnvollen und möglichst objektiven machen könnten[226]. Darüber hinaus ist aber auch zu fragen, ob sich aus den in den authentischen Briefen doch erkennbaren Verhältnissen pln Gemeinden eine N o r m finden läßt, an der die Kirchenordnung der Past sinnvollerweise gemessen werden kann[227]. Erklärt man nämlich das Bild einer "c h a r i s m a t i s c h e n" Gemeinde wie der von Korinth[228] zum Ideal

---

225)   Vgl. dazu etwa K.KERTELGE, Gemeinde und Amt im NT, BiH 10, München 1972; A.LEMAIRE, Les ministères aux origines de l'église, LeDiv 68, Paris 1971; J.DELORME (Hg.) u.a., Le ministère et les ministères selon le NT, Paris 1974. Über die Diskussion in der evangelischen Theologie informiert ausführlich G.HEINZ, Das Problem der Kirchenentstehung in der deutschen protestantischen Theologie des 20. Jahrhunderts, Tübingen 1974. Vgl. neuerdings auch J.HAINZ (Hg.), Kirche im Werden. Studien zum Thema Amt und Gemeinde im NT, München-Paderborn-Wien 1976.

226)   SPICQ, Past 177, warnt mit Recht vor zu präzisen Konklusionen hinsichtlich der Ekklesiologie aus den "frühen" Briefen. Vgl. zum Problem auch U.BROCKHAUS, Charisma und Amt. Die paulinische Charismenlehre auf dem Hintergrund der frühchristlichen Gemeindefunktionen, Wuppertal 1972, 211-220, passim.

227)   Vgl. dazu auch J.GNILKA, Geistliches Amt und Gemeinde nach Paulus: Kairos 11(1969) 95-104; 95.

228)   Vgl. dazu auch J.BUDILLON, Le première épître aux Corinthiens et la controverse sur les ministères: Istina 16(1971) 471-488; GRELOT, Origine 453-469; L.AUDET, L'organisation des communautes chrétiennes selon les grandes épîtres pauliniennes: Sciences Religieuses/Studies in Religion (Toronto) 2(1972) 235-250.

einer pln Gemeindestruktur, dann ist evident, daß ein theologisches Urteil
über die Past im Vergleich zu P nur zu deren Ungunsten ausgehen kann[229].
Von einem solchen pln "Kanon" her kann die Einführung eines "festen" nachpln "Amtes" konsequenterweise nur als ein eklatanter Abfall vom ursprünglichen Ideal erscheinen[230], wobei die Urteile im Detail je nach dem kon-
statierten zeitlichen und sachlichen Abstand der Past von P noch differieren.

Entgegen einer solchen historisch und theologisch strikten Unterscheidung von
P und den Past versuchte die traditionelle Position, die Frühdatierung der
Past und ihre Authentizität zu verfechten, um auf diesem Wege das "früh-
katholische" oder womöglich gleich das "römisch-katholische" Amtsverständnis durch die Autorität des P selbst gedeckt vorzufinden. Dieser Weg wurde
in vielen Varianten nicht nur katholischerseits[231], sondern auch von katholisierenden, aber auch traditionellen Kreisen der evangelischen Theologie[232]
beschritten.

In diesem Dilemma zwischen einer streng pln und extrem nachpln Interpretation der Past versuchte sich ein Ausweg zu etablieren, der die Past t h e o -
l o g i s c h deuten wollte, ohne die Frage der Autorschaft ausdrücklich zu entscheiden[233] oder dahingehend zu verschleiern, daß eine "authentische pln

---

229)   Vgl. Etwa E.KÄSEMANN, Amt und Gemeinde im NT, in: Ders.,
        Exegetische Versuche und Besinnungen 1, 3.Aufl. Göttingen 1964,
        109-134; 122ff, 127-132.

230)   Die Diskussion um das Schlagwort "Frühkatholizismus" zeigt dies ja
        zur Genüge. Vgl. dazu etwa S.SCHULZ, Die Mitte der Schrift. Der
        Frühkatholizismus im NT als Herausforderung an den Protestantismus,
        Stuttgart 1976. Zu den Past ebd. 100-109.

231)   Vgl. z.B. SPICQ, Past 83.

232)   Vgl. etwa LACKMANN, Paulus, passim; J.JEREMIAS, Zur Datierung
        der Pastoralbriefe, in: Ders., Abba. Studien zur ntl. Theologie und
        Zeitgeschichte, Göttingen 1966, 314-316 (=ZNW 52/1961, 101-104);
        H.MAEHLUM, Die Vollmacht des Timotheus nach den Pastoralbriefen,
        (Theologische Dissertationen 1), Basel 1969, 4, passim.

233)   Diesen Ausweg versucht z.T. auch LEMAIRE, Ministéres 124. Er be-
        zieht in der Autorfrage eine "position moyenne: les épîtres pastorales
        seraient un écrit retravaillé à partir de lettres authentiques de l'
        apôtre."

Inspiration" postuliert wird, welche eine spätere kirchliche Überarbeitung erfahren haben sollte[234]. Nun war dieser Lösungsversuch schon oben[235] als
für das Problem der Past an sich als unzureichend abzulehnen. Im Hinblick
auf die hier interessierenden Aussagen ist jedoch dieser Lösungsversuch im
besonderen als untauglich zu bezeichnen, weil gerade über jene ekklesiologischen Motive, die an einer solchen Redaktion so maßgeblich beteiligt sein sollten oder müßten, überhaupt keine näheren Angaben zu machen sind. Für die
Einordnung der Past, gerade hinsichtlich ihrer Ekklesiologie, bleibt also die
Forderung bestehen, daß sowohl die historische Bedeutung ihrer ekklesiologischen Aussagen als auch ihr möglicher Beitrag für die heutige Fragestellung
nur dann richtig erkannt werden können, wenn ihre Entstehungssituation wirklich abgeklärt ist[236]. Das bedeutet dann für die zentrale Frage der Ekklesiologie: Die Past können ihre literarische und theologische Absicht nur dann wirklich freigeben, wenn sie als das betrachtet werden, was sie sind, nämlich als
eine besondere Form der P-Tradition[236a]. Wie aber schon bei der Christologie ist eine Darstellung der Ekklesiologie der Past jedoch dadurch erschwert,
daß eine Begriffsanalyse ihrer Amtsbezeichnungen leicht der Gefahr einer
vom Kontext der Past isolierenden Traditionsgeschichte von Begriffen verfällt.

b) P und die nachpln Ämter

Bereits die Überlegungen zum Verständnis der pln Pseudepigraphie[237] und
vor allem zu den P-Anamnesen[238] machten das besondere P-Bild der Past
sichtbar. Dieses P-Bild ist aber hier noch einmal von der Ekklesiologie her
zu bedenken.

---

234) So DORNIER, Past 24f; Ders., Les épîtres pastorales, in: Le
      ministère... 93. Ähnlich auch HOLTZ, Past 16.

235) Vgl. S. 47-53.

236) Darauf verweist neuerdings wieder zu Recht SAND, Anfänge 216f,
      jedoch ohne besondere Zuversicht hinsichtlich einer Lösung des
      Problems.

236a) Dies ist auch ein wesentlicher Mangel bei P.ROGERS, The Few in
      Charge of the Many. The Model of Ministerial Authority in the Pastoral
      Epistles, as a Positive Norm for the Church, Diss.masch. (Gregoriana)
      Rom 1976. ROGERS, der den normativen Charakter der Ekklesiologie
      der Past erheben möchte, unterläßt eine gründliche Entscheidung der
      Autorenfrage und stellt auch sonst die historisch-exegetischen Fragen
      (etwa Ordination und Amt in nachpln Zeit) zugunsten einer "bibeltheo-
      logischen" Betrachtung zurück.

237) Vgl. S. 111f.

238) Vgl. S. 116-132.

In ihrer Form als pln Pseudepigrapha, aber vor allem in ihrer Ekklesiologie zeigt sich in den Past ein "programmatischer" Paulinismus[239]. Für sie gehören das Evangelium und P so sehr zusammen, daß sie beide nahezu identifizieren können, auch dort, wo die Formulierung des Evangeliums nicht die speziell und originär pln ist. Im Unterschied zu den authentischen Paulinen fällt der exklusive Charakter des pln Apostolates in den Past auf. Für sie ist P der Apostel schlechthin[240], obwohl sich eigentlich keine Reflexion des pln Apostelamtes als solche findet. Doch zeigt die Ausschließlichkeit der Apostelbezeichnung für P, daß die Past um die besondere heils- bzw. kirchengeschichtliche Rolle des P wissen: Die Anfänge der Kirche sind für die Past untrennbar mit P verbunden. So ist die Übernahme der Apostelbezeichnung des P aus den authentischen Briefen kein gedankenloses Abschreiben, sondern zeigt eine besondere Wertschätzung gerade dieses Apostels[241]. Der Apostolat des P ist es auch, der ihn von der nachpln Zeit unterscheidet; das Wort Apostel ist für die Past ein Titel, der allein den Anfängen der Kirche mit P vorbehalten ist. Zugleich ist der Apostelbegriff der Past auch radikalisiert: Der P der Past hat eine gesamtkirchliche Geltung. Er spricht nicht nur konkrete Ortskirchen und eventuell deren Einzugsgebiete an (vgl. 2 Kor 1,1; Gal 1,2), sondern über seine Schüler die Gesamtkirche[242]. Auch der Stil seiner Autorität ist in den Past gegenüber dem authentischen P verschärft[243].

Mit dieser Tendenz, die einzigartige Stellung des P für die Kirche zu beschreiben, in Spannung steht die deutliche paränetische Absicht, P für die nachpln Zeit und ihre Ämter, aber auch für jeden Christen zu aktualisieren. Züge, Bezeichnungen und Funktionen des nachpln Amtes tragen sich auch in das Porträt des P der Past ein: Auch P erscheint schon in den Funktionen des Lehrers, Ordners, Wächters und Bewahrers der Tradition[244]. Ein Unterschied besteht eigentlich nur darin, daß über die Stellung als Apostel hinaus die nachpln Funktionen und Prädikationen in P in einer besonderen

---

239) Vgl. ROLOFF, Apostolat 238. Vgl. auch WEGENAST, Verständnis 139, der von einem "polemischen" Apostelbegriff der Past sprechen möchte. Ihm folgt MÜNDEL, Amt 59.

240) Vgl. dazu auch ROLOFF, Apostolat 239ff; COLLINS, Image 148.

241) Vgl. auch J.WAGENMANN, Die Stellung des Apostels Paulus neben den Zwölf in den ersten zwei Jahrhunderten, BZNW 3, Berlin 1926, 99.

242) Vgl. dazu etwa auch JEREMIAS, Past[11] 3; KERTELGE, Gemeinde 144.

243) Vgl. S. 112 Anm. 24.

244) Vgl. dazu auch ROLOFF, Apostolat 249, 269ff.

Dichte begegnen. Im übrigen aber lassen sich die Funktionen des P und der nachpln Adressaten nicht deutlich voneinander abheben, was u.a. auch dagegen spricht, in den Adressaten eine bestimmte Form des nachpln ober-hirtlichen Amtes verkörpert zu sehen[245].

Es wäre also verfehlt, in den Past ein historisch echtes P-Bild zu erwarten, doch ist das P-Bild der Past auch kein rein literarisches Porträt einer späteren Hagiographie, sondern der Bezug zum historischen P bleibt auch in dem P der Past gewahrt. Zwar treten verschiedene Züge des authentischen P in den Past zurück: etwa die Funktion des Schriftauslegers, worin die Past sich eigentlich nur im Kielwasser der echten Paulinen bewegen[246], oder das spezifische Apostolatsverständnis des P als Apostel in Leiden und Schwä-che (vgl. 2 Kor), doch auch die in den Past verdeutlichten Züge des Wäch-ters und Ordners sind schon im authentischen P zugrundegelegt (vgl. Gal 1, 8f; 1 Kor 7, 17), so daß auch das z.T. literarische P-Bild der Past durch-aus keine Verzeichnung des historischen P ist, sondern gerade jene Weise darstellt, in der auch eine spätere Zeit die Bedeutung des P für sie erkennen konnte.

c) Bischöfe, Presbyter, Diakone

Während die Past an P und dem Verhältnis zu seinen Mitarbeitern bzw. "Schülern" den eigenen nachpln Standort reflektieren, begegnen in den Episko-pen, Presbytern und Diakonen die tatsächlichen kirchlichen Ämter der Past. Dabei besteht der augenfälligste Unterschied zu den authentischen Paulinen darin, daß jetzt auch Presbyter genannt werden, während solche in den echten P-Briefen nicht aufscheinen. Innerhalb des Gesamtbildes des NT ist eine solche Ämterverbindung insofern bemerkenswert, als sonst eine sehr deutliche Trennungslinie hinsichtlich der Amtsformen durch die ntl. Literatur verläuft[247]. Nur Lukas ist Zeuge verschiedener ntl. Gemeindestrukturen[248]

245)   Gegen H.SCHLIER, Die Ordnung der Kirche nach den Pastoralbriefen, in: Ders., Zeit der Kirche, 2.Aufl. Freiburg 1958, 129-147; 138.

246)   Vgl. etwa die Anwendung von Dtn 25, 4 in 1 Tim 5, 18 (vgl. oben S. 151f.) oder die Argumentation mit Gen 1-3 in 1 Tim 2, 1ff. (vgl. S. 145ff). Zum besonderen P-Bild der Past vgl. auch die Ausführungen von ROLOFF, Apostolat 242-249.

247)   So nennen 1 Petr, Jak und die Apk nur Presbyter und keine Bischöfe. Vgl. dazu auch BROX, Probleme 91.

248)   Vgl. dazu auch R.SCHNACKENBURG, Lukas als Zeuge verschiedener Gemeindestrukturen: BiLe 12(1971) 232-247.

und versucht, die von ihm intendierte Gleichsetzung von Presbytern und Episkopen schon durch die pln Autorität zu decken[249].

Das Schweigen der echten Paulinen hinsichtlich der Presbyterordnung ist jedoch sicherlich kein Zufall[250]. P kennt seit Anfang seiner Korrespondenz auch besondere Funktionen innerhalb der von ihm gegründeten Gemeinden, doch keine Presbyter. Bereits 1 Thess 5,12 mahnt als wohl ältester einschlägiger ntl. Beleg zur Kenntnis und Achtung der κοπιῶντες und προϊστάμενοι [251].

1 Kor 12,28 nennt neben einer merkwürdig distinktiven Aufzählung von Aposteln, Propheten und Lehrern auch ἀντιλήμψεις und κυβερνήσεις, Hilfeleistungen und Leitungsfunktionen. Die Vielfalt der Funktionsbezeichnungen - besonders in 1 Kor 12 -, ist ein Anzeichen dafür, daß in den pln Gemeinden und selbst in dem charismatischen Gemeindemodell von Korinth von Anfang an neben dem Apostel auch gewisse Funktionen von seiten der Gemeinde bzw. einzelner Glieder in ihr wahrgenommen wurden. Doch ist bei P keine einheitliche Organisation eines Amtes im technischen Sinn greifbar. Allein Phil 1,1 erwähnt in der Zuschrift an die Christen von Philippi auch ἐπίσκοποι und διάκονοι, doch ist eine Gleichsetzung ihrer Funktionen mit den Amtsbezeichnungen der Past oder gar späterer Amtsstrukturen nicht statthaft[252]. Die im Griechischen nachweisbaren Bezeichnungen des ἐπίσκοπος und διάκονος umfassen ja eine ganze Skala von Bedeutungen, und somit kann Phil 1,1 strenggenommen nur als Beleg dafür gewertet werden, daß das griechische Vereinswesen fallweise für die christliche Gemeindeorganisation adaptierbar war, ohne daß dabei schon ein besonderer Grad einer Entwicklung hin auf eine technische kirchliche Amtsbezeichnung anzunehmen wäre[253].

Können somit Streiflichter aus den authentischen Paulinen nur das gelegentliche Auftauchen von besonderen Funktionen innerhalb der Gemeinden erhellen, so

---

249) So schon durch die Nachricht in Apg 14,23, wonach Barnabas und P in den von ihnen gegründeten Gemeinden Presbyter einsetzten, oder auch im Testament des P (Apg 20), wo die Presbyter aus V. 17 in V. 27 als Episkopen angeredet werden.

250) Vgl. dazu auch L.GOPPELT, Kirchenleitung in der palästinischen Urkirche und bei Paulus, in: Reformatio und Confessio, (Fs. W.MAURER), Hamburg 1965, 1-8.

251) Vgl. auch die Mahnung an die προϊστάμενοι in Röm 12,8, doch projiziert dabei P u.U. griechische Gemeindeverhältnisse nach Rom.

252) Vgl. dazu auch GNILKA, Phil 32-41; Ders., Amt 101ff; HAINZ, Ekklesia 346f.

253) Das Verständnis der philippischen Funktionen scheint noch sehr den griechischen "Aufsehern" und "Helfern" nahezustehen.

stellen die Anordnungen der Past hinsichtlich der "Ämter" des ἐπίσκοπος und der διάκονοι den Versuch dar, dieses Organisationsmodell mittels der in den Pflichtenkatalogen genannten Kriterien näher zu beschreiben und vermittels der pln Pseudepigraphie als allgemein praktikabel anzubieten. Dabei können gegenüber P auch neue Formen einer Kirchenorganisation, nämlich das Presbytermodell, in dieses "pln" Konzept integriert werden, ohne daß es bereits zu einer genaueren Differenzierung der drei Amtsbezeichnungen untereinander käme[254], weswegen man sich davor hüten muß, spätere hierarchische Formen in die Ämter der Past einzutragen[255].

So sind die von den Amtsträgern geforderten Qualitäten im wesentlichen bei allen drei Ämtern dieselben, am wenigsten ausführlich zeigen sich die Bestimmungen bezüglich der Diakone. Mit Recht wird daher auch in der neueren Forschung häufig auf die weitgehende Identifikation von Presbytern und Episkopen in den Past hingewiesen[256].

Auch die Unebenheiten in der Bezeichnung von ἐπίσκοπος im Singular und πρεσβύτεροι im Plural sind am besten dahingehend zu erklären, daß die Past beide Amtsmodelle bewußt kombinieren. Das dem Verfasser der Past geläufige Modell scheint das der Presbyterordnung zu sein[257], während die Singularformulierung bei ἐπίσκοπος in Tit 1,7 aus dem übernommenen Pflichtenspiegel herrühren dürfte[258]. So wird in Tit 1,5-7 die Forderung nach der Einsetzung von Presbytern mit einem Bischofspiegel (im Singular) begründet (vgl. γάρ V. 7). Die Past stellen damit - ähnlich wie die Apg - das Stadium des Zusammenwachsens von jüdischer und griechischer Gemeindeorganisation dar, ohne daß diese Kombination schon ausgeprägtere hierarchische Ausformungen gefunden hätte.

---

254) Jedenfalls ist in den Past noch keine dreigestufte Ämterhierarchie festzustellen. Vgl. KERTELGE, Gemeinde 148. Anders N.BROX, Die Kirche, Säule und Fundament der Wahrheit. Die Einheit der Kirche nach den Pastoralbriefen: BiKi 18(1963) 44-47; 46. Ähnlich auch SCHLIER, Ordnung 146.

255) Vgl. dazu auch D.GALIAZZO, Il diacone: RBR 7(1972) 97-114; 107f.

256) Vgl. LEMAIRE, Ministères 127; Ders., Les épîtres pastorales. Les ministères dans l'église, in: Le ministère et les ministères selon le NT, hg.v. J.DELORME u.a., Paris 1974, 102-117; 109; SAND, Anfänge 227; ROLOFF, Apostolat 251-259. Es handelt sich aber um keine völlige und beliebige Identifikation. Vgl. BROX, Probleme 91. Vgl. auch J.MÜHLSTEIGER, Zum Verfassungsrecht der Frühkirche: ZKTh 99(1977) 129-155; 146ff.

257) So schon BULTMANN, Past 995. Zustimmend BROX, Probleme 92 Anm. 26.

258) Vgl. BROX, Past 151. Vgl. auch J.B.BAUER, Der erste Petrusbrief, WB 14, Düsseldorf 1971, 59. Anders SCHIERSE, Past 45-48.

Sowohl Episkopen als auch Presbyter stellen allerdings echte kirchliche Funktionen dar. Versuche, die Presbyter als reine Altersbezeichnung zu erklären, überzeugen nicht[259], da der Kontext - außer in 1 Tim 5,1 -, eindeutig für eine Amtsbezeichnung spricht. In der Funktion ist das Amt der Episkopen weder auf rein administrative Aufgaben zu beschränken[260], noch läßt sich in den Past bereits ein monarchischer Episkopat konstatieren[261], da der Singular der Episkopenkataloge (1 Tim 3,2; Tit 1,7) durchaus generisch zu verstehen ist. Auch über die Adressaten läßt sich kein besonderes Bischofsamt erschließen, da ja Timotheus nicht als Bischof, sondern als διάκονος Χριστοῦ 'Ιησοῦ (1 Tim 4,6) angesprochen ist und in 2 Tim 4,5 dazu aufgefordert wird, das Werk eines "Evangelisten" zu tun und seine διακονία zu erfüllen[262].

Überhaupt wird bei dem so wenig differenzierenden Sprachgebrauch der Past eine nähere Einordnung ihrer Ämter leicht fragwürdig. So möchte A.LEMAIRE die διάκονοι den "Evangelisten" zuordnen[263] oder aus dem Fehlen des Kriteriums der Gastfreundschaft im Pflichtenspiegel der Diakone Andeutungen darüber entnehmen, daß die Diakone der Past eine Art Wanderapostolat ausübten[264]. Doch läßt sich nicht einmal eine eindeutig untergeordnete Funktion der Diakone ausmachen[265], da ihre Bezeichnung ja nicht nur katalogisch be-

259) Gegen JEREMIAS, Datierung 314ff; Ders., Past[11] 9, 35f. Vgl. dazu auch SAND, Anfänge 225ff.

260) Gegen E.HATCH, The Organisation of the Early Christian Churches, Oxford-Cambridge 1881, 36-39; HOLTZ, Past 81f. Vgl. dazu auch die Argumentation bei E.SCHWEIZER, Gemeinde und Gemeindeordnung im NT, AThANT 35, 2.Aufl. Zürich 1962, 190 Anm. 812.

261) Vgl. dazu BROX, Probleme 87-91; CAMPENHAUSEN, Amt 117. Vgl. auch J.GEWIESS, Die ntl. Grundlagen der kirchlichen Hierarchie: HJ 72(1953) 1-24; 18; KÄSEMANN, Überblick 215; SYNNES, Psevdepigrafi 182. Auch RIDDERBOS, Brieven 21, spricht entschieden gegen einen monarchischen Episkopat, allerdings aus Gründen der Echtheitsverteidigung.

262) Vgl. dazu auch E.EDWARDS, L'evangelizzatore biblico: RBR 7(1972) 131-161; 134.

263) Vgl. LEMAIRE, Ministères 158.

264) Vgl. A.LEMAIRE, Von den Diensten zu den Ämtern. Die kirchlichen Dienste in den ersten zwei Jahrhunderten: Concilium 7(1972) 721-728; 725.

265) Gegen R.PESCH, Structures du ministère dans le NT: Istina 16(1971) 437-452; 448.

gegnet, sondern auch als besonderer Ehrentitel des Timotheus (s.o.).

Auch andere Einordnungsversuche der Ämter in ihrer Gesamtheit können nicht sehr überzeugend ausfallen. W.MICHAELIS[266] und J.P.MEIER[267] wollen aus dem Tit die Organisationsform von Gemeinden nach einer Neugründung erheben, und im 1 Tim die Situationsbeschreibung schon länger existierender Gemeinden ablesen, doch geht diese Vermutung weitgehend mit der Annahme der Echtheit konform[268] und ist für das Verständnis der Past als P-Tradition wenig ergiebig. Von da her aber handelt es sich bei den Ämtern der Past sehr deutlich um die Funktionen der Leitung und Lehre der Gemeinde[269], welche das fortzusetzen haben, was nach den historischen Funktionen des P und seiner Mitarbeiter in der Situation nachpln Amtes noch zu tun bleibt, um den Weiterbestand der Kirche zu sichern.

d) Exkurs: Witwen (1 Tim 5,3-16)

Neu gegenüber P ist in den Past auch der Stand der Witwen. Dabei ist im folgenden nur von dem k i r c h l i c h e n   V i d u a t   die Rede und nicht von der Witwe an sich, wie sie in 1 Tim 5,4 begegnet.
Auch P hatte in seinen Überlegungen über Ehe und Jungfräulichkeit die Witwen als ein besonderes aszetisches Ideal angesprochen (vgl. 1 Kor 7,8.39f.)[270], doch in der Ausführlichkeit und Pragmatik von 1 Tim 5,3-16 weist diese Gemeindinstitution eine bereits längere Geschichte auf.
Im Rahmen der Ekklesiologie interessiert hier vor allem die Frage, ob der Stand der Gemeindewitwen in den Past als "A m t" angesprochen werden darf oder nicht. Eine Entscheidung darüber hängt aber wieder weitgehend mit den Kriterien zusammen, die für das Amt als konstitutiv betrachtet werden.
Selbstverständlich kann einerseits in den Past von den kirchlichen Witwen nicht im Sinne eines späteren kirchlichen Amtes im technischen Sinn gesprochen werden[271], doch wird anderseits unerklärlich, wie innerhalb einer

---

266)   Vgl. MICHAELIS, Ältestenamt 52.

267)   Vgl. MEIER, Presbyteros 337-345.

268)   Vgl. MICHAELIS, Ältestenamt 50; MEIER, Presbyteros 345.

269)   Vgl. auch SAND, Anfänge 225ff.

270)   Vgl. S. 150f.

271)   A.SAND, Witwenstand und Ämterstruktur in den urchristlichen Gemeinden: BiLe 12(1971) 186-197; 197; Ders., Anfänge 231 und BROX, Probleme 87, antworteten gegen BARTSCH, Anfänge 133, negativ.

Kirchenordnung ein rein soziales Problem so ausführlich behandelt werden sollte[272]. Unrichtig wäre es allerdings auch, auf Grund der besonderen Textlänge der sie betreffenden Ausführungen, die Witwen zum Gemeindeproblem schlechthin erklären zu wollen[273]. Doch sieht der Verfasser der Past in der Frage der Witwen ein Problem der Gemeindeorganisation. Dabei möchte er den Stand der Witwen weder abschaffen, reformieren, oder programmatisch als Ordo ecclesiae bestätigen, sondern praktisch ordnend in ein wichtiges soziales Gebilde der Gemeinde eingreifen, weil es auch eine religiös bedeutsame Größe darstellt[274]. Innerhalb des noch keineswegs exklusiven Amtsbegriffes der Past allerdings wird man die "Gemeindewitwen" nicht aus dem Amtsverständnis der Past ausschließen dürfen. Natürlich geht es in ihrem "Amt" nicht um die Lehre oder um karitative Tätigkeiten, wie sie möglicherweise den Diakonissen[275] zukommen, wohl aber sind auch die Auswahlkriterien der Witwen weitgehend im Schema der Pflichtenkataloge für die Ämter dargestellt (vgl. 1 Tim 5, 9f.). Neben eventuellen, nicht näher definierbaren heterodox-jüdischen und gnostischen Einflüssen ist es in den Past nicht zuletzt auch das trotz ihrer Weltbejahung aufrechterhaltene Bekenntnis zum pln Ideal, das zur Ausprägung bzw. Aufrechterhaltung dieses besonderen Standes führt, der neben seinen sozialen Implikationen eindeutig religiös orientiert ist und die Funktion des "amtlichen" Gebetsdienstes für die Gemeinde ausübt[276].

---

272) Gegen SAND, Witwenstand 197.

273) So J. MÜLLER-BARDORFF, Zur Exegese von 1. Timotheus 5, 3-16, in: Gott und die Götter, (Fs. E. FASCHER), Berlin 1958, 113-133; 132. - F.C. SYNGE, Studies in Texts. 1 Tim 5, 3-16: Theology 68 (1965) 200f, vermutet hinter den frühchristlichen Witwen von Apg 6 und 1 Tim 5 ein soziales Konvertitenproblem und versteht darunter Frauen, welche sich der christlichen Gemeinde anschlossen und sich damit von ihren früheren Familienbindungen abschnitten. Eine Evidenz sprachlicher Art jedoch vermag SYNGE für seine Vermutung überhaupt nicht beizubringen.

274) Vgl. dazu MÜLLER-BARDORFF, Exegese 133, der jedoch darin auch eine Bestätigung der Witwen als Ordo ecclesiae ausgesprochen sieht.

275) Vgl. 1 Tim 3, 11, wo möglicherweise nicht von Frauen allgemein, sondern von Diakonissen im besonderen die Rede ist. Zur Interpretation der Stelle vgl. TRUMMER, Einehe 474 Anm. 1.

276) Vgl. dazu J. ERNST, Die Witwenregel des ersten Timotheusbriefes - ein Hinweis auf die biblischen Ursprünge des weiblichen Ordenswesens?: ThGl 59(1969) 434-445; 440.

Auffällig gegenüber den anderen "Ämtern" in den Past ist jedoch bei den Witwen, daß es sich bei ihrer Funktion um ein "Amt" auf Lebenszeit handelt, das ein besonderes Treuegelöbnis zu Christus beinhaltet und eine neue Heirat ausschließt (vgl. 1 Tim 5,12[277]), während bei den anderen Ämtern ein solch bleibender Charakter nicht ausdrücklich begegnet.

e) Die nachpln Kirche

1) Sukzession und Paratheke

Gegen die pln Verfasserschaft in den Past spricht innerhalb der Ekklesiologie auch die Tatsache, daß ihre Pflichtenkataloge für die kirchlichen Ämter offensichtlich schon auf eine längere Geschichte zurückblicken können. Dies gilt nicht nur für die innerjüdische Vorgeschichte des Presbytermodells und die griechischen Amtsbezeichnungen der Episkopen und Diakone, sondern auch für die Entwicklung dieser Ämter innerhalb der christlichen Gemeindeorganisation[278]. Nicht erst die Past haben diese Ämter erfunden, sondern sie haben diese vorgefunden und die beiden Amtstypen miteinander verbunden. Durch die Redaktion der hellenistischen Pflichtenspiegel[279] für die kirchlichen Ämter innerhalb des pseudepigraphen Corpus der Past haben sie das Verständnis der kirchlichen Ämter mit den profanen Kriterien ihrer Umwelt konfrontiert, aber zugleich auch den Sinn und den Inhalt dieser Ämter von P hergeleitet und ihre Funktionen vom Wirken dieses Apostels her zu deuten versucht. Diese Ableitung der Ämter ist nun terminologisch in bezug auf die Presbyterordnung und in ihrer fortgeschrittenen Ausformung auch in bezug auf die Episkopen und Diakone für die historische Situation des P eine Verzeichnung, sachlich aber innerhalb der Pseudepigraphie insofern berechtigt, als P durchaus Initiativen seitens der Gemeinden hinsichtlich ihrer Organisation akzeptieren konnte (vgl. Phil 1,1), diese jedoch seinem apostolischen Anspruch unterordnete.

Die Past interpretieren durch ihre Darstellung einer "pln" Kirchenordnung die konkreten lokalen Gemeindeämter als von P gewollt und kodifiziert, wobei es

---

277)   Die πρώτη πίστις (1 Tim 5,12) bezieht sich auf ein besonderes
       Treueverhältnis zu Christus und nicht auf die erste Ehe. Vgl.
       TRUMMER, Einehe 480 Anm. 1.

278)   Vgl. etwa die Ablehnung der Neugetauften für das Amt in 1 Tim 3,6,
       die bereits auf eine längere Erfahrung zurückblickt. 2 Tim 1,5 zeigt
       sogar schon so etwas wie das Bewußtsein der dritten christlichen Generation.

279)   Vgl. z.B. A.VÖGTLE, Die Tugend- und Lasterkataloge im NT, NTA
       16 4/5, Münster 1936, 233-243.

ihnen weniger um den Aufweis einer apostolischen Sukzession dieser Ämter
als solcher als um die Sukzession der Lehre geht[280]. D.h., nach dem besonderen Verständnis der P-Tradition in der Pseudepigraphie der Past ist die
Paratheke als die sachliche P-Tradition der successio paulina als
der formaljuridischen Seite dieser Tradition vorgeordnet. So könnte denn
auch die aus der jüdischen[281] Handauflegung hergeleitete apostolische Sukzession auch nur für die Presbyterordination geltend gemacht werden, während die
Episkopenordnung damit kaum in Beziehung gebracht werden kann[282]. Doch
auch für die Ordination der Presbyter muß fraglich bleiben, ob mit der christlichen Übernahme des Ordinationsritus auch das spezifisch jüdische Traditionsdenken in das christliche Amtsverständnis eingetragen wurde. Zwar kommt in
1 Tim 4,14; 5,22 "eine gewisse Folge von Handauflegungen in den Blick", aber
es wird doch sorglos einmal von einer Handauflegung durch die Presbyter
(vgl. 1 Tim 4,14) und das andere Mal durch P selbst (2 Tim 1,6) gesprochen[283]. Dennoch unterliegt die Exegese der Past des öfteren der Gefahr,
die spätere kirchliche Entwicklung im Sukzessionsverständnis schon in die Past
einzutragen[284].

---

280)   Anders BROX, Past 240f; Ders., Amt 126, unter Hinweis auf 2 Tim
       2,2. Vgl. auch Ders., Kirche 47.

281)   Vgl. zum Thema auch H.VOGLER, Rabbinische Voraussetzungen und
       Parallelen der urkirchlichen Tradition: BiLe 12(1971) 105-117; E.
       FERGUSON, Jewish and Christian Ordination: HThR 56(1963) 13-19;
       E.LOHSE, Die Ordination im Spätjudentum und im NT, Göttingen 1951.
       Vgl. auch E.KÄSEMANN, Das Formular einer ntl. Ordinationsparänese,
       in: Ders., Exegetische Versuche und Besinnungen 1, 3.Aufl. Göttingen
       1964, 101-108.

282)   A.M.JAVIERRE, ΠΙΣΤΟΙ ΑΝΘΡΩΠΟΙ (2 Tim 2,2). Episcopado y
       sucesión apostólica en el nuevo testamento, in: SPCIC 2 (=AnBib
       17f.), Rom 1963, 109-118, sucht daher Episkopat und Sukzession von
       den Aposteln über die πιστοί ἄνθρωποι herzuleiten. Ähnlich auch
       S.NAGY, Hierarchia kościelna w ostatnim okresie życia św. Pawła:
       RTK 13(1966) 23-44, welcher den monarchischen Episkopat nicht über
       eine Evolution in den lokalen Ämtern, sondern direkt von den Apostel-
       schülern ableitet. Zur Terminologie vgl. auch F.BRAUMANN, Der Ge-
       brauch von πιστός, -ή, -όν in den paulinischen Pastoralbriefen
       nach Grundlage und Bedeutung untersucht, Diss.masch. Graz 1956,
       99-136.

283)   Vgl. KERTELGE, Gemeinde 148f; Zitat 148.

284)   So etwa BULTMANN, Theologie 457-463, welcher die Past allerdings
       schon zu stark von 1 Klem her interpretiert. Vgl. dagegen das Urteil
       von KNOCH, Testamente 48.

Bezeichnenderweise aber fehlt gerade in den Past die einschlägige jüdische Traditionsterminologie von מָסַר und קָבַּל in den griechischen Äquivalenten von παραδιδόναι und παραλαμβάνειν [285]. Deswegen sollte in den Past noch von keiner förmlichen Sukzessionskette der Ämter gesprochen werden[286], sondern das primäre Interesse der Past gilt der sachlichen P-Tradition, der παραθήκη [287]. Die Ämter der nachpln Kirche sind auf diese Paratheke zugeordnet; die P-Nachfolge soll die P-Tradition bewahren. Gerade vom Aspekt der Pseudepigraphie her kann es den Past wohl nicht um eine formaljuridische Ableitung des nachpln Amtes von P gehen, denn bei aller Legitimität ihrer Pseudepigraphie von P her muß doch die genaue Standortbestimmung des Verfassers in einer solch formaljuridischen Traditionskette fraglich bleiben, wohl aber hat diese Pseudepigraphie ihren Bezugspunkt in einer schriftlichen und lebendigen P-Tradition.

Die Erhaltung der P-Tradition ist dabei nicht nur so verstanden, daß die Verkündigung mit ihrem Ursprung in P identisch bleiben muß, sondern sie soll zugleich auch in Unterricht, Predigt, Mahnung und Trost praktisch angewandt und zur Sprache gebracht werden (vgl. 2 Tim 4, 2). Die z. T. beliebte Auskunft, daß die Bewahrung der Paratheke in den Past nicht mehr in der freien charismatischen Weise des P verstanden sei, sondern nur mehr in der bloßen Zitation des Überkommenen bestehe, dem gegenüber "keine Kritik, ja nicht einmal mehr eine Modifikation möglich ist"[288], wird der Eigenart der Past als P-Tradition nicht gerecht. Was παραθήκη für die Past eigentlich heißt, wird am besten an ihrem eigenen Verhalten gegenüber der P-Tradition sichtbar. Sie geben die P-Tradition keineswegs nur rein wiederholend weiter, sondern sie transformieren und interpretieren sie und können dabei auch nichtpln Gut in ihr P-Verständnis einbringen.

---

285) Vgl. G.KLEIN, Die zwölf Apostel. Ursprung und Gehalt einer Idee, FRLANT 77, Göttingen 1961, 187; WEGENAST, Verständnis 133-157, passim; W.SCHMITHALS, Das kirchliche Apostelamt. Eine kritische Untersuchung, FRLANT 79, Göttingen 1961, 224. Fraglich bleiben muß dabei allerdings, ob sich mit WEGENAST, Verständnis 137f, u.a., daraus ableiten läßt, daß die Gegner ihre Lehre als παράδοσις bezeichnen.

286) Vgl. ROLOFF, Apostolat 264, 271, gegen SCHLIER, Ordnung 146. G.G.BLUM, Tradition und Sukzession. Studien zum Normbegriff des Apostolischen von Paulus bis Irenäus, Berlin 1963, 57, spricht von einem Abreißen der Sukzessionskette mit dem Apostelschüler.

287) Zur Übertragung dieses Rechtsterminus auf die christliche Verkündigung vgl. WEGENAST, Verständnis 144-152. Vgl. dazu auch NAUCK, Herkunft 73f.

288) So WEGENAST 155ff; Zitat 157.

Bewahrung der Tradition heißt also für die Past nicht die unveränderte, aber
gerade darin sich ändernde Weitergabe des bisherigen Wortlautes, nicht die
Ablehnung jeder neuen Formulierung[289], sondern das Festhalten des Inhaltes
der Verkündigung und zugleich seine ständige Anwendung und Entfaltung[290].
So verstandene Wahrung der Überlieferung ist nach den Past ohne Charisma
undenkbar, deswegen wird der Amtsträger auch so nachdrücklich auf seinen
- pln verstandenen - Amtsauftrag[291] hingewiesen (vgl. 1 Tim 4,14; 2 Tim
1,6). Bezeichnend ist auch, daß eine der wenigen pneumatologischen
Aussagen der Past[292] gerade im Zusammenhang mit der Bewahrung der
Paratheke steht: Nach 2 Tim 1,14 ist der Auftrag zur Bewahrung der "guten
Paratheke" "durch den uns innewohnenden heiligen Geist" ermöglicht[293]. Der
Geist ist nicht ein "Geist der Furcht, sondern der Macht, der Liebe" und des
σωφρονισμός (2 Tim 1,7), was 'Klugmachen' und 'Besonnenheit' bedeutet[294].
Das Bewahren der Paratheke bekommt durch die Zuordnung zur Geisttheologie
das Moment des Aktiven, Dynamischen und Schöpferischen, was den z.T.
recht statischen Verwahrungscharakter des ursprünglich sachenrechtlichen Begriffs der παραθήκη [295] überholt.

2) Gemeinde und Amt

Der Vergleich mit der pln Gemeindeorganisation, besonders mit der korinthischen Gemeindestruktur führt leicht zu einer Charakterisierung der Past, in

---

289)   G und einige Lateiner mit Irenäus lesen in 1 Tim 6,20 καινοφωνίας.
       Die Variante ist phonetisch leicht erklärbar. Theologisch setzt sie ein
       ausgesprochenes Traditionsprinzip voraus und erweist sich gegenüber
       der lectio difficilior κενοφωνίας als sekundär. Dieselbe Variante
       findet sich auch in 2 Tim 2,16. Vgl. dazu auch H.M.KÖSTER, Um
       eine neue theologische Sprache. Gedanken zu 1 Tim 6,20, in: Wahr-
       heit und Verkündigung 1, (Fs. M.SCHMAUS), München 1967, 449-
       473; 451ff.

290)   Vgl. auch ROLOFF, Apostolat 255f.

291)   Vgl. S. 127.

292)   Vgl. 1 Tim 3,16; 4,1; 2 Tim 1,7.14; 4,22; Tit 3,5.

293)   Vgl. dazu auch WEGENAST, Verständnis 152f.

294)   Vgl. BAUER, Wörterbuch s.v.

295)   Vgl. dazu auch S.CIPRIANI, La dottrina del "Depositum" nelle lettere
       pastorali, in: SPCIC 2 (=AnBib 17f.), Rom 1963, 127-142.

ihnen herrsche das "Prinzip des Amtes"[296], doch muß ein solches Urteil vom Gesamtbefund der Ekklesiologie der Past her eingeschränkt werden[297].

Die Past entwickeln in ihrer Sorge um den Weiterbestand der Kirche so etwas wie eine spezifische Amtsspiritualität[298]. Die pln Sorge um die Gemeinden kann nicht mehr von ihrer Gesamtheit wahrgenommen werden, sondern hat gegenüber P in zunehmendem Maße Exponenten, wie sich auch in der pseudepigraphen Adresse der Past an Einzelpersonen zeigt. Aber diese am Verhältnis des P zu seinen Mitarbeitern reflektierte Amtsspiritualität geht allerdings nicht so sehr auf Kosten der Gemeinde, wie häufig angenommen. Auch die Gemeinde oder eigentlich gerade die Gemeinde, wie die Kirche als solche, wird über die Adressaten angesprochen, denn es ist die Kirche, welche die konkreten Dienste stellt und wofür die Dienste auch bestellt sind.

Aus den verhältnismäßig wenigen Aussagen über eine Theologie der Gemeinde in den Past darf also nicht ohne weiteres gefolgert werden, daß in den Past der Gemeinde nur die Rolle einer bloß hörenden und betenden Kirche zugesprochen werde[299]. So bestehen denn trotz des betonten Amtsprinzips zu Recht auch gleichzeitig Bedenken darüber, "ob nämlich eine Kirche mit diesem prinzipiellen Gewicht des Amtes und der erdrückenden Betonung rechtlicher und disziplinärer Kategorien zur fraglichen Zeit in der hier dokumentierten Form überhaupt (auch nur regional) denkbar sei."[300] Auch die Past bieten kaum ein Gesamtbild der Kirche und ihrer Realität, sondern sie zeigen den Versuch einer Kirche, die noch keineswegs fertig ist, sondern gerade in der Sorge um die nachpln Ämter auch um ihren Weiterbestand ringt[301].

Die Texte selbst bieten einige Hinweise darauf, daß das Amtsverständnis der Past diese nachpln Ämter nicht zu weit von der Gemeinde abhebt. Das Amt ist zwar das Gegenüber der Gemeinde, aber es ist noch nicht monopolisiert. Es ist auch noch nicht auf den Kult und auf das Sakrale zugespitzt[302]. Es ist immer schon aufgefallen, daß die Kriterien der in den Ämterkatalogen gefor-

---

296)   Vgl. SCHLIER, Ordnung 146; Ders., Ekklesiologie des NT, in: Mysterium salutis 4/1, 101-221; 179f; BROX, Probleme 83; Ders., Amt 124f.

297)   Zur Kritik vgl. jetzt auch SAND, Anfänge 218f; O.MERK, Glaube und Tat in den Pastoralbriefen: ZNW 66(1975) 91-102; 101.

298)   Vgl. BROX, Probleme 87.

299)   Vgl. ebd. 86.

300)   Ebd. 94.

301)   Vgl. auch SAND, Anfänge 219.

302)   Vgl. PESCH, Structures 449. Vgl. auch P.STUHLMACHER, Evangelium - Apostolat - Gemeinde: KuD 17(1971) 28-45; 41.

derten Qualitäten gar nicht sehr hoch angesetzt sind[303]. Bis auf die Fähigkeit zu lehren und die gesamte Ausrichtung dieser Ämter auf P handelt es sich
bei den Amtsanforderungen ja absolut um Qualitäten, welche für jeden Christen
selbstverständlich sind. Bei solchen Auswahlkriterien kann sich kaum ein Amt
etablieren, das sich zu sehr von der Gemeinde wegentwickelt. Nicht umsonst
wird die Kirche der Past immer mit dem Haus verglichen (vgl. 1 Tim 3,15),
denn das Haus ist auch der Bezugspunkt der kirchlichen Amtsqualitäten. Das
Amt ist ein Beruf, mit Anspruch auf Bezahlung (vgl. 1 Tim 5,17); es kann
noch frei erstrebt werden (vgl. 1 Tim 3,1); es untersteht den allgemein üblichen kirchendisziplinären Grundsätzen und genießt durchaus keine Verfahrens-
privilegien[304].

3) Die Kirche als Haus

Während die Past ausführlich von den Ämtern sprechen, ist nur sehr wenig
expressis verbis von der Kirche die Rede. Die Ämter sind der Ort, an dem
sie ihre Ekklesiologie anbieten. Drei Stellen aber sprechen ausdrücklich von
der Kirche (vgl. 1 Tim 3,5.15; 2 Tim 2,19ff.)[305], wobei das dabei verwendete Motiv wieder einen Vergleich mit P nahelegt[306]. Auch P kann die
Kirche als einen Bau sehen. In 1 Kor 3,16 spricht er vom ναὸς θεοῦ, in dem
der Geist wohnt, in 2 Kor 6,13 vom ναὸς θεοῦ ζῶντος [307]. Während P das
Bild vom Bau direkt und unmittelbar auf die Gemeinde überträgt[308], bekommt

---

303) Ob man sie mit einem konkreten Mangel an Kandidaten für das Amt
erklären sollte, wie C.SPICQ, "Si quis episcopatum desiderat..."
(1 Tim 3,1): RSPhTh 29(1940) 316-325; 324, bleibt fraglich.

304) Vgl. S. 159.

305) Am unsichersten ist der ekklesiologische Bezug in 1 Tim 3,5, wo
vom Haus auf die Kirche geschlossen wird.

306) Vgl. zum folgenden auch SCHNACKENBURG, Kirche 86-93.

307) Diese Stelle ist auf Grund literarischer Erwägungen allerdings unsicher. 2 Kor 7,2 schließt gut an 6,13 an. Dies spricht neben dem
geänderten Stil für den nichtpln Charakter von 2 Kor 6,14-7,1.

308) Vgl. θεοῦ οἰκοδομή ἐστε (1 Kor 3,9); ναὸς θεοῦ ἐστε
(1 Kor 3,16) und mit Einschränkungen auch 2 Kor 6,16: ναὸς
θεοῦ ἐσμεν ζῶντος.

das Bild in den Past - entgegen dem Eph[309] -, eine gewisse Selbständigkeit. D.h., dieser Kirchenbau kann in den Past weitgehend unabhängig von den Gliedern der Kirche betrachtet werden. Obwohl das Bild in 1 Kor 3, 6-9 wie in Eph 2, 21 die Dynamik des Wachsens berührt, ist das Hausmotiv in den Past nicht gleich als s t a t i s c h zu charakterisieren, sondern liegt auf einer anderen Ebene der Aussage.

In 1 Tim 3, 5 bildet das Haus ein primär p a r ä n e t i s c h e s Motiv. Die Bewährung im Haus ist die Voraussetzung für die Erfüllung der Sorge (vgl. ἐπιμελεῖσθαι V. 5) und der Aufsicht (vgl. ἐπισκοπή V. 1) in der Kirche Gottes.

Auch in 1 Tim 3, 15 hat das Bild einen paränetischen Charakter. Das Schreiben des P, das subsidiär für sein verzögertes Kommen steht (vgl. V. 14f.), möchte eine "Hausordnung" für den Wandel des nachpln Amtsträgers im "Haus Gottes" bieten. Zu diesem an sich neutralen Bild aber tritt ein neuer Aspekt. Die Kirche[310] ist "Säule und Grundfeste der Wahrheit"[311]. Das pln Bild von Christus als dem Fundament (vgl. θεμέλιον in 1 Kor 3, 10f.), welchen oder welches[312] der Apostel legt und worauf er weiterbaut[313], geht über die ekklesiologische Grund-Reflexion hinaus und erhält einen p o l e m i s c h e n Charakter. Die Kirche selber ist das Fundament der Wahrheit. Eine Kirche, die im Bewußtsein lebt, daß sie die Wahrheit stützt bzw. daß die Wahrheit ihr zugrundeliegt, verteidigt sich nicht nur gegen die Häresie, sondern sie versteht sich auch als eine m i s s i o n a r i s c h e Kirche in der Welt.

2 Tim 2, 19ff. beschreibt mit dem Bild vom Haus[314], in dem sich verschiedene Gefäße befinden, das Nebeneinander von den verschiedensten Kirchengliedern. Auch hier wird das Bild gleich ins Paränetische transponiert und motiviert damit die Aufforderung zur Selbstreinigung (V. 21)[315].

---

309) In Eph 2, 21f. sind die Glieder der Kirche noch Bauelemente. Vgl. dazu auch F.SCHNIDER-W.STENGER, Die Kirche als Bau und die Erbauung der Kirche. Statik und Dynamik eines ekklesiologischen Bildkreises: Concilium 8(1972) 714-720; 718f.

310) Gegen A.JAUBERT, L'image de la colonne (1 Timothée 3, 15), in: SPCIC 2 (=AnBib 17f.), Rom 1963, 101-108, welche die individuelle Deutung des Bildes von der Säule auf Timotheus einer primär ekklesiologischen Auslegung vorzieht.

311) Das Bild hat eine beachtliche Parallele in 1 QS V, 5f. Vgl. dazu SCHNACKENBURG, Kirche 88, mit Literatur. Vgl. auch BROX, Kirche 44-47.

312) Vgl. BAUER, Wörterbuch s.v. θεμέλιος, θεμέλιον.

313) Vgl. die Weiterführung dieses Bildes in Eph 2, 20.

314) Vgl. die Nähe von οἰκία (2 Tim 2, 20) zu ὁ... στέρεος θεμέλιος τοῦ θεοῦ ἕστηκεν in V. 19.

315) Vgl. S. 170f.

f) Zusammenfassung und Umschau

Besonders die großen geschichtlichen Persönlichkeiten hinterlassen nur zu leicht fühlbare Lücken und auch der Übergang von P in die nachpln Zeit sollte trotz aller möglichen Vorsorge des P nicht unterschätzt werden. Was die Past betrifft, so scheinen sie gerade hinsichtlich der Kirche eine Geschichte und Erfahrungen vorauszusetzen, wie sie P doch noch nicht in diesem Maße möglich waren. Dieser Umstand, und nicht schon die Einführung eines Amtes an sich oder des Presbyters im besonderen, spricht aber auch deutlich gegen eine authentische Verfasserschaft.

Die Past sind so gesehen Epigonen des P: Sie blicken auf die Anfänge der Kirche zurück, aber diese Anfänge einer universalen Kirche sind für sie bleibend mit P verbunden. Doch überlassen sie P nicht der Historie, sondern versuchen, ihn in die nachpln Zeit und ihr Amtsverständnis einzubringen. Sie haben zwar auch diese Ämter nicht erfunden, aber sie haben diese mit der Person und dem Wirken gerade ihres Apostels in Beziehung gesetzt und von dort her zu deuten versucht. Sie bezwecken damit freilich keine formaljuridische Ableitung dieser Ämter von P, sondern die Past verstehen P-Tradition vor allem als die inhaltliche Weitergabe des pln Evangeliums, das sie in einem umfassenderen Sinn als "pln" verstehen können als P selbst.

Die Bewältigung des Übergangs von der pln zur bleibend nachapostolischen Zeit der Kirche stellt die besondere ekklesiologische Leistung der Past dar.

Die Einordnung dieser nachpln Ekklesiologie in die Geschichte der frühen Kirche in ihrer Gesamtheit fällt auf Grund des pseudepigraphen Rahmens schwer. Innerhalb der P-Tradition scheinen die Past hinter dem Eph anzusetzen, was dann auch bedeutet, daß ihr so pragmatisches Konzept von Kirche zeitlich und sachlich n a c h den ekklesiologischen Reflexionen dieses Deuteropaulinums steht. Doch bleibt es unsicher, ob sich eine direkte Entwicklungslinie der Ämter von P über die Apg und die Past bis hin zu Ignatius ziehen läßt, weil diesen Ämtern doch je verschiedene Erfahrungen von Gemeinden zugrundeliegen.

Was die Person des Verfassers betrifft, so darf es als gegeben angenommen werden, daß der Autor sein Konzept von P-Tradition nicht nur literarisch verstand, sondern in irgendeiner Form des Amtes auch selbst wahrnahm, wobei der noch offene Amtsbegriff der Past eine nähere Definition dieses Amtes des Verfassers wohl nicht erlaubt. Die in den Past intendierte Ausrichtung der nachapostolischen Ämter an der Gestalt des P aber ist ein ekklesiologischer Beitrag, der auch heute überdacht werden müßte.

5. Ethik

Vorbemerkung

Die Past bieten in der Form pseudepigraphischer P-Briefe weniger theologische Aussagen als pragmatische Kirchenordnungen. Als solche sind sie eigentlich keine Briefe im strengen Sinn, sondern Paränesen, die sich der Briefform bedienen. Auch die P-Briefe sind oft stark paränetisch ausgerichtet, doch nimmt die Ermahnung in den Past eine dominierende Stellung ein. Ihre eigentliche Absicht liegt auch innerhalb der Ekklesiologie auf dem Gebiet der Ethik, wie z.B. die Pflichtenspiegel für die kirchlichen Ämter zeigen. Diese primär ethischen Tendenzen haben den Past - besonders in der Gegenüberstellung zu P -, die Klassifizierung einer "christlichen Bürgerlichkeit" eingebracht, eine Charakterisierung, deren Berechtigung nur im sorgfältigen Vergleich mit P zu überprüfen ist.

a) Eschatologie und Ethik

Die pln Ethik ist, soweit nicht auch bei P ethische Modelle der Umwelt, vor allem der jüdischen Diasporapredigt übernommen sind, von der Eschatologie bestimmt, welche die Gegenwart unter geänderten Vorzeichen erscheinen läßt[316], so daß der Lauf der Zeit nach dem Heilsgeschehen in Christus zusammengedrängt ist und einer erhöhten sittlichen Anstrengung bedarf (vgl. 1 Kor 7,26). Doch ist die Vorstellung einer linearen, quantitativen Zeit nicht das adäquate Mittel, die qualitative Zeitvorstellung des P im Sinne einer "konsequenten Eschatologie" zu interpretieren, durch deren Verzögerung nicht nur Jesus, sondern auch P und die nachpln Kirche in eine entscheidende Krise geraten konnten. Davon abgesehen bleibt immer noch die Frage, ob eine so verstandene Eschatologie wirklich als das Motiv der pln Ethik schlechthin angesprochen werden kann. Zwar unterscheidet sich nach P die christliche Ethik von der nichtchristlichen durch das fundamentale Bewußtsein des angebrochenen Heiles, de facto aber spricht sich die pln Ethik kaum in sehr revolutionären Formen aus[317], doch kann die pln Eschatologie auch keinen grundsätzlich

---

316) Vgl. das fünffache ὡς μή in 1 Kor 7,29ff. Vgl. dazu auch F. MUSSNER, Christ und Welt nach dem NT, in: Ders., Praesentia salutis, Düsseldorf 1967, 268-283; 273; G.HIERZENBERGER, Weltbewertung bei Paulus nach 1 Kor 7,29-31. Eine exegetisch-kerygmatische Studie, Düsseldorf 1967.

317) Vgl. dazu STUHLMACHER, Verantwortung 169.

konservativen Entwurf einer Ethik begründen[318]. Jedenfalls schließt die pln Enderwartung nicht aus, daß auch P die konkreten Forderungen des Alltags respektiert und dabei im ethischen Empfinden seiner Umwelt nach Modellen sucht, die in kritischer Auswahl (vgl. Phil 4,8) auch dem Leben der Christen entsprechen können. Die Übernahme der Tugend- und Lasterkataloge[319] und die Anwendung des bereits im Diasporajudentum praktizierten ethischen Verhaltens (vgl. Röm 13) zeigen auch P bei aller eschatologischen Erwartung am sittlichen Handeln der Christen im Alltag interessiert. Gerade dort, wo das menschliche Tun aus seiner vermeintlich heilsschaffenden Funktion verdrängt wird, wie in der pln Verkündigung einer Rechtfertigung aus dem Glauben an Christus, dort wird die menschliche Tat ganz frei für eine liebende Antwort des Glaubenden auf sein geschenkweise empfangenes Heil hin. Das ethische Handeln der Christen wird damit aber nach P noch nicht unverbindlich, sondern verbleibt auch nach der geschenkten Rechtfertigung unter dem Anspruch des Gerichtes und unter dem Risiko des Heilsverlustes[320].

Die Ethik der Past steht trotz ihrer neuen Akzente in einer besonderen P-Tradition. Ganz entgegen Kol und Eph, welche die eschatologische Spannung bei P zugunsten der Gegenwart vermindern, tritt in den Past - trotz eines präsentischen Aspektes im Heilsverständnis -, in der Erwartung der Epiphanie[321] wieder die Zukunft des Heiles stärker in den Blick. Ist die geschichtliche Einordnung der Past als Tritopaulinen richtig, dann wird in dieser stärkeren Rückbindung der Past an die authentisch pln Eschatologie möglicherweise auch eine direkte Gegenbewegung der Past zu den Deuteropaulinen sichtbar[322].

---

318) Vgl. dazu auch P.TRUMMER, Die Chance der Freiheit. Zur Interpretation des μᾶλλον χρῆσαι in 1 Kor 7,21: Bib. 56(1975) 344-368, und die dort angedeutete Literatur.

319) Vgl. z.B. 1 Kor 6,9f; Gal 5,19-23; Röm 1,29-32. Vgl. dazu auch A.GRABNER-HAIDER, Paraklese und Eschatologie bei Paulus. Mensch und Welt im Anspruch der Zukunft Gottes, NTA 4, Münster 1968, 27f.

320) Vgl. zum Thema auch z.B. K.ROMANIUK, Les motifs parénétiques dans les écrits pauliniens: NT 10(1968) 191-207; H.SCHLIER, Die Eigenart der christlichen Mahnung nach dem Apostel Paulus: GuL 36(1963) 327-340; L.MATTERN, Das Verständnis des Gerichtes bei Paulus, AThANT 47, Zürich-Stuttgart 1966, 193f, passim.

321) Vgl. auch S. 182, 185f, 200ff.

322) Vgl. dazu A.LINDEMANN, Die Aufhebung der Zeit. Geschichtsverständnis und Eschatologie im Epheserbrief, StNT 12, Gütersloh 1975, 255. Anders F.J.STEINMETZ, Protologische Heils-Zuversicht. Die Strukturen des soteriologischen und christologischen Denkens im Kolosser- und Epheserbrief, FTS 2, Frankfurt 1969, 144.

Jedenfalls führt das Weitergehen der gegenwärtigen Zeit trotz des angebrochenen Heiles die frühe Kirche nicht notwendig in die Krise und zum Verlust der
Hoffnung. Urteile wie: die "Spannung der christlichen Existenz in der neuen
eschatologischen Situation ist aufgegeben zugunsten eines christlichen Sich-
Einrichtens in dieser Welt"[323], oder: die "Eschatologie (sc. der Past) hat
mit Naherwartung nichts mehr zu tun"[324], oder vorsichtiger: "die eschatologische Gegenwart und Zukunft" stehen in den Past einander gegenüber, "aber
beide sind weiter auseinandergerückt als sie es bei Paulus waren"[325], entspringen einer zu schematischen Konfrontation von P und den Past und darüber
hinaus auch einer fragwürdigen Vorstellung von Eschatologie (s.o.).
Daß die Ethik der Past in pln Tradition steht, zeigt sich auch in der M o t i -
v a t i o n dieser Ethik. Zwar fehlt in den Past eine Reihe von sonstigen
paränetischen Motiven des P[326], aber das tragende soteriologische Motiv
der pln Ethik, das in der Heilstat Jesu am Kreuz gründet[327], bleibt auch in
den Past erhalten.

b) Die Begründung des Ethos im Kerygma

Die Past greifen zwar wie P auf das popularphilosophische Ethos zurück, aber
sie lassen ihre sittlichen Forderungen nicht im Bereich des Profanen stehen.
Es ist auffällig, wie sehr die paränetischen Abschnitte der Past mit kerygmatischen Texten verbunden sind[328], die bisweilen sogar über die im konkreten
Fall notwendige Motivation hinauszugehen scheinen. So begründet der schwerwiegende Text Tit 2,11ff. die vorausgehende Sklavenmahnung aus Tit 2,9f.
oder folgt die Aufforderung, sich in guten Werken hervorzutun (Tit 3,8), unmittelbar auf das Bekenntnis zur pln Rechtfertigungslehre mit der Negation

---

323)   W.MARXSEN, Einleitung in das NT, 3.Aufl. Gütersloh 1964, 183.

324)   STUHLMACHER, Verantwortung 182. Ähnlich auch wieder SCHULZ,
         Mitte 106f.

325)   GRABNER-HAIDER, Paraklese 107.

326)   Vgl. ROMANIUK, Motifs 201f, welcher allerdings das Fehlen der
         übrigen pln paränetischen Motive aus der besonderen Beziehung des
         Autors (sc. P) zu den Adressaten und der Entwicklung des pln Den-
         kens ableiten möchte. Vgl. ebd. 202.

327)   Vgl. dazu auch R.PESCH, "Christliche Bürgerlichkeit" (Tit 2,11-15):
         Am Tisch des Wortes 14 (Stuttgart 1966) 28-33; 32.

328)   Vgl. dazu auch L.de BENETTI, La vita etica della communità: RBR
         7(1972) 163-188; 177f; MERK, Glaube 98f.

der Werke (V. 5ff.)[329]. Das heißt nun freilich nicht, daß das Bekenntnis zur Erlösung "nicht aus Werken..." (Tit 3, 5) eine "pathetische Ablehnung der Werkgerechtigkeit" wäre, noch wird diese "merkwürdig relativiert durch die unmittelbar folgenden Aufforderungen zu den ἔργα"[330], sondern diese enge Verbindung von Ethos und Kerygma bedeutet, daß die Past trotz der textlichen Breite der Paränese diese zu keinem selbständigen Thema machen, sondern das Ethos immer auch als Ausdruck und Konsequenz des geschenkten Heiles betrachten.

Die Frömmigkeit[331] (εὐσέβεια), mit der sie bis auf die Apg[332] und 2 Petr[333] singulär im NT das Verhalten der Christen bezeichnen[334], steht nicht einfach anstelle der pln πίστις [335], sondern meint ein Christentum, das die irdischen Ordnungen und Pflichten respektiert.

Der Vergleich der Ethik der Past mit P steht wieder einmal in der Gefahr, die Aussagen beider einfach synchron und fast "dogmatisch" gegeneinander zu stellen[336], ohne die Diachronie der P-Tradition und die Entwicklung der Urkirche zu berücksichtigen. Doch gerade unter dem Aspekt der P-Tradition ist auch die Ethik der Past differenzierter zu beurteilen.

Das gegenüber P stärker ausgeprägte Bekenntnis zum irdischen Pflichtenkreis und die Rezeption der profanen Ethik bedeuten nicht schon eo ipso eine Verweltlichung oder Kapitulation vor den Notwendigkeiten des Alltags[337], sondern

---

329) Vgl. S. 190f.

330) Dies unterstellt HASLER, Verständnis 72.

331) Vgl. dazu auch E. BARBERO PECES, La piedad cristiana según las epistolas pastorales: CuBi 17(1960) 129-144; 321-334; Y. CRUVELLIER, La notion de piété dans les épîtres pastorales: EtEv 23(1963) 41-61; M. HERRERA, La piedad en las epistolas pastorales: RevBib 26(1964) 182-187.

332) Vgl. Apg 3, 12. Vgl. auch εὐσεβεῖν in Apg 17, 23 und εὐσεβής in Apg 10, 2. 7.

333) Vgl. 2 Petr 1, 3. 6. 7; 3, 11. Vgl. εὐσεβής in 2 Petr 2, 9.

334) Vgl. 1 Tim 2, 2; 3, 16; 4, 7; 6, 3. 5. 6. 11; 2 Tim 3, 5; Tit 1, 1. Vgl. auch εὐσεβεῖν in 1 Tim 5, 4 und εὐσεβῶς in 2 Tim 3, 12; Tit 2, 12.

335) Vgl. dazu W. FOERSTER, ΕΥΣΕΒΕΙΑ in den Pastoralbriefen: NTS 5 (1958f.) 213-218.

336) Vgl. z. B. ALEITH, Paulusverständnis 16.

337) Vgl. dazu auch W. SCHRAGE, Zur Ethik der ntl. Haustafeln: NTS 21 (1975) 1-22; 1; M. BARTH, Die Stellung des Paulus zu Gesetz und Ordnung: EvTh 33(1973) 496-526; 524.

stehen in den Past wohl ganz konkret auf dem Hintergrund einer Ablehnung der irdischen Wirklichkeit. Die schon von P bekämpfte Gefahr, in einem enthusiastischen Heilsverständnis an der irdischen Wirklichkeit vorbeizugehen oder sie zu mißbrauchen, ist auch ein Problem der nachpln Zeit. Ein solches Mißverständnis äußert sich nicht nur in der Weise des Libertinismus, sondern auch in der rigorosen Askese, gegen welche die Past anzukämpfen haben. In ihrer Skepsis gegenüber der σωματικὴ γυμνασία (1 Tim 4, 8)[338] äußert sich nicht die auch sonst bei den Griechen begegnende Kritik am Sport[339], sondern zeigt sich eine grundlegende Absage an den kontroversen Asketismus[340]. Neben den - wohl auch innerkirchlichen - Auseinandersetzungen und der versuchten Abgrenzung gegen die vielfältigen Formen einer gnostischen Verdächtigung ist es vor allem der missionarische Blick auf eine nichtchristliche Welt[341], der die Kirche der Past in verstärktem Ausmaß zu den irdischen Pflichten mahnen läßt. Das dabei vorausgesetzte Verständnis der Mission ermöglicht allerdings keine sehr ruhige Existenz, auch nicht in den Past[342].

Das "ethisierende" Christentum der Past kommt aber nicht von ungefähr, sondern scheint durchaus eine ganz konkrete Antwort auf eine besonders dringliche Anfrage der Umwelt zu sein[343]. Die Kirche der Past ist zu dieser Antwort fähig, weil ihr das universale Verständnis des Heilstodes Jesu auch die

---

338) Vgl. S. 167f.

339) Vgl. dazu auch W.JÄGER, Paideia 2, 2.Aufl. Berlin 1954, 306-310, mit Belegen.

340) Vgl. FOERSTER, ΕΥΣΕΒΕΙΑ 217; WENDLAND, Ethik 46.

341) Vgl. z.B. das gute Zeugnis ἀπὸ τῶν ἔξωθεν (1 Tim 3, 7) und μηδεμίαν ἀφορμὴν διδόναι τῷ ἀντικειμένῳ (1 Tim 5, 14). Vgl. dazu auch P.LIPPERT, Leben als Zeugnis. Die werbende Kraft christlicher Lebensführung nach dem Kirchenverständnis ntl. Briefe, SBM 4, Stuttgart 1968; F.HAHN, Das Verständnis der Mission im NT, WMANT 13, Neukirchen-Vluyn 1963, 123. LIPPERT, Leben 29, sieht die wiederholten Hinweise der Past auf die Reaktion von außen mehr apologetisch als missionarisch (ebd.), möchte aber letztlich doch diese "defensive Sorge" nicht von "offensiver Missionsmentalität" trennen (ebd. 60). Undeutlich ist auch das Urteil von HAHN, Mission 123, wonach in den Past zwar die Verkündigung des Evangeliums in aller Welt als selbstverständlich vorausgesetzt wird, ohne daß jedoch "eine eigentlich missionarische Intention sichtbar wird."

342) Vgl. dazu auch SCHIERSE, Existenz 285.

343) Vgl. STUHLMACHER, Verantwortung 183 Anm. 28.

betende Sorge für alle Menschen auferlegt (vgl. 1 Tim 2,1.6)[344]. Die Bedeutung dieser Haltung kann kaum überschätzt werden. Wie sich die gesetzesfreie Verkündigung des P gegen ein Getto der Kirche innerhalb des J u d e n - t u m s behaupten konnte, so stellt sich die nachpln Kirche entschieden gegen eine Versektung der Kirche in einer h e i d n i s c h e n U m w e l t. Der dabei in der P-Tradition erreichte Durchbruch dürfte aber kaum geringer einzuschätzen sein als der in der reformatorischen Theologie erkannte und auf die innerkirchliche Situation gedeutete Ausbruch des P aus dem Missionshorizont judenchristlicher Kreise Jerusalems.

Das in der Konfrontation mit der heidnischen Umwelt vorgelegte ethische Programm der Past hebt sich kaum von den profanen sittlichen Forderungen ab, unterscheidet sich aber davon durch das Selbstverständnis der Erlösung, das ihre Durchführung ermöglicht. Sittliches Bemühen ist jetzt als eine Konsequenz der erschienenen Gnade Gottes gesehen, deren Funktion in unserer E r z i e - h u n g liegt, damit wir die ἀσέβεια und die irdischen Begierden verleugnen und im gegenwärtigen Äon σωφρόνως καὶ δικαίως καὶ εὐσεβῶς leben (Tit 2,12).
Eine solche Sicht der Erziehung legt wieder einen Vergleich mit P nahe. Die Funktion des Pädagogen ist bei ihm nicht modern evolutiv gesehen, nicht einmal in 1 Kor 4,15, wo er "tausend" mögliche "Pädagogen" seiner wahren Vaterschaft an der Gemeinde gegenüberstellt. Besonders deutlich wird die pln Sicht des Pädagogen in Gal 3,24f, wo das Gesetz die heilsgeschichtliche Rolle des Zuchtmeisters bis zum Kommen Christi erfüllt[345]. Das Verständnis der Past von der χάρις παιδεύουσα liegt nicht auf der heilsgeschichtlichen Linie des P, behauptet aber auch keinen Widerspruch zu Gal 3,24[346], vielmehr zeigt sich darin, daß unsere Erlösung mit dem Erscheinen der - in Tit 2,11 wohl personifizierten - Erlösergnade Gottes noch nicht abgeschlossen ist, sondern mit ihrem Sichtbarwerden ihre erzieherische Funktion aufgenommen hat[347]. Dabei bleibt der Ansatz der pln Rechtfertigungslehre auch in dieser Formulierung erhalten. Nicht menschlicher Eigenleistung wird diese Erziehung zugeschrieben, sondern: "Was die griechische Ethik der eigenen Kraft zumutete und darum vergeblich forderte, das wird Wirklichkeit, wo die erziehende Gnade Gottes am Werke ist."[348]

---

344)   Vgl. S. 141ff.

345)   Vgl. KERTELGE, Rechtfertigung 207; R. SCHNACKENBURG, Christliche Freiheit nach Paulus, in: Ders., Christliche Existenz nach dem NT 2, München 1968, 33-49; 37, und ebd. Anm. 1.

346)   Vgl. G. BERTRAM, Art. παιδεύω: ThWNT 5, 596-624; 623.

347)   παιδεύουσα (Tit 2,12) ist ingressiv verstanden.

348)   Vgl. JEREMIAS, Past[11] 73.

Das Erziehungsverständnis der Past ist also nicht rein griechisch. Bereits die atl.-jüdische Vorgeschichte mit ihrer Übersetzung von יסר mit παιδεύειν hat in den griechischen Begriff eine neue, ihm ursprünglich fremde Bedeutung von Zucht bzw. Züchtigung eingetragen[349], welche dem NT und auch P eine Darstellung der Leidenstheologie mit Hilfe von παιδεύειν ermöglicht[350]. Diese biblische Konnotation von παιδεύειν ist in Tit 2,12 durchaus mitzuhören[351]. Dafür spricht neben dem züchtigenden Charakter von παιδεύειν in 1 Tim 1,20 vor allem der Kontext von Tit 2,12. Es ist die Selbsthingabe Christi, die unsere Erlösung von jedem Unrecht und die Reinigung des auserwählten Volkes bewirkt (vgl. V. 12). Es ist also auch das Erlösungsleiden, welches in der Erlösergnade Gottes aufstrahlt. Ihr erzieherischer Charakter an uns schließt deswegen auch in den Past eine Erziehung durch Leiden nicht aus. Neben dem Verständnis des Todes Jesu ist es auch das Vorbild des leidenden und in den Tod gehenden Apostels, das den Past kein rein humanistisch-griechisches Erziehungsdenken erlaubt, wenngleich dieses nicht negiert wird, sondern gerade in der christlichen Rezeption seine letzte und tiefste Sinndeutung erhält.

c) Der Inhalt der Paränese

Form und Inhalt der Paränese bei P und in den Past sind weitgehend durch ihren äußeren Rahmen bestimmt. Die pln Paränese findet sich innerhalb einer konkreten Korrespondenz. Sie hat deshalb vor allem den Einzelfall oder eine besondere Gemeinde im Auge. Jedoch kann auch P über den Einzelfall immer wieder hinausgreifen[352] und seine Briefe an größere Kirchengebiete adressieren (2 Kor 1,1; Gal 1,2) oder in konkrete Mahnungen auch ganz grundsätzliche Überlegungen einflechten[353]. Die nachpln Literatur unterscheidet sich von der

---

349)   Vgl. BERTRAM, παιδεύω 607.

350)   Vgl. Lk 23,16.22 von der Passion Jesu. Nach 1 Kor 11,32 werden wir vom Herrn gerichtet und dadurch erzogen. Vgl. auch den Peristasen-katalog in 2 Kor 6,9: ὡς παιδευόμενοι καὶ μὴ θανατούμενοι.

351)   Vgl. dazu auch G.GIESE, ΧΑΡΙΣ ΠΑΙΔΕΥΟΥΣΑ. Zur biblischen Begründung des evangelischen Erziehungsgedankens: ThViat 5(1953f.) 150-173; 161-165. Vgl. zum Thema auch P.A.SISTI, La pedagogia di dio: BeO 9 (1967) 253-262.

352)   Vgl. z.B. Röm 14-15; 1 Kor 7,17-24.

353)   Vgl. Röm 14,7-9; 1 Kor 5,6-13; 2 Kor 9,6-11. Vgl. dazu auch W. SCHRAGE, Die konkreten Einzelgebote in der paulinischen Paränese, Gütersloh 1961, 41ff, 117-122; Ders., Ethik 10.

authentisch pln durch einen größeren geographischen und zeitlichen Horizont[354]. Dies bringt mit sich, daß auch die Paränese grundsätzlicher orientiert ist, als sie es bei P war. Der gegenüber P geweitete Blick führt dazu, daß die nachpln Paränese nicht ad hoc formuliert wird, sondern sich in zunehmendem Maße auch auf einer allgemeinen Ebene bewegt und sich dabei vor allem der Haustafelethik bedient. Die Past haben einen universalen soteriologischen Horizont (vgl. 1 Tim 2,4), dem sie auch mit ihrem breiteren ethischen Programm zu entsprechen suchen. Mehr als P (vgl. Röm 14,20) argumentieren sie mit einer allgemein einsichtigen Natur- und Schöpfungsordnung (vgl. 1 Tim 4,4; Tit 1,15) was aber noch nicht heißt, daß sie diese im Sinne einer statischen und für alle Zeiten gültigen Norm präsentieren wollen[355]. Ihre von einer Theologia naturalis her formulierte ethische These aber bleibt nicht im allgemein Rationalen und Unverbindlichen, sondern enthält auch eine sehr aggressive Aussage: Gerade die Christen sind zum Gebrauch des Geschaffenen berufen. Nur den Christen ist der dankbare Gebrauch der ganzen Schöpfung möglich[356].

Die Aufnahme der katalogischen Ethik in die Past ist keineswegs unbeweglich, sondern eine nähere formgeschichtliche Untersuchung zeigt, daß sie nicht auf ein starres Schema rekurrieren[357] - auch nicht auf ein speziell pln -, sondern

---

354) Vgl. auch K.WEIDINGER, Die Haustafeln. Ein Stück urchristlicher Paränese, UNT 14, Leipzig 1928, 76, welcher bei den Haustafeln von einem neuen katholisierenden Briefstil spricht. Dieser ist charakterisiert durch das "Zurücktreten des Aktuellen, Überwiegen der allgemeinen Gedanken, Darbietung in einer der Allgemeinheit geläufigen Form... und endlich Vermischung der Heilsverkündigung und Paränese". Ebd. 76.

355) Vgl. auch SCHRAGE, Ethik 21; SCHELKLE, Theologie 3 215. Anders STUHLMACHER, Verantwortung 184: "Ich wüßte nicht mehr, was daran hindern sollte, die Haustafeln aus Tit. 2 und 1. Tim. 2 + 6,1ff. im Sinne einer statischen Schöpfungstheologie auszulegen. Antike, soziologische Gefüge können auf Grund der Pastoralbriefe in der Tat zu dauernden christlichen Postulaten erhoben werden." STUHLMACHERs Bedenken müßten eigentlich auch gegen P gelten. Doch auch bei P bedeutet die Aufnahme der katalogischen Ethik kein zeitlos gültiges Moralsystem, sondern Aktualisierung des Evangeliums. Vgl. dazu A.GRABNER-HAIDER, Zur Geschichtlichkeit der Moral: Catholica 22(Münster 1968) 262-270; 268.

356) Vgl. dazu auch SCHIERSE, Existenz 289.

357) Vgl. N.J.MCELENEY, The Vice Lists of the Pastoral Epistles: CBQ 36(1974) 203-219; 216f.

daß sie ihre Aufzählungen paradigmatisch verstehen und von Fall zu Fall variieren können[358]. Ihre gemeinsame Tendenz liegt darin, daß sie ihre Forderungen konsequent im sozialen Bereich ansetzen. Darin treffen sie sich nicht nur mit P, sondern auch mit weiten Kreisen der späteren jüdischen Tradition, welche den Gesetzesbegriff wenig am Kanon bzw. an den rituellen Forderungen des Judentums ausrichtet, sondern betont an den sozialen Pflichten gegenüber dem Nächsten orientiert (vgl. 1 Tim 1, 8. 9f.)[359]. Die Paradigmen der Past, die sie zur inhaltlichen Füllung des ethischen Programms anführen, lassen sich teils vom Dekalog[360], teils aus den Katalogen der griechischen Moralphilosophie herleiten[361] und beeindrucken z.T. durch die Schwere und Ausgefallenheit der aufgezählten Laster (vgl. 1 Tim 1, 9)[362].
Das Ziel der mit Hilfe der Kataloge demonstrierten Verkündigung dagegen liegt in der L i e b e (vgl. 1 Tim 1, 5). Sie ist wie bei P (vgl. Röm 13, 10[363]) der Fluchtpunkt aller ethischen Mahnungen. Der pointierte Hinweis auf die Liebe als das Ziel der Verkündigung in 1 Tim 1, 5 bedeutet wohl auch, daß die Past nicht kasuistisch vollständig alle ethischen Themata umreißen wollen, sondern vor allen Katalogen und über sie hinaus die Liebe zusammen mit dem guten Gewissen und dem ungeheuchelten Glauben als das Ziel der Verkündigung und das Maß des ethischen Verhaltens betrachten. Aus diesem Grund begegnet in den Past auch häufig der Hinweis auf das Gewissen[364], eine Instanz, die auch bei P eine wichtige Funktion für das ethische Verhalten der Christen hat.

---

358) Vgl. auch SCHRAGE, Ethik 3.

359) Vgl. dazu K. BERGER, Die Gesetzesauslegung Jesu. Ihr historischer Hintergrund im Judentum und im AT. Teil I: Markus und Parallelen, WMANT 40, Neukirchen-Vluyn 1972, 32-54; 52.

360) Vgl. dazu auch NAUCK, Herkunft 9, 16.

361) Vgl. BERGER, Gesetzesauslegung 52.

362) Vgl. VÖGTLE, Tugend- und Lasterkataloge 234.

363) Vgl. dazu SCHRAGE, Einzelgebote 249-271.

364) Vgl. 1 Tim 1, 5. 19; 3, 9; 4, 2; 2 Tim 1, 3; Tit 1, 15.

d) Einzelthemen

1) Gewissen

Neben und über seine apostolische Mahnung hinaus appelliert P an das Gewissen des einzelnen (vgl. z.B. Röm 13,5; 14,5). Im Vergleich zur Literatur des ersten vor- und nachchristlichen Jahrhunderts fällt die Häufigkeit und Dichte auf, mit der P diesen Begriff verwendet[365]. Obwohl er keine einheitliche Begriffsbestimmung und selbständige Lehre vom Gewissen vorlegt, weitet er den Begriff der συνείδησις "zum zentralen Selbstbewußtsein des erkennenden und handelnden Menschen" aus[366].
Die nachpln Tradition folgt P bei der Weiterführung dieses grundlegenden ethischen Begriffes und erweitert diesen durch besondere Attribute. Die Past sprechen von der ἀγαθή (1 Tim 1,5.19) bzw. καθαρά (vgl. 1 Tim 3,9; 2 Tim 1,3) συνείδησις und meinen damit aber "mehr als nur das unbescholtene leere Gewissen, aber auch mehr als das schlichte Herz des alttestamentlichen Frommen", sondern bezeichnen damit mit großer Wahrscheinlichkeit "die Erneuerung des Menschen durch die Neuschöpfung im Glauben", "die die gesamte christliche Existenz umfaßt."[367]
Von der Bedeutung dieses Begriffs innerhalb der Sprache und Gedankenwelt der Past her wird es somit problematisch, das gute Gewissen der Past zu den Eigenschaften einer "christlichen Bürgerlichkeit" im Sinne des sprichwörtlichen "besten Ruhekissens" zu rechnen[368].

2) Tugenden

Neben der katalogischen Ethik findet sich in den Past des öfteren auch eine charakteristische Zusammenstellung von Tugendbegriffen. Der auffälligste Unterschied gegenüber P liegt dabei in der Verwendung von πίστις. Für P ist dieser Begriff im Mittelpunkt seiner Theologie[369] und Zentralbegriff seiner

---

365) Vgl. SPICQ, Past 326.

366) Vgl. Ch.MAURER, Art. σύνοιδα κ.τ.λ,: ThWNT 7, 897-918; 916, Z. 24f. Vgl. auch R.SCHNACKENBURG, Die sittliche Botschaft des NT, 2.Aufl. München 1962, 231-238; THERRIEN, Discernement 233ff.

367) MAURER, σύνοιδα 917, Z. 24-29.

368) Wie die Tendenz dazu bei DIBELIUS-CONZELMANN, Past 17, vorliegt. Zur Kritik am Begriff der "christlichen Bürgerlichkeit" vgl. auch SCHNACKENBURG, Botschaft 232f; PESCH, Bürgerlichkeit 28-33.

369) Vgl. R.BULTMANN, Art. πιστεύω κ.τ.λ,: ThWNT 6, 197-230.

Polemik gegen die ἔργα νόμου. Die Past zeigen sich von dieser pln Auseinandersetzung nicht berührt, sondern verwenden den Begriff eher allgemein christlich. Neben der πίστις als der fides quae (vgl. 1 Tim 2,7; 3,9) überwiegt πίστις in den Past als Tugendbegriff. Dabei ist die Zusammenstellung mit anderen Begriffen charakteristisch und so deutlich, daß man den Eindruck gewinnt, der Begriff würde ganz bewußt durch andere Begriffe ergänzt und umschrieben. Am häufigsten findet sich in der paarweisen Verbindung πίστις zusammen mit ἀγάπη[370] und συνείδησις[371]; in der dreifachen Kombination wird πίστις fest mit ἀγάπη verbunden, während der dritte Begriff variiert: In 1 Tim 6,11 und 2 Tim 2,22 ist es δικαιοσύνη, in 2 Tim 3,10 μακροθυμία, in Tit 2,2 ὑπομονή[372]. Eine bewußte Interpretation bzw. Neuorientierung der pln Trias πίστις ἐλπίς ἀγάπη (1 Kor 13,13[373]) liegt an der letzten Stelle nicht vor, da die Past im Gebrauch von πίστις von P weitgehendst unabhängig sind. Der atl. Sinn von Treue bzw. πίστις als Bezeichnung des Christentums[374] zeigt einen ähnlichen Befund wie die Christologie der Past. Auch die Verwendung von πίστις weist auf einen eher allgemein frühchristlichen als speziell pln Hintergrund hin.

πίστις ist also für die Past nicht der zentrale Glaubensbegriff wie bei P[375], sondern ein Begriff der Ethik im Sinne eines aus dem Glauben realisierten Christentums bzw. der Treue überhaupt. Neben dem Bekenntnis zur διδασκαλία ist die πίστις vor allem die ins sittliche Leben umgesetzte Haltung des Christen, was der paränetischen Absicht der Past voll entspricht.

3) Pflichtenlehren und Standestafeln

Inhaltlich sind die Pflichtenlehren der Past fast vollständig der Umwelt entnommen; auch eine besondere Ausrichtung der Kataloge an P oder einem von

---

370)   Vgl. 1 Tim 1,5.14; 2 Tim 1,13. Gelegentlich begegnet diese Verbindung auch bei P. Vgl. Gal 5,6; 1 Thess 3,6; 5,8.

371)   Vgl. 1 Tim 1,19; 3,9.

372)   Dieselbe Zusammenstellung von πίστις und ὑπομονή findet sich auch in 2 Thess 1,4, während die Parallele in 1 Thess 1,3 ὑπομονή mit ἐλπίς kombiniert.

373)   Zur Interpretation vgl. G. BORNKAMM, Der köstlichere Weg. 1 Kor 13, in: Ders., Das Ende des Gesetzes, BEvTh 16, 3. Aufl. München 1961, 93-112. BORNKAMM wehrt dem Verständnis von ἀγάπη als einer Tugend. Vgl. ebd. 110.

374)   Vgl. BULTMANN, πιστεύω 214.

375)   Obwohl BULTMANN, Past 996, den Past durchaus noch eine Verbindung mit dem pln Glaubensbegriff bescheinigt.

ihm übernommenen Schema ist nicht gegeben[376]. Ihr z.T. selbstverständlicher und minimaler Charakter - besonders in den für die kirchlichen Ämter geforderten Qualitäten -, überrascht, doch wohl mehr von der theoretischen als von der praktischen Seite der Ethik her[377].

Mit den Tugend- und Lasterkatalogen sind die ethischen Modelle der Umwelt übernommen. Neu an der ntl. Redaktion dieser Kataloge ist eigentlich nur die konsequente Auslassung von Begriffen, welche für eine christliche Rezeption ungeeignet sind - etwa Begriffe der hellenistischen Berufspflichtenlehre und der Regentenspiegel[378] oder überhaupt philosophisch-ethische Begriffe, welche die menschliche Leistung betonen[379] -, so wie die bewußte Hervorhebung von christlichen Haltungen, wie Glaube und Liebe, am Anfang und am Ende der Kataloge[380]. Neu vor allem ist auch die stark theologische Begründung des profanen Pflichtenkreises.

Wie jedoch die Wirkungsgeschichte der katalogischen Ethik zeigt, war ihr keine lange Dauer beschieden. Die Kataloge sind als die zeitbedingte ethische Form der ntl. Umwelt in die späteren ntl. Schriften und in die Apostolischen Väter eingegangen, haben aber darüber hinaus keine eigene Nachgeschichte erlebt[381]. Schon allein dieser Umstand spricht dagegen, die Haustafeln als eine zeitlos gültige Form christlicher Paränese zu betrachten, wohl aber waren sie nach der Meinung der nachpln Tradition ein naheliegendes und geeignetes Mittel, um den ethischen Anforderungen der eigenen Zeit auch innerhalb der Kirche zu entsprechen[382].

Da die Haustafeln erst in der nachpln Literatur erstmals begegnen (vgl. Kol 3, 18-4, 1), fallen sie strenggenommen nicht in den Rahmen unseres The-

---

376) Dies führt u.a. auch zu einer sehr zwiespältigen Behandlung der Past innerhalb der ntl. Ethik. SCHNACKENBURG, Botschaft 246, klammert das Problem der Tugendlehre der Past wegen der Verquickung mit der Autorenfrage aus, obwohl er sonst eine Gesamtdarstellung der ntl. Ethik bietet. Dagegen kann C.SPICQ, Théologie morale du NT 1 u. 2, Paris 1965, sowohl von seinem begrifflichen Aufriß als auch von seiner Entscheidung in der Autorenfrage die Past ziemlich unterschiedslos in die pln Ethik einbeziehen.

377) Vgl. auch VÖGTLE, Tugend- und Lasterkataloge 238.

378) Vgl. ebd. 242f.

379) Vgl. SCHELKLE, Theologie 3 165.

380) Vgl. ebd. 214.

381) Vgl. WEIDINGER, Haustafeln 75.

382) Vgl. auch SCHELKLE, Theologie 3 214f.

mas. Doch auch schon diese grundsätzliche Erkenntnis hat u.U. für die Interpretation des P und der nachpln Schriften Konsequenzen. Dies sei anhand des
Themas der Sklavenparänese kurz gezeigt.

4) Paränese an die Sklaven

Da P in 1 Kor 7, 20ff. in seinen grundsätzlichen Überlegungen zum Ruf Gottes
auch die Sklaven anspricht, ist die Exegese leicht dazu geneigt, P von den
Haustafeln her zu interpretieren. In der Tat findet sich zwischen der pln
Paränese und der Sklavenmahnung in den Past eine wörtliche Entsprechung[383],
was leicht zu einer wechselseitigen Ergänzung in der Auslegung Anlaß bietet.
Doch sollte 1 Kor 7, 21 nicht von den Past her interpretiert werden, weil beide
Stellen von etwas Verschiedenem reden: 1 Kor 7, 21 von der Chance der Freiheit[384], 1 Tim 6 von den Problemen, die sich vom fortschreitenden Christentum her gegenüber den bisherigen sozialen Strukturen ergeben. Die Past fassen
eine geschichtliche Periode ins Auge, in der es neben christlichen Sklaven auch
zunehmend christliche Herren gab, was in den Anfangszeiten der Mission
wohl nicht zu häufig der Fall gewesen sein konnte. Außer Phlm und 1 Kor 7, 20ff.
zeigt sich die pln Literatur ja auch erstaunlich wenig mit diesem Thema befaßt. Erst die nachpln Paränese sieht sich in zunehmendem Maße mit dem
Tatbestand konfrontiert, daß die gewonnene christliche Freiheit von Sklaven in
der Gemeinde mit ihrem bisherigen sozialen Status zu kollidieren begann. Da
jedoch das Christentum trotz der religiösen und innerhalb christlicher Hausge-
meinschaften wohl auch weitgehenden sozialen Emanzipation von Sklaven keine
revolutionäre Änderung der Gesellschaftsstruktur provozieren konnte und wollte,
vermag die Paränese die Sklaven nur mit ganz starken theologischen Motiven in
ihrem - jetzt auch durch das Christentum fragwürdig gewordenen - Status zu
halten, ohne jedoch eine Mystik des Martyriums zu schaffen[385]. Während Kol
3, 22f. und Eph 6, 5-8 die Sklaven noch zur Lauterkeit ihres Tuns auffordern
und die Sklavenherren als die κύριοι κατὰ σάρκα (vgl. Kol 3, 22; Eph 6, 5)
entwerten und diese an ihren eigentlichen Herrn verweisen (vgl. Kol 4, 1; Eph
6, 9), erhält die Sklavenparänese der Past einen neuen Akzent.
Die Mahnung, "die eigenen Herren jeder Ehre für wert zu halten" (1 Tim 6, 1)
bzw. sich ihnen "unterzuordnen, wohlgefällig zu sein, nicht zu widersprechen
und nichts zu unterschlagen, sondern die ganze gute πίστις zu zeigen" (Tit

---

383)   Vgl. μᾶλλον χρῆσαι in 1 Kor 7, 21 mit μᾶλλον δουλευέτωσαν
       in 1 Tim 6, 2.

384)   Vgl. dazu TRUMMER, Chance 359, passim.

385)   Vgl. A. BERLENDIS, Esortazione agli schiavi: RBR 7(1972) 189-215;
       196.

2,10f.), wird in beiden Fällen mit dem Motiv der Glaubenswerbung begründet: "Der Name Gottes und die Lehre" (= das Christentum) sollen nicht geschmäht werden (1 Tim 6,1)[386] bzw. die Sklaven sollen "die Lehre unseres Erlösergottes schmücken" (Tit 2,10). Die Begründung der Sklavenparänese, die dafür in Tit 2 gegeben wird, gehört zu den schwerwiegendsten soteriologischen Texten der Past überhaupt[387]. Diese Begründung (vgl. γάρ Tit 2,11) kann nur mit dem Erscheinen der Erlösergnade Gottes selber (V. 11), ihrer erzieherischen Funktion, unserer Erwartung der Epiphanie und vor allem mit der Selbsthingabe Christi (V. 12) gegeben werden.

Auch die Paränese in Tit 3,1 hat noch die Sklaven im Auge - jedenfalls sind sie nicht auszuschließen[388] - und versieht die erweiterte Mahnung zur Unterordnung (3,1f.) wieder mit einer ganz schwerwiegenden Motivation: Mit dem Erscheinen der Güte und Menschenfreundlichkeit Gottes (3,4), unserer unverdienten Erlösung (3,5) und dem erhofften ewigen Leben (3,7). Die Paränese zeigt also, daß auch in den Fragen des ganz praktischen ethischen Verhaltens die letzten Grundlagen des Glaubens mit ins Spiel kommen[389]. Als Teil der Kirchenordnung fordert die Sklavenparänese dazu auf, Sklaven sollten ihre Herren nicht deswegen verachten, "weil sie Brüder sind, sondern sie sollten mehr dienen, weil sie (sc. die Herren) Christen sind und Geliebte, welche sich des Wohltuns befleißigen" (1 Tim 6,2).

Gegenüber Kol und Eph ist in der Sklavenparänese der Past auffällig, daß nicht mehr die Herren, sondern nur mehr die Sklaven angesprochen werden. Das besondere Problem der Paränese scheint sich in den Past von den Herren weg auf die Sklaven verlagert zu haben.

---

386) Die Stelle hat übrigens nach JÜLICHER-FASCHER, Einleitung 166, eine "genaue Parallele" in Röm 2,24, doch spricht der Anklang an Jes 52,5; Ez 36,20 hier gegen eine literarische Abhängigkeit der Past von P.

387) Vgl. S. 190.

388) αὐτούς in Tit 3,11 bezieht sich grammatisch auf δούλους in 2,9, hat jedoch auch eine allgemeinere Bedeutung. Vgl. S. 143 Anm. 155.

389) Noch deutlicher wird diese Entwicklung der Sklavenparänese in 1 Petr 2,18-25, wo das unschuldig erlittene Leiden als eine besondere Möglichkeit verstanden wird, den Fußstapfen des leidenden Christus zu folgen.

V. ZUSAMMENFASSUNG UND FOLGERUNGEN

1. Ergebnis

Die historisch-kritische Fragestellung hat in die literarische Größe der P-Briefe deutliche Unterscheidungen eingetragen. Die auffälligste davon ist die Unterscheidung zwischen P und den Past, die zur Erklärung der Unechtheit der Past
durch die "kritische" Theologie führte. Dagegen übernahm die - jedoch ihrerseits keineswegs unkritische, doch auch um Wesentliches besorgte - "traditionelle" Theologie sehr oft die undankbare Rolle eines Verteidigers der Authentizität
dieser Briefsammlung innerhalb des Corpus paulinum. Von diesen beiden extremen Positionen der Echtheitsverteidigung und ihrer Bestreitung hat sich bis heute keine vollständig beiseite schieben lassen und es scheint vorerst, daß sich
bei den vorhandenen Quellen und den uns zu Verfügung stehenden Mitteln eigentlich keine präzisere Lösung finden ließe. Doch dieser Eindruck trügt. Mehr Klar-
heit in dieser alten Frage ist nicht nur notwendig, sondern wohl auch möglich.

Die katholische Theologie hat sich nach langer Zurückhaltung bereit erklärt,
sich auf das Risiko einer historisch-kritischen Exegese voll einzulassen. Eine
solche ist hinsichtlich des P wie der Past nur von halbwegs geklärten Einleitungsfragen her durchführbar: P und die Past lassen sich einerseits deutlich
voneinander unterscheiden, andererseits gehören sie doch wieder irgendwie zusammen. Dieser eigenartige Befund bedarf einer Erklärung.
Eine bessere Lösung des Problems ist nicht nur gefordert, sondern auch möglich, wenn verstärkte Überlegungen zum nachpln Charakter der Past ange-
stellt werden. Deswegen wurde hier der Versuch unternommen, den pln Charakter der Past einmal von eindeutig nachpln Gesichtspunkten her zu betrachten. Die These, welche nicht leichtsinnig, sondern im Gespräch mit den wichtig-
sten Positionen der Forschungsgeschichte vorgetragen wird, ist die: Die Past
sind in ihrer Gesamtheit nachpln, sie sind pln Pseudepigrapha, deren P-Tradition in einer Sammlung von P-Briefen ansetzt: Zwar ist auf Grund der eigenartigen Benützung der schriftlichen P-Tradition eine offensichtliche literarische Abhängigkeit der Past von P nur an wenigen Stellen evident zu machen,
doch ist die bewußte Anlehnung an das pln Briefformular im allgemeinen und
an 1 Kor, Röm und das Modell eines Gefangenschaftsbriefes wie Phil im besonderen durchaus spürbar. Auf Grund des Namensrepertoires der Past ist
sogar eine Kenntnis des sonst nur wenig bezeugten, weil so spezifischen Phlm
durchaus wahrscheinlich. Das Verhältnis der Past zu anderen möglichen pln
Pseudepigrapha des NT ist etwas schwieriger zu bestimmen, doch scheinen die
Past wenigstens den Eph vorauszusetzen. Die Past rücken damit von ihrem
literarischen Charakter, aber auch von Überlegungen zur pln Pseudepigraphie
her an das Ende der ntl. P-Tradition. Andere Versuche einer Erklärung des
Verhältnisses von P und den Past dagegen sind als zu kompliziert, letztlich
nicht entscheidbar und für die Auslegung als unfruchtbar abzulehnen.

Die Annahme der Unechtheit der Past aber ist alles andere als leicht, sondern mit der Übernahme einer Reihe von Fragen verbunden, die auch innerhalb der biblischen Einleitungswissenschaft noch nicht genügend ausdiskutiert sind. Die Arbeit an den Past unter nichtpln Voraussetzungen zwingt daher den Exegeten zu einer eingehenden Beschäftigung mit dem Phänomen der Pseudepigraphie, wobei die beharrliche Diskussion um die anstehenden Sachfragen auch wichtige Hinweise auf das Milieu und die näheren Bedingungen und den Personenkreis dieser pln Pseudepigraphie bieten kann. Diese Überlegungen sind für die Auslegung deswegen von besonderer Wichtigkeit, weil sich damit auch Wege öffnen, die Past als pln Pseudepigrapha nicht als das Produkt einer ganz banalen und trivialen Manipulation betrachten zu müssen, sondern gerade in dieser Literaturgattung ein Phänomen einer sehr eigenartigen, aber doch positiven P-Tradition zu erkennen. Die Überlegungen zum Umkreis und zur Technik der pseudepigraphen P-Tradition erlauben es auch, über die Kenntnis der P-Briefe hinaus die totale Pseudepigraphie der Past zu postulieren. Hier liegt auch ein wesentlich neuer Punkt innerhalb dieses so alten Problems, daß die bislang noch nicht voll bereinigte Frage nach authentischen Fragmenten und persönlichen Notizen in Richtung einer konsequent nachpln und damit auch bewußt theologischen Interpretation vorangetrieben wird[1]. Die Past sind aber als pln Pseudepigrapha nicht zu isolieren, sondern in Beziehung zu setzen zu anderen möglichen Vertretern dieses literarischen Genus innerhalb des pln Epistolars, wobei formgeschichtliche Überlegungen zu den P-Briefen die Motive und Topoi, aber auch den besonderen Charakter dieser Pseudepigraphie der Past aufhellen können.

Nach diesen allgemeinen Betrachtungen sind dann die literarischen Beziehungen zwischen den Past und P zu untersuchen. Dabei werden von Text und Reihenfolge der Past her jene Stellen exegetisch verglichen, die einen näheren textlichen Bezug der Past zu den Paulinen erkennen lassen, wobei die Methoden des literarischen Vergleichs und der Redaktionsgeschichte auf das Verhältnis der Past zu P' übertragen werden. Dieses Verfahren der Untersuchung wäre sogar auch dann sinnvoll, wenn die Past unter authentischen Voraussetzungen zu interpretieren wären. Von der konsequent durchgeführten pseudepigraphen Auslegung jedoch gewinnen einige Stellen eine prägnantere Bedeutung als bei einer Harmonie von P und den Past. Z.B. betrifft das so eingehend reflektierte Schriftverständnis der Past nicht mehr nur das AT, sondern weist auch auf den nachpln Standort des pseudepigraphen Verfassers und seine Wertschätzung der schriftlichen P-Tradition. Auch die P-Anamnesen erhalten bei nachpln Betrachtung eine adäquatere, direkt programmatische Funktion und beschreiben die Gestalt und die Bedeutung des P für den nachpln Schreiber und die nachpln Adressaten.

---

1)   Dieser Versuch wurde wegen der besonderen Wichtigkeit für die nachpln Interpretation der Past schon vorher veröffentlicht. Vgl. TRUMMER, Mantel 193-207.

Viele historische Elemente verlieren allerdings dadurch ihren informativen Charakter zugunsten einer primär literarischen Interpretation. Schon die Gestalten der Adressaten setzen zwar in der Historie des P an, sind aber wie P selbst von der ekklesiologisch-pragmatischen Absicht der Pseudepigraphie neu gezeichnet. Auch die übrigen Namen der Past sind dieser historisierend-literarischen Brieftechnik zuzuordnen.

Weitere literarische Vergleiche analoger Stellen bei P und in den Past versuchen den Grad ihrer Abhängigkeit näher zu bestimmen. Im Verhältnis der Christen zum Staat oder in der Verwendung des Rechtsgrundsatzes von den zwei oder drei Zeugen geht die Paränese der Past bei aller Ähnlichkeit zu P doch ihre eigenen Wege. In ihren Bestimmungen über die Stellung der Frau im Rahmen ihrer Kirchenordnung lehnen sich die Past deutlich an P an und erweisen sich ihm gegenüber als sekundär und präzisierend. Ebenso ist eine ganz offenkundige Abhängigkeit der Past von der pln Argumentation zugunsten des apostolischen Lebensunterhaltes gegeben, den die Past auf die nachpln Ämter ausdehnen.

Über die literarischen Beziehungen hinaus ist aber auch nach den sogenannten "theologischen" Themenkreisen zu fragen. Dabei zeigt sich zunächst ein Unterschied in der Deutlichkeit und Funktion der Polemik bei P und in den Past. Während die P-Briefe und ihre Auseinandersetzungen auf bestimmte Gemeindeverhältnisse abzielen, richtet sich die nachpln Polemik der Past weniger auf inhaltliche Kontroversen, sondern ihre Intention liegt auf einer anderen Ebene, nämlich auf der Linie des Amtes.

Die Untersuchung zu den Rechtfertigungssätzen bei P und in der nachpln Tradition zeigt den Unterschied aber auch die auffallende Rückbeziehung der Past auf P in dieser so zentralen Frage der pln Theologie. Dabei werden authentische Sätze des P sachlich auf die allgemeine nachpln Situation der Kirche hin interpretiert und bieten so die Grundlage einer stark theologisch motivierten Ethik.

Dagegen zeigt die Christologie (und noch mehr die Theologie im eigentlichen Sinn) der Past keine speziellere Ausrichtung an P, sondern die Past bewegen sich in einer allgemein christlichen Titelchristologie, die ihren Sitz im Leben in der nachpln Liturgie hat und von den Past ebenfalls als Motivation für ihre Paränesen herangezogen wird. Wie die Christologie ist auch die Ekklesiologie der Past nicht systematisch, sondern primär pragmatisch ausgerichtet. Auch die Ekklesiologie bietet kein Gesamtbild, nicht einmal der Gestalt des P, sondern versucht nur, P für die konkreten nachpln Ämter fruchtbar zu machen und damit das Weiterbestehen der Kirche gerade in der bleibenden Situation nach dem Tod "ihres" Apostels zu sichern. Neben der Weiterführung des pln Dienstes in den nachpln Ämtern ist es vor allem die inhaltliche Ausrichtung an der pln Verkündigung, welche die Weitergabe eines schon gewachsenen Corpus paulinum und seine Verlängerung durch ein zusätzliches pseudepigraphes Corpus der Past ermöglicht. Auch in der Ekklesiologie bekunden die Past eigentlich wieder ein pragmatisch-ethisches Interesse. Dabei führt die nachpln Fragestellung auch zu neuen Akzentsetzungen gegenüber P, im Vergleich zu den anderen pln Pseudepigrapha ist jedoch auch ihr stärkerer Rückgriff auf authentisch pln Aussagen deutlich.

2. Ausblicke

Vorbemerkung

Im folgenden sind noch weitere Konsequenzen aus dem Verständnis der Past als P-Tradition anzudeuten.
Die vorgelegte Untersuchung bietet keinen vollständigen Kommentar zu den Past, sondern versucht, Voraussetzungen für eine bessere Auslegung zu schaffen. Doch muß auch dabei noch manches offen bleiben. Bei der erst seit knapp einem Jahrzehnt in Gang gekommenen Forschung zur antiken Pseudepigraphie bewegt sich diese für die nachpln Interpretation der Past so grundlegende Frage nicht nur der biblischen Einleitungswissenschaft, sondern der Hermeneutik einer Auslegung der Past überhaupt noch weitgehend ungeschützt. Auch auf dem Gebiet einer theologischen Interpretation der Past unter nachpln Auspizien macht sich nach der zu lange geübten Apologie der Echtheit noch ein Defizit im Verstehenshorizont speziell in der katholischen Theologietradition bemerkbar, das in dem noch nicht vollen Dezennium katholischer Kommentare zu den Past unter nichtpln Voraussetzungen nicht gänzlich aufzufüllen war. Dennoch mußte der Versuch in Richtung der nachpln Interpretation unternommen werden, weil eine rein defensive, authentische Auslegung der Past nach einer so massiven Kritik nicht mehr möglich ist. Auch die von vielen schon als salomonisch empfundene Lösung einer Unentscheidbarkeit der Autorfrage ist m.E. wegen ihrer offenbleibenden Konsequenzen nicht mehr statthaft. Das Problem der Past ist ja kein Randproblem, das je nach Lust und Neigung und ohne besondere Folgen einmal so oder so entschieden werden könnte, sondern ein Zentralproblem der ntl. Theologie überhaupt. Der ganze P und die ganze frühe Geschichte der Kirche müssen je anders verstanden werden, je nachdem, ob die Past P zuzurechnen sind oder nicht. Es ist jedoch auch keine Dauerlösung, die Past auf Grund ihrer ungeklärten Autorfrage aus der Behandlung der ntl. Theologie auszuklammern. Deswegen hat ein entschiedener Versuch in Richtung einer nachpln Interpretation zu zeigen, ob dieser Weg auch wirklich gangbar ist, widrigenfalls bleibt nur eine radikale Rückkehr zur Authentizität der Past, tertium non datur!

a) Historische Konsequenzen

Von der "P-Tradition der Past" zu sprechen, bedeutet also eine schwerwiegende und weittragende Entscheidung. Zum einen unterscheidet diese Formulierung klar zwischen den authentischen Paulinen und den Past und verbietet eine unter-

schiedslose Vermischung beider zu einer zwar authentischen, aber ungeschicht-
lichen Lehrgröße, zum anderen hält diese Formulierung die Beziehung zwischen beiden unaufgebbar fest.
Die Klassifizierung der Past als Pseudepigrapha heißt, daß P zunächst ganz
ohne die Past gesehen werden muß. Das Wirken des P verkürzt sich um die
Past, aber seine historischen und theologischen Konturen werden schärfer.
Man braucht keine neue, durch das Alter des P oder durch seine zunehmende
Begegnung mit dem Hellenismus und der römischen Welt bedingte Entwicklung
in der Persönlichkeit und Theologie des P anzunehmen, oder andere Erklärungen dafür zu suchen, wieso der Strom des pln Denkens in so ruhigen Gewäs-
sern verebbt. Die schwerwiegende Frage nach einer möglichen Entwicklung
innerhalb der pln Theologie[2] klärt sich nach einem eindeutigen Abstrich der
Past doch in die Richtung, daß die authentische pln Korrespondenz auf einen
Zeitraum von ca. sieben Jahren zu beschränken ist und P auf dem Höhepunkt
seines Lebens und seiner Theologie seiner Überzeugung auch zum Opfer gefallen ist. Die Heftigkeit der Kontroverse noch in Gal, 2 Kor und Röm macht
ein Abklingen der Auseinandersetzung auf die Ebene der Past zu Lebzeiten
des P geschichtlich unwahrscheinlich.
Es bedeutet aber auch keine befriedigende Lösung, die Past jenseits von Apg
28 zu plazieren. Das vielbeanspruchte biographische Argument einer möglichen
Echtheit infolge einer erneuten Tätigkeit des P im Osten und eine danach re-
konstruierte "zweite römische Gefangenschaft"[3] hat ja keine andere Quelle
als das - pseudepigraphe - Zeugnis der Past, für die die fiktive "Rückkehr"
des P in den Osten ja nur eine Konsequenz aus ihrer Wahl des pseudepigraphen
P-Briefes ist, dessen authentische Vorbilder - einschließlich Phil - ja nur aus
der Zeit seiner östlichen Mission stammen. Eine erneute Tätigkeit des P im
Osten ist nicht nur durch die Nachricht in 1 Klem 5, 7 ausgeschlossen, sondern auch durch Apg 20, 25. 38, und auch das offene Ende von Apg 28 spricht
wohl eher dafür, daß ihr Verfasser seine Darstellung nicht mit einer Passio
Pauli belasten wollte[4]. Von der Struktur des lukanischen Doppelwerkes als
dem Weg Jesu im Evangelium und dem Weg des Evangeliums in der Apg, der
zugleich auch ein Weg in das Leiden ist, wird der Tod des P unmittelbar mit
Apg 28 durchaus naheliegend. Auch innerhalb der Theologie der Past und einer
geschichtlichen Einordnung ihrer theologischen Aussagen wird unverständlich,
daß ihre antijudaistische Polemik und ihre "pln" Rechtfertigungslehre zu einem

---

2)   Vgl. dazu etwa den Bericht von W.G.KÜMMEL, Das Problem der Ent-
      wicklung in der Theologie des Paulus: NTS 18(1972) 457f.

3)   Vgl. S. 22.

4)   Vgl. dazu auch C.K.BARRETT, Pauline Controversies in the Post-
      Pauline Period: NTS 20(1974) 229-245; 234, unter Hinweis auf 1 Klem
      5, 2.5, wonach Petrus und P auf Grund von Eifersucht und Streit zu
      Tode kamen.

Zeitpunkt formuliert worden wären, als die jüdische Mission noch Jerusalem als Zentrum und Vorort besaß. Doch daß Jerusalem zur Zeit seines Bestehens jemals aufgehört hätte, ein Gegenspieler der christlichen und speziell der pln Mission zu sein, ist nach dem für uns sichtbaren Schicksal des P unwahrscheinlich[5].

Sind die Past aber aus inneren Gründen von der pln Theologie und der Vita Pauli abzuheben, stellt sich die Frage nach ihrem nachpln Standort und ihrer Beziehung zu P um so dringlicher. Bei ihrer Unechtheit jedoch werden die Past nicht nur mehr oder weniger problematische Pseudepigrapha, sondern auch wichtige Zeugen einer P-Tradition. Von ihrer Benützung der authentischen Briefe einschließlich wenigstens des Eph und von ihrer Anlage als P-Corpus rücken sie an das Ende der ntl. P-Tradition. Sie scheinen sich aber auch selber als das Ende einer solchen pseudepigraphen P-Tradition zu verstehen. Die Wahl des literarischen P-Testamentes im 2 Tim entspringt nicht nur der Absicht, die Verkündigung des P in dessen Sinne zu aktualisieren, sondern erhebt auch den Anspruch, den Abschluß der "pln" Korrespondenz zu bilden, um damit weitere pseudepigraphe P-Literatur unmöglich zu machen. Da die Past ihr P-Testament so nahe an den Tod des P heranrücken, bleibt faktisch kein Raum mehr für eine weitere P-Korrespondenz[6]. Die Past schließen somit die pln Pseudepigraphie auf ihrem Höhepunkt ab. Dieses Verhältnis zu den P-Briefen und das innere Verständnis der Pseudepigraphie deuten somit auf einen Autor, der kein direkter Schüler des P, auch kein solcher des Timotheus und Titus ist, sondern auf einen Mann der dritten ntl. Generation.

Die Eigenart dieser P-Tradition der Past wird erst im Vergleich mit anderen möglichen Formen einer P-Tradition ersichtlich. Auch die Apg ist ein unübersehbarer Zeuge einer P-Tradition, sie ist jedoch eine P-Tradition ohne P-Briefe, was seine ungezwungenste Erklärung wohl darin findet, daß die lukani-

---

5)　BARRETT, ebd. 234f, macht auch auf die Wichtigkeit des Falles von Jerusalem für die Einordnung der nachpln Literatur aufmerksam. Vgl. auch P.TRUMMER, Die Bedeutung Jerusalems für die ntl. Chronologie, in: Memoria Jerusalem, (Fs. F.SAUER), Graz 1977, 129-142.

6)　Hier liegt auch der Unterschied des 2 Tim gegenüber Apg 20. Auch Lukas wählt dort die Form eines P-Testamentes, schafft sich jedoch in seiner Ausgestaltung als Abschiedsrede an die ephesinischen Presbyter die Möglichkeit zu weiterer Berichterstattung, jedoch nicht für eine weitere Tätigkeit des P im Osten. Ohne daß 2 Tim sich formell als letzten Brief des P bezeichnen muß, bleibt er doch das Testament des P nach der Intention der Past. Anders H.-J.MICHEL, Die Abschiedsrede des Paulus an die Kirche Apg 20,17-38. Motivgeschichte und theologische Deutung, StANT 35, München 1973, 67.

sche P-Tradition eine Sammlung von P-Briefen noch nicht kennt[7]. Die Past
sind eine P-Tradition mit P-Briefen und Teil eines breiteren Phänomens, welches fast als "P-Schule" zu bezeichnen wäre[8], würde nicht dieser Ausdruck
eine zu technische Vorstellung von den in Wirklichkeit sehr vielfältigen Formen auch der pseudepigraphen P-Tradition des NT vermitteln.
Die Pseudepigraphie ist aber wieder nur ein Teil einer breiteren P-Tradition,
denn schon eine Sammlung von P-Briefen ist nur dort möglich, wo die Kenntnis und Wertschätzung des P so groß sind, daß seine Briefe auch wirklich gelesen werden wollen. Das bedeutet aber dann, daß diese Pseudepigraphie nur
im ehemaligen Bereich der pln Mission denkbar ist, was am ehesten wohl für
den ägäischen Raum gilt, während zwar auch Rom diesem pln Missionsbereich
zuzuzählen ist, für eine Abfassung der Past aber weniger in Frage kommt, da
die Quelle der römischen P-Tradition einzig im Röm liegt[9] und der exklusive Paulinismus der Past nicht gut mit der römischen Verbindungsformel
"Petrus und Paulus" (vgl. 1 Klem 5) harmonisiert werden kann.

Sind die Past späte pln Pseudepigrapha, dann werden einerseits das Leben und
das literarische Wirken des authentischen P kürzer, die Geschichte seines
Nachwirkens nur um so reicher. Man sollte nicht die Armut der Zeugnisse
über die Geschichte der frühen Kirche beklagen und dabei den Aussagewert der
als nachapostolisch erkannten Schriften übersehen[10]. Doch kann die späte Geschichte des NT und zugleich die frühe Kirchengeschichte nur mehr unter der
Voraussetzung geschrieben werden, daß der nachapostolische Charakter der
Past (und anderer Schriften des NT) ausdrücklich festgestellt wird[11]. Sind die
Past nachpln und die letzten ntl. Zeugen einer größeren P-Tradition, dann erweist sich allerdings auch eine beliebte Geschichtskonstruktion als irrig: P wurde nicht, wie die Tübinger Schule im Gefolge F.Ch.BAURs glauben machen
wollte, lange Zeit in der Kirche vergessen und erst dann anerkannt und durch
Pseudepigrapha erträglich gemacht, als er längst zum Kronzeugen der Häresie
geworden war, sondern die pln Pseudepigrapha des NT bekunden eine kontinuier-
liche innerkirchliche P-Tradition. Dies ist besonders auf dem Hintergrund auch
anderen Verhaltens zur P-Tradition zu sehen. Schon die übrige ntl. Tradition

---

7)   Vgl. dazu SCHENKE, Weiterwirken 512; BURCHARD, Zeuge 157.
        Anders P.BORGEN, Form Paul to Luke. Observations toward clarifi-
        cation of the theology of Luke-Acts: CBQ 31(1969) 168-182; 181f.

8)   So CONZELMANN, Paulus 231-244.

9)   Vgl. SCHENKE, Weiterwirken 517.

10)   Vgl. BAUR, Past 144f.

11)   Vgl. MUSSNER, Ablösung 168 Anm. 10. Vgl. auch DAUTZENBERG,
        Sprache 39.

kann z.T. ganz andere Wege als den des P gehen. Es gibt auch eine P-Tradition, die zwar seine Gestalt festzuhalten versucht, jedoch an seinem Gedankengut ziemlich vorbeigehen kann, wie die Epistula Apostolorum[12]. Es gibt aber auch das Phänomen einer Nichtbeachtung des P in der Didache, bei Barnabas, Papias, Hegesipp oder Justin[13]. Auf diesem Hintergrund erweisen sich die Past als wertvolle Zeugen einer bewußten Tradition und Neuinterpretation des P und seiner Briefe. Das Phänomen der pln Pseudepigraphie erstreckt sich über einen weiteren zeitlichen und geographischen Rahmen und läßt sich nicht auf eine Einzelperson beschränken. Die pseudepigraphen Past wollen nicht die authentischen Briefe durch Fälschungen ersetzen, sondern sind Ausdruck einer Wertschätzung des P, welche seine Briefe in die nachpln Zeit hinein erhalten und verlängern möchte. Die Past sind ein wichtiger Meilenstein des P auf dem Weg in den Kanon.

b) Theologische Konsequenzen

Ist dieser Ansatz im Verständnis der Past als P-Tradition richtig, hat dies auch weitere theologische Konsequenzen. Die Past rücken an das Ende der ntl. P-Tradition und lassen sich so am deutlichsten innerhalb des Corpus paulinum von P unterscheiden. Auf ihren offensichtlich nachpln Charakter hat sich denn auch die Sachkritik bislang immer am zielsichersten eingeschossen. Doch auch diese Kritik erweist sich eigentlich als zu wenig kritisch. Sie sah ihre Arbeit zu leicht in der Bekämpfung der Authentizität getan und vergab sich dabei die Möglichkeiten einer positiven Einschätzung dieser erstaunlichen P-Tradition. Was dabei an Kritik gegen die Past vorgetragen wird, hätte aber paradoxerweise nur dann wirklich Berechtigung, wenn sie authentisch wären. Die Erkenntnis der Diachronie von P und den Past hat aber einen entscheidenden Einfluß auch auf die Wertung der Texte. Ein sachlich richtiges Urteil über die Past kann nur von der Erkenntnis ihres Charakters als P-Tradition her gefällt werden: "If they (sc. die Past) are Pauline, they represent a dismal conclusion to Paul's writings; if they are post-Pauline, they are an admirable and indispensable illustration of the state of the Church at the end of the first century", resumiert A.T.HANSON treffend seine Studien zu den Past[14]. Gerade bei zunehmendem Abstand der Past von P wird ihr Paulinismus nur um

---

12)   Vgl. dazu M.HORNSCHUH, Studien zur Epistula Apostolorum, PTS 5, Berlin 1965, 84-89.

13)   Vgl. dazu BARRETT, Controversies 238; SCHENKE, Weiterwirken 506; G.STRECKER, Paulus in nachpaulinischer Zeit: Kairos 12(1970) 208-216; 212.

14)   Vgl. HANSON, Studies 120.

so erstaunlicher, wie H.v.CAMPENHAUSEN trotz falscher Konklusion richtig erkannte[15]. Die Past sind der Höhepunkt solch nachschreibender P-Tradition, während die Apostolischen Väter ihr sachlich z.T. ähnliches Verhältnis zu P nicht mehr in dieser Form der Pseudepigraphie ausdrücken können. Bezüglich einer genaueren Einordnung solcher Pseudepigraphie v o r den Apostolischen Vätern allerdings wird man zurückhaltend bleiben müssen, weil die Reflexion des nachapostolischen Selbstverständnisses frühchristlicher Schriftsteller nicht überall in der gleichen Weise und gleichzeitig vor sich gegangen sein muß. Von ihrem Selbstverständnis her unterscheiden sich die Past dann aber auch hinsichtlich ihrer kanonischen Wertung von den Apostolischen Vätern.

Die Erkenntnis der Past als P-Tradition stellt allerdings auch die Frage nach der Funktion des P und der Past für das Verständnis des Evangeliums und der Schrift überhaupt. Mit der Erkenntnis des nachpln Charakters der Past verbindet sich ja nur allzu oft ein Werturteil, das sie P eindeutig n a c h ordnet. In dem Maße, wie in authentisch pln Sätzen besonders des Gal und Röm die "Mitte des Evangeliums" oder der "Kanon im Kanon"[16] erblickt werden, in dem Grad wird oft gleichzeitig auch ein Verdikt über die Past gefällt und dabei sogar die Forderung erhoben, ihre als nachpln und damit als frühkatholisch erkannte Entwicklung sollte "gerade um Paulus willen" nicht nachvollzogen, sondern rückgängig gemacht werden[17].
Eine solche Kanonkritik gegenüber ntl. Schriften oder Schriftengruppen verkennt jedoch die Tatsache, daß das "Eigentliche" der Schrift wohl an keiner Stelle und bei keinem Schriftsteller unkritisch und uninterpretiert greifbar wird. Auch die reformatorische Formel einer Rechtfertigung aus dem Glauben (allein) als der soteriologischen Formel schlechthin kann nicht unmittelbar zur hermeneutischen Regel eines Schriftverständnisses erklärt werden. Die Kritik an den Past gerade im Namen des P verkennt zugleich auch, daß u.a. ja vor allem die Past die besondere theologische Bedeutung des P erkannt haben und auch der authentische P wohl nur mit ihrer Hilfe und durch ihr P-Verständnis überhaupt zum kanonischen P werden konnte. Die Past haben aber den authentischen P nicht

---

15)   Vgl. CAMPENHAUSEN, Polykarp 210. Ähnlich auch MERK, Glaube 102.

16)   Zum Problem vgl. etwa N.APPEL, Kanon und Kirche. Das Kanonproblem im heutigen Protestantismus als kontroverstheologisches Problem, KKTS 9, Paderborn 1964, 340; H.KÜNG, Der Frühkatholizismus im NT als kontroverstheologisches Problem, in: Das NT als Kanon, hg.v. E.KÄSE-MANN, Göttingen 1970, 175-204; I.LÖNNING, "Kanon im Kanon". Zum dogmatischen Grundlagenproblem des ntl. Kanons, FGLP Ser. 10/43, Oslo-München 1972; W.SCHRAGE, Die Frage nach der Mitte und dem Kanon im Kanon des NT in der neuesten Diskussion, in: Rechtfertigung, (Fs. E.KÄSEMANN), Tübingen-Göttingen 1976, 415-442.

17)   So SCHULZ, Mitte 109. Vgl. ebd. 411.

nur weiter überliefert, sie haben ihn auch transformiert und für die nachpln Zeit aktualisiert. Auch hinsichtlich der Rechtfertigungslehre im besonderen gilt, daß gerade die Past es waren, welche diese pln Theologie in die nachapostolische Zeit eingetragen haben[18]. Sie haben allerdings die pln Rechtfertigungslehre nicht zur einzig möglichen Form eines Glaubensbekenntnisses erklärt, sondern die pln Aussagen auch mit anderen Glaubensformeln konfrontiert und damit auch P grundsätzlich für eine weitere Auslegung geöffnet. So wird es besonders von den Past her fragwürdig, Gal oder Röm oder einen P nur der sieben Briefe zum Zentrum des Kanons zu machen. Auch die P-Interpretation der Past erhebt ihrerseits berechtigt Anspruch auf Gültigkeit.

Damit soll nun nicht nachträglich der zuerst so betonte Unterschied zwischen den Past und P wieder aufgehoben werden, sondern gerade das dialektische Verhältnis von historischem P und nachpln Interpretation wird zur Grundlage eines P-Verständnisses an sich erklärt. Es ist falsch, den historischen P zur alleinigen Verstehensnorm des P zu machen, es wäre ebenso falsch, den nachpln P von dem eigenen nachpln Standort her zu dem uns näherliegenden und verbindlichen P zu erklären. P und die Past ergänzen einander in wesentlichen Seiten, beide bleiben aber auch in Spannung miteinander. Eine Theologie und Kirchen, welche diese Spannung nicht durchzuhalten vermögen, dürfen sich nicht auf P berufen.

Großes kann nur bewahrt werden, wenn viele bereit sind, diesem zu dienen. Die Past haben erkannt, daß die Gestalt und die Theologie des P am Anfang einer universalen, aber auch in ganz gewöhnlichen Verhältnissen lebenden Kirche steht. Ihre pseudepigraphe P-Tradition versucht, die Inspiration des Anfangs dieser Überlieferung nicht von der Person des P zu trennen, sie weiß aber auch um die Notwendigkeit, diese Überlieferung weiter zu sagen und in größere Zusammenhänge einzuordnen. Dies gilt sowohl für ihre pln-nachpln Theologie als auch für ihr Verständnis nachpln Dienste in der Kirche.

---

18)   Vgl. MUSSNER, Ablösung 172.

LITERATURVERZEICHNIS
(Auswahl[1])

Textausgaben:

The Greek New Testament, hg.v. K.ALAND u.a., 2.Aufl. Stuttgart 1968.

Novum Testamentum Graece, hg.v. E.NESTLE, 25.Aufl. Stuttgart 1967.

Literatur:

ADLER N.,   Die Handauflegung im NT bereits ein Bußritus? Zur Auslegung
           von 1 Tim 5,22, in: Ntl. Aufsätze, (Fs. J.SCHMID), Regens-
           burg 1963, 1-6.

AGOURIDIS S.Ch., Χριστολογία καὶ ὑγιαίνουσα διδασκαλία ἐν ταῖς
           ποιμαντικαῖς ἐπιστολαῖς, in: Ders., Biblika Meletemata 1,
           Thessaloniki 1966, 59-66.

ALAND K.,   Das Problem der Anonymität und Pseudonymität in der christlichen
           Literatur der ersten beiden Jahrhunderte, in: Ders., Studien zur
           Überlieferung des NT und seines Textes, ANTT 2, Berlin 1967,
           24-34.

ALEITH E.,   Paulusverständnis in der alten Kirche, BZNW 18, Berlin 1937.

ALLAN J.A.,   The 'In Christ' Formula in the Pastoral Epistles: NTS 10(1963f.)
           115-121.

ALTANER B.-STUIBER A., Patrologie. Leben, Schriften und Lehre der Kirchen-
           väter, 7.Aufl. Freiburg 1966.

BAHR G.J.,   Paul and Letter Writing in the Fifth (!) Century: CBQ 28(1961)
           465-477.

BALZ, H.R.,   Anonymität und Pseudepigraphie im Urchristentum. Überlegungen
           zum literarischen und theologischen Problem der urchristlichen
           und gemeinantiken Pseudepigraphie: ZThK 66(1969) 403-436.

---

1)   Im folgenden wird nur eine Auswahl - vor allem neuerer oder öfters
       zitierter - Literatur vorgestellt. Zur bibliographischen Ergänzung vgl.
       vor allem die Bibliographien der Kommentare von N.BROX (alphabetisch)
       und C.SPICQ (chronologisch). Sonst verwendete Literatur ist an Ort und
       Stelle genannt. Sie kann über das Autorenregister aufgeschlüsselt wer-
       den. -
       NB: Zu den verwendeten Abkürzungen vgl. S.SCHWERTNER, Internationa-
       les Abkürzungsverzeichnis für Theologie und Grenzgebiete, Berlin 1974.
       Abkürzungen im Text vgl. S. 13 Anm. +.

BARNETT A.E., Paul becomes a Literary Influence, Chicago 1941.

BARRETT C.K., Pauline Controversies in the Post-Pauline Period: NTS 20(1974) 229-245.

- The Pastoral Epistles, Oxford 1963.

BARTSCH H.W., Die Anfänge urchristlicher Rechtsbildungen. Studien zu den Pastoralbriefen, ThF 34, Hamburg-Bergstedt 1965.

BAUER J.B., Die ntl. Apokryphen, Düsseldorf 1968.

BAUER W., Rechtgläubigkeit und Ketzerei im ältesten Christentum, BHTh 10, 2.Aufl. Tübingen 1964.

- Griechisch-deutsches Wörterbuch zu den Schriften des NT und der übrigen urchristlichen Literatur, 5.Aufl. Berlin 1963.

BAUR F.Ch., Die sogenannten Pastoralbriefe des Apostels Paulus aufs neue kritisch untersucht, Stuttgart-Tübingen 1835.

BENETTI L.de, La vita etica della communità: RBR 7(1972) 163-188.

BERGER K., Apostelbrief und apostolische Rede. Zum Formular frühchristlicher Briefe: ZNW 65(1974) 190-231.

- Die Gesetzesauslegung Jesu. Ihr historischer Hintergrund im Judentum und im AT. Teil I: Markus und Parallelen, WMANT 40, Neukirchen-Vluyn 1972.

- Materialien zur Form und Überlieferungsgeschichte ntl. Gleichnisse: NT 15(1973) 1-37.

BERLENDIS A., Esortazione agli schiavi: RBR 7(1972) 189-215.

BILLERBECK P.-(STRACK H.L.), Kommentar zum NT aus Talmud und Midrasch 2 u. 3, München 1915 u. 1926.

BINDER H., Die historische Situation der Pastoralbriefe, in: Geschichtswirklichkeit und Glaubensbewährung, (Fs. F.MÜLLER), Stuttgart 1967, 70-83.

BLUM G.G., Tradition und Sukzession. Studien zum Normbegriff des Apostolischen von Paulus bis Irenäus, Berlin 1963.

BONSIRVEN J., Exégèse rabbinique et exégèse paulinienne, Paris 1949.

BORNKAMM G., Paulus, (Urban-Taschenbücher 119), 2.Aufl. Stuttgart 1970.

BRAUMANN F., Der Gebrauch von πιστός, -ή, -όν in den paulinischen Pastoralbriefen nach Grundlage und Bedeutung untersucht, Diss. masch. Graz 1956.

BROCKHAUS U., Charisma und Amt. Die paulinische Charismenlehre auf dem Hintergrund der frühchristlichen Gemeindefunktionen, Wuppertal 1972.

BROX N.,   A m t, Kirche und Theologie in der nachapostolischen Epoche.
             Die Pastoralbriefe, in: Gestalt und Anspruch des NT, hg.v. J.
             SCHREINER, Würzburg 1969, 120-133.

-            E i n l e i t u n g, in: N.BROX (Hg.), Pseudepigraphie in der heid-
             nischen und jüdisch-christlichen Antike, (Wege der Forschung
             484), Darmstadt 1977, 1-7.

-            Altkirchliche F o r m e n des Anspruchs auf apostolische Kirchen-
             verfassung: Kairos 12(1970) 113-140.

-            Die K i r c h e , Säule und Fundament der Wahrheit. Die Einheit
             der Kirche nach den Pastoralbriefen: BiKi 18(1963) 44-47.

-            L u k a s als der Verfasser der Pastoralbriefe?: JAC 13(1970)
             62-77.

-            Zu den persönlichen N o t i z e n der Pastoralbriefe: BZ 13(1969)
             76-94.

-            Die P a s t o r a l b r i e f e, RNT 7/2, 4.Aufl. Regensburg 1969.

-            Historische und theologische P r o b l e m e der Pastoralbriefe des
             NT. Zur Dokumentation der frühchristlichen Amtsgeschichte:
             Kairos 11(1969) 81-94.

-            Zum P r o b l e m s t a n d in der Erforschung der altchristlichen
             Pseudepigraphie: Kairos 15(1973) 10-23.

-            Προφητεία im ersten Timotheusbrief: BZ 20(1976) 229-232.

-            Zur pseudepigraphischen R a h m u n g des ersten Petrusbriefes:
             BZ 19(1975) 78-96.

-            P s e u d o - P a u l u s und Pseudo-Ignatius. Einige Topoi altchrist-
             licher Pseudepigraphie: VigChr 30(1976) 181-188.

-            Falsche V e r f a s s e r a n g a b e n. Zur Erklärung der frühchrist-
             lichen Pseudepigraphie, SBS 79, Stuttgart 1975.

BULTMANN R., Art. P a s t o r a l b r i e f e: RGG^2 4, 993-997.

-            Art. πιστεύω κ.τ.λ ,: ThWNT 6, 197-230.

-            T h e o l o g i e des NT, 5.Aufl. Tübingen 1965.

BURCHARD Ch., Der dreizehnte Zeuge. Traditions- und kompositionsgeschicht-
             liche Untersuchung zu Lukas' Darstellung der Frühzeit des
             Paulus, FRLANT 103, Göttingen 1970.

BÜRKI H.,   Der erste Brief des Paulus an Timotheus, Wuppertal 1974.

CADDEO S.,   La figura degli anziani-sorveglianti: RBR 7(1972) 69-96.

CAMPENHAUSEN H.v., Kirchliches A m t und geistliche Vollmacht in den ersten
             drei Jahrhunderten, BHTh 14, 2.Aufl. Tübingen 1963.

-           Die Entstehung der christlichen Bibel, BHTh 39, Tübingen
            1968.

-           Polykarp von Smyrna und die Pastoralbriefe, in: Ders., Aus
            der Frühzeit des Christentums. Studien zur Kirchengeschichte
            des ersten und zweiten Jahrhunderts, Tübingen 1963, 197-252
            (< SHAW.PH 2/1951).

CERFAUX L., Les épîtres pastorales, in: A.ROBERT-A.FEUILLET, Intro-
            duction à la Bible 2, Tournai 1959, 515-530.

CIPRIANI S., La dottrina del "Depositum" nelle lettere pastorali, in: SPCIC 2
            (=AnBib 17f.), Rom 1963, 127-142.

COLLINS R.F., The Image of Paul in the Pastorals: LTP 3(1975) 147-173.

CONZELMANN H., Paulus und die Weisheit: NTS 12(1965f.) 231-244.

COUSINEAU A., Les Pastorales, Paris 1974.

CRUVELLIER Y., La notion de piété dans les épîtres pastorales: EtEv 23
            (1963) 41-61.

DAUTZENBERG G., Urchristliche Prophetie. Ihre Erforschung, ihre
            Voraussetzungen im Judentum und ihre Struktur im ersten
            Korintherbrief, BWANT 104, Stuttgart 1975.

-           Sprache und Gestalt der ntl. Schriften, in: Gestalt und An-
            spruch des NT, hg.v. J.SCHREINER, Würzburg 1969, 20-40.

DEY J.,   ΠΑΛΙΓΓΕΝΕΣΙΑ. Ein Beitrag zur Klärung der religionsgeschicht-
            lichen Bedeutung von Tit 3,5, NTA 17/5, Münster 1937.

DIBELIUS M.-CONZELMANN H., Die Pastoralbriefe, HNT 13, 4.Aufl. Tübin-
            gen 1966.

DORNIER P., Les épîtres pastorales. Paul apôtre, in: Le ministère
            et les ministères selon le NT, hg.v. J.DELORME u.a., Paris
            1974, 93-101.

-           Les épîtres pastorales, Paris 1969.

ECKERT J., Die urchristliche Verkündigung im Streit zwischen Paulus und
            seinen Gegnern nach dem Galaterbrief, BU 6, Regensburg 1971.

EDWARDS E., L' evangelizzatore biblico: RBR 7(1972) 131-161.

EICHHOLZ G., Die Theologie des Paulus im Umriß, Neukirchen-Vluyn 1972.

ELLIS E.E., The Authorship of the Pastorals. A Résumé and Assessment
            of Current Trends: EvQ 32(1960) 151-161.

-           Paul and His Co-Workers: NTS 17(1970f.) 437-452.

-           Paul and His Recent Interpreters, Grand Rapids 1961.

\-   The Problem of Authorship. First and Second Timothy: RExp 56(1959) 343-354.

\-   Paul's Use of the Old Testament, Edinburgh-London 1957.

ERNST J.,   Die Witwenregel des ersten Timotheusbriefes - ein Hinweis auf die biblischen Ursprünge des weiblichen Ordenswesens?: ThGl 59(1969) 434-445.

FOERSTER W., EYΣEBEIA in den Pastoralbriefen: NTS 5(1958f.) 213-218.

FORD J.M.,   A Note on Proto-Montanism in the Pastoral Epistles: NTS 17(1970f.) 338-346.

FUNK R.W.,   The Letter, Form and Style, in: Ders., Language, Hermeneutic, and Word of God, New York 1966, 250-274.

\-   The Apostolic Parousia. Form and Significance, in: Christian History and Interpretation, (Fs. J.KNOX), Cambridge 1967, 249-268.

GALIAZZO D., Il diacone: RBR 7(1972) 97-114.

GNILKA J.,   Geistliches Amt und Gemeinde nach Paulus: Kairos 11(1969) 95-104.

\-   Der Philipperbrief, HThK 10/3, Freiburg-Basel-Wien 1968.

GOLDSTEIN H., Paulinische Gemeinde im Ersten Petrusbrief, SBS 80, Stuttgart 1975.

GRABNER-HAIDER A., Paraklese und Eschatologie bei Paulus. Mensch und Welt im Anspruch der Zukunft Gottes, NTA 4, Münster 1968.

GRAYSTON K.-HERDAN G., The Authorship of the Pastorals in the Light of Statistical Linguistics: NTS 6(1959) 1-15.

GRELOT P.,   Sur l'origine des ministères dans les églises pauliniennes: Istina 16(1971) 453-469.

GRUNDMANN W., Art. χρίω κ.τ.λ ,: ThWNT 9, 518-576.

GUNTHER J.J., St. Paul's Opponents and their Background. A Study of Apocalyptic and Jewish Sectarian Teachings, NT.S 35, Leiden 1973.

GUTHRIE D.,   The Development of the Idea of Canonical Pseudepigrapha in NT Criticism: VoxEv 1(1962) 43-59.

\-   The Pastoral Epistles, London 1957 (1964).

HAENCHEN E., Die Apostelgeschichte, 15.Aufl. Göttingen 1968.

HAINZ J.,   Ekklesia. Strukturen der paulinischen Gemeinde-Theologie und Gemeinde-Ordnung, BU 9, Regensburg 1972.

HANSON A.T., The Pastoral Letters, Cambridge 1966.

\-   Studies in the Pastoral Epistles, London 1968.

HARRISON P.N., Important Hypotheses Reconsidered. The Authorship of
            the Pastoral Epistles: ET 67(1955f.) 77-81.

\-   Paulines and Pastorals, London 1964.

\-   The Problem of the Pastoral Epistles, Oxford 1921.

HASLER W.,   Das nomistische Verständnis des Evangeliums in den Pastoral-
            briefen: SThU 28(1958) 65-77.

HAUFE G.,   Gnostische Irrlehre und ihre Abwehr in den Pastoralbriefen,
            in: Gnosis und NT, hg.v. K.-W.TRÖGER, Gütersloh 1973,
            325-339.

HEGERMANN H., Der geschichtliche Ort der Pastoralbriefe, in: Theologische
            Versuche 2, hg.v. J.ROGGE u. G.SCHILLE, Berlin 1970,
            47-64.

HENGEL M.,   Anonymität, Pseudepigraphie und "Literarische Fälschung" in
            der jüdisch-hellenistischen Literatur, in: Pseudepigrapha 1,
            229-308.

HOLTZ G.,   Die Pastoralbriefe, ThHK 13, Berlin 1965.

HOLTZMANN H.J., Die Pastoralbriefe kritisch und exegetisch behandelt,
            Leipzig 1880.

JAUBERT A., L'image de la colonne (1 Timothée 3,15), in: SPCIC 2 (=AnBib
            17f.), Rom 1963, 101-108.

JAVIERRE A.M., ΠΙΣΤΟΙ ΑΝΘΡΩΠΟΙ (2 Tim 2,2). Episcopado y sucesión
            apostólica en el nuevo testamento, ebd. 109-118.

JEREMIAS J., Zur Datierung der Pastoralbriefe, in: Ders., Abba.
            Studien zur ntl. Theologie und Zeitgeschichte, Göttingen 1966,
            314-316 (=ZNW 52/1961, 101-104).

JEREMIAS J.-STRATHMANN H., Die Briefe an Timotheus und Titus. Der Brief
            an die Hebräer, NTD 9, 9.Aufl. Göttingen 1968. Zitiert: JERE-
            MIAS, Past[9].

JEREMIAS J.-STROBEL H., Die Briefe an Timotheus und Titus. Der Brief an
            die Hebräer, NTD 9, 11.Aufl. Göttingen 1975. Zitiert: JERE-
            MIAS, Past[11].

JÜLICHER A.-FASCHER E., Einleitung in das NT, 7.Aufl. Tübingen 1931.

KÄSEMANN E., An die Römer, HNT 8a, 3.Aufl. Tübingen 1974.

\-   Ein ntl. Überblick: VF. Theologischer Jahresbericht 1949f.
            191-218.

KARRIS R.J., The Background and Significance of the Polemic of the
            Pastoral Letters: JBL 92(1973) 549-564.

-               The Function and Sitz im Leben of the Paraenetic Elements
                in the Pastoral Epistles, Diss. Mikrofilm Harvard 1971.

KELLY J.N.D., A Commentary on the Pastoral Epistles, London 1963.

KERTELGE K., Gemeinde und Amt im NT, BiH 10, München 1972.

-               "Rechtfertigung" bei Paulus. Studien zur Struktur und
                zum Bedeutungsgehalt des paulinischen Rechtfertigungsbegriffes,
                NTA 3, Münster 1966.

KNIGHT G.W.III., The Faithful Sayings in the Pastoral Letters, Kampen 1968.

KNOCH O.,   Die "Testamente" des Petrus und Paulus. Die Sicherung der
               apostolischen Überlieferung in spätntl. Zeit, SBS 62, Stuttgart
               1973.

KOHL J.,   Verfasser und Entstehungszeit der Pastoralbriefe im Lichte der
               neueren Kritik, Diss. masch. Wien 1962.

KÖSTER H.M., Um eine neue theologische Sprache, in: Wahrheit und Verkündi-
               gung 1, (Fs. M.SCHMAUS), München 1967, 449-473.

KOSKENNIEMI H., Studien zur Idee und Phraseologie des griechischen Briefes
               bis 400 n.Chr., (Annales Academiae Scientiarum Fennicae Ser.
               B 102/2), Helsinki 1956.

KRAFT H.,   Das besondere Selbstbewußtsein der Verfasser der ntl. Schrif-
               ten, in: Moderne Exegese und historische Wissenschaft, hg.v.
               J.M.HOLLENBACH u. J.STAUDINGER, Trier 1972, 77-93.

KRUIJF Th.C.de, De pastorale brieven, Roermond-Masseik 1966.

KÜMMEL W.G., Einleitung in das NT, 18.Aufl. Heidelberg 1976.

-               Das NT. Geschichte der Erforschung seiner Probleme. Mün-
                chen 1958.

KUSS O.,   Paulus. Die Rolle des Apostels in der theologischen Entwicklung
               der Urkirche, (Auslegung und Verkündigung 3), Regensburg 1971.

LACKMANN P., Paulus ordiniert Timotheus. Wie das katholische Bischofs- und
               Priesteramt entsteht: Bausteine (Soest) 3/12(1963) 1-4; 4/13
               (1964) 1-6; 4/14(1964) 1-4; 4/15(1964) 1-5; 4/16(1964) 1-4; 5/17
               (1965) 1-4; 5/18(1965) 1-5.

LEE G.M.,   The Books and the Parchments. Studies in Texts. 2 Tim 4,13:
               Theology 74(1971) 168-169.

LE FORT P.,   La responsabilité politique de l' église d' après les épîtres
               pastorales: ETR 49(1974) 1-14.

LEMAIRE A., Von den Diensten zu den Ämtern. Die kirchlichen Dienste in
               den ersten zwei Jahrhunderten: Concilium 7(1972) 721-728.

-          Pastoral Epistles. Redaction and Theology: BTB 2(1972)
           25-42.

-          Les épîtres pastorales. Les ministères dans l'église,
           in: Le ministère et les ministères selon le NT, hg.v. J.
           DELORME u.a., Paris 1974, 102-117.

-          Les ministères aux origines de l' église, LeDiv 68, Paris
           1971.

LESTAPIS S.de, L'énigme des Pastorales de Saint Paul, Paris 1976.

LIETZMANN H., An die Korinther I/II, HNT 9, 5.Aufl. Tübingen 1969. Zitiert:
           LIETZMANN, 1/2 Kor.

LOCK W.,   The Pastoral Epistles, Edingburgh 1924.

LUZ U.,   Rechtfertigung bei den Paulusschülern, in: Rechtfertigung,
              (Fs. E.KÄSEMANN), Tübingen-Göttingen 1976, 365-383.

LYONNET St., "Unius uxoris vir" (1 Tim 3,2.12; Tit 1,6): VD 45(1967) 1-10.

MAEHLUM H., Die Vollmacht des Timotheus nach den Pastoralbriefen, (Theolo-
           gische Dissertationen 1), Basel 1969.

MARXSEN W., Einleitung in das NT, 3.Aufl. Gütersloh 1964.

MAURER Ch., Eine Textvariante klärt die Entstehung der Pastoralbriefe auf:
           ThZ 3(1947) 321-337.

MCELENEY N.J., The Vice Lists of the Pastoral Epistles: CBQ 36(1974) 203-
           219.

MEIER J.P., Presbyteros in the Pastoral Epistles: CBQ 35(1973) 323-345.

MERK O.,   Glaube und Tat in den Pastoralbriefen: ZNW 66(1975) 91-102.

MERKLEIN H., Das kirchliche Amt nach dem Epheserbrief, StANT 33, Mün-
           chen 1973.

METZGER B.M., Literary Forgeries and Canonical Pseudepigrapha: JBL
           91(1972) 3-24.

-          A Reconsideration of Certain Arguments Against the
           Pauline Authorship of the Pastoral Epistles: ET 70(1958) 91-94.

METZGER W., Die neōterikai epithymiai in 2 Tim 2,2: ThZ 33(1977) 129-
           136.

-          Die letzte Reise des Apostels Paulus. Beobachtungen zu sei-
           nem Itinerar nach den Pastoralbriefen, AzTh 59, Stuttgart 1976.

MICHAELIS W., Das Ältestenamt der christlichen Gemeinde im Lichte der
           Heiligen Schrift, Bern 1953.

-	Die Gefangenschaft des Paulus in Ephesus und das Itinerar des Timotheus. Untersuchungen zur Chronologie des Paulus und der Paulusbriefe, NTF 1/3, Gütersloh 1925.
-	Pastoralbriefe und Gefangenschaftsbriefe, NTF 1/6, Gütersloh 1930.
-	Pastoralbriefe und Wortstatistik: ZNW 28(1929) 69-76.
MICHEL O.,	Grundfragen der Pastoralbriefe, in: Auf dem Grunde der Apostel und Propheten, (Fs. Th.WURM), Stuttgart 1948, 83-99.
-	Paulus und seine Bibel, BFChTh 2/18, Gütersloh 1929 (Neudruck Darmstadt 1972).
MINESTRONI I.,	Analisi e contenuto: RBR 7(1972) 53-65.
MORGENTHALER R.,	Statistik des ntl. Wortschatzes, Zürich-Frankfurt 1958.
MOULE C.F.D.,	The Problem of the Pastoral Epistles. A Reappraisal: BJRL 47(1964f.) 430-452.
MÜLLER-BARDORFF J.,	Zur Exegese von 1.Timotheus 5,3-16, in: Gott und die Götter, (Fs. E.FASCHER), Berlin 1958, 113-133.
MÜNDEL H.D.,	Das apostolische Amt in den Deuteropaulinen, Magisterarbeit masch. Göttingen 1969.
MUSSNER F.,	Die Ablösung des apostolischen durch das nachapostolische Zeitalter und ihre Konsequenzen, in: Wort Gottes in der Zeit, (Fs. K.H.SCHELKLE), Düsseldorf 1973, 166-177.
-	Der Galaterbrief, HThK 9, 3.Aufl. Freiburg-Basel-Wien 1977.
-	Petrus und Paulus - Pole der Einheit, QD 76, Freiburg-Basel-Wien 1977.
NAGY S.,	Hierarchia kościelna w ostatnim okresie życia św. Pawła: RTK 13(1966) 23-44.
NAUCK W.,	Die Herkunft des Verfassers der Pastoralbriefe. Ein Beitrag zur Frage der Auslegung der Pastoralbriefe, Diss.masch. Göttingen 1950.
NOACK B.,	Pastoralbrevenes "trovaerdige tale": DTT 32(1969) 1-22.
OHLIG K.-H.,	Die theologische Begründung des ntl. Kanons in der alten Kirche, Düsseldorf 1972.
O'ROURKE J.J.,	Some Considerations about Attempts at Statistical Analysis of the Pauline Corpus: CBQ 35(1973) 483-490.
PAX E.,	ΕΠΙΦΑΝΕΙΑ. Ein religionsgeschichtlicher Beitrag zur biblischen Theologie, MThS 1/10, München 1955.
PENNA A.,	"In magna autem domo...", in: SPCIC 2 (=AnBib 17f.) Rom 1963, 119-125.

PESCH O.H.,   Gottes Gnadenhandeln als Rechtfertigung des Menschen, in:
               Mysterium salutis 4/2, 831-913.

PESCH R.,   "Christliche Bürgerlichkeit" (Tit 2,11-15): Am Tisch des
               Wortes 14 (Stuttgart 1966) 28-33.

-              Structures du ministère dans le NT: Istina 16(1971) 437-452.

PSEUDEPIGRAPHA 1. Pseudopythagorica - Lettres de Platon. Littérature pseud-
               épigraphique juive, (Entretiens sur l'antiquité classique 18,
               hg.v. O.REVERDIN), Vandoeuvres-Genève 1972.

RATHKE H.,   Ignatius von Antiochien und die Paulusbriefe, TU 99, Berlin
               1967.

REICKE B.,   Chronologie der Pastoralbriefe: ThLZ 101(1976) 81-94.

-              The Historical Setting of Colossians: RExp 70(1975) 429-438.

RIDDERBOS H., De pastorale brieven, Kampen 1967.

RIGAUX B.,   Paulus und seine Briefe. Der Stand der Forschung, BiH 2,
               München 1964.

RIST M.,   Pseudepigraphy and Early Christians, in: Studies in NT and
               Early Christian Literature, (Fs. A.P.WIKGREN), NT.S 33,
               Leiden 1972, 75-91.

ROGERS P.,   The Few in Charge of the Many. The Model of Ministerial
               Authority in the Pastoral Epistles, as a Positive Norm for the
               Church, Diss.masch. (Gregoriana) Rom 1976.

ROHDE J.,   Pastoralbriefe und Acta Pauli, in: StEv 5 (=TU 103), Berlin 1968,
               303-310.

ROLLER O.,   Das Formular der paulinischen Briefe. Ein Beitrag zur Lehre
               vom antiken Briefe, BWANT 4/5(58), Stuttgart 1933.

ROLOFF J.,   Apostolat - Verkündigung - Kirche. Ursprung, Inhalt und
               Funktion des kirchlichen Apostelamtes nach Paulus, Lukas
               und den Pastoralbriefen, Gütersloh 1965.

ROMANIUK K., Les motifs parénétiques dans les écrits pauliniens: NovTest
               10(1968) 191-207.

SALVONI F.,   Gli eretici: RBR 7(1972) 31-50.

SAND A.,   Anfänge einer Koordinierung verschiedener Gemeindestruktu-
               ren nach den Pastoralbriefen, in: Kirche im Werden. Studien
               zum Thema Amt und Gemeinde im NT, hg.v. J.HAINZ, Mün-
               chen-Paderborn-Wien 1976, 215-237.

-              Witwenstand und Ämterstruktur in den urchristlichen Gemein-
               den: BiLe 12(1971) 186-197.

SCHELKLE K.H., Das N T. Seine literarische und theologische Geschichte, 4.Aufl. Kevelaer 1970.

- Hermeneutische Regeln im NT, in: Ders., Wort und Schrift. Beiträge zur Auslegung und Auslegungsgeschichte des NT, Düsseldorf 1966, 31-44.

- Theologie des NT 2 u. 3, Düsseldorf 1973 u. 1970.

SCHENKE H.-M., Das Weiterwirken des Paulus und die Pflege seines Erbes durch die Paulus-Schule: NTS 21(1975) 505-518.

SCHIERSE F.J., Eschatologische Existenz und christliche Bürgerlichkeit: GuL 32(1959) 280-291.

- Kennzeichen gesunder und kranker Lehre. Zur Ketzerpolemik der Pastoralbriefe: Diakonia 4(1973) 76-86.

- Die Pastoralbriefe, WB 10, Düsseldorf 1968.

SCHLEIERMACHER F., Über den sogenannten ersten Brief des Paulos an Timotheos. Ein kritisches Sendschreiben an J.C.Gass, Berlin 1807 (=Ders., Sämmtliche Werke, 1.Abt.: Zur Theologie 2, Berlin 1836, 221-320).
Zitiert: SCHLEIERMACHER, 1 Tim.

SCHLIER H., Die Ordnung der Kirche nach den Pastoralbriefen, in: Ders., Die Zeit der Kirche, 2.Aufl. Freiburg 1958, 129-147.

SCHMID J., Zeit und Ort der paulinischen Gefangenschaftsbriefe. Mit einem Anhang über die Datierung der Pastoralbriefe, Freiburg 1931.

SCHMIDT J.E.Ch., Historisch-kritische Einleitung in's NT 1, Gießen 1804.

SCHMITHALS W., Zur Abfassung und ältesten Sammlung der paulinischen Hauptbriefe: ZNW 51(1960) 225-245.

- Art. Pastoralbriefe: RGG[3] 5, 144-148.

SCHNACKENBURG R., Die sittliche Botschaft des NT, 2.Aufl. München 1962.

- Die Kirche im NT, QD 14, 3.Aufl. Freiburg 1961.

SCHRAGE W., Die konkreten Einzelgebote in der paulinischen Paränese, Gütersloh 1961.

- Zur Ethik der ntl. Haustafeln: NTS 21(1975) 1-22.

SCHULZ S., Die Mitte der Schrift. Der Frühkatholizismus im NT als Herausforderung an den Protestantismus, Stuttgart 1976.

SCIOTTI G., Autenticità, data e luogo di stesura: RBR 7(1972) 11-30.

SINT J.A., Pseudonymität im Altertum. Ihre Formen und ihre Gründe, (Commentationes Aenipontanae 15), Innsbruck 1960.

SMITH M.,   Pseudepigraphy in the Israelite Literary Tradition, in: Pseudepigrapha 1, 189-215.

SPEYER W.,   Die literarische Fälschung im heidnischen und christlichen Altertum. Ein Versuch ihrer Deutung, HAW 1/3, München 1971.

-     Fälschung, pseudepigraphische freie Erfindung und "echte religiöse Pseudepigraphie", in: Pseudepigrapha 1, 331-366.

-     Religiöse Pseudepigraphie und literarische Fälschung im Altertum: JAC 8f. (1965f.) 88-125.

SPICQ C.,   Les épîtres pastorales 1 u. 2, 4.Aufl. Paris 1969.

-     Pèlerine et vêtements. A propos de 2 Tim 4,13 et Act 20,33, in: Melanges E.TISSERANT 1 (=StT 231), Città del Vaticano 1964, 389-417.

STECKER A.,   Formen und Formeln in den paulinischen Hauptbriefen und in den Pastoralbriefen, Diss typoprint. Münster 1968.

STENGER W.,   Der Christushymnus 1 Tim 3,16b, Diss. masch. Regensburg 1973 > Der Christushymnus 1 Tim 3,16. Eine strukturanalytische Untersuchung, (Regensburger Studien zur Theologie 6), Frankfurt 1977.

-     Timotheus und Titus als literarische Gestalten. Beobachtungen zur Form und Funktion der Pastoralbriefe: Kairos 16(1974) 252-267.

STĘPIEŃ J.,   Problem autorstwa listów pasterskich: STV 6(1968) 157-199.

STÖGER A.,   Die Christologie der paulinischen und von Paulus abhängigen Briefe: ThJb(L) 1965, 279-299.

STRECKER G.,   Paulus in nachpaulinischer Zeit: Kairos 12(1970) 208-216.

STROBEL A.,   Schreiben des Lukas? Zum sprachlichen Problem der Pastoralbriefe: NTS 15(1968f.) 191-210.

STUHLMACHER P.,   Christliche Verantwortung bei Paulus und seinen Schülern: EvTh 28(1968) 165-186.

SYNGE F.C.,   Studies in Texts. 1 Tim 5,3-16: Theology 68(1965) 200f.

SYNNES M.,   Om psevdepigrafi og pastoralbrevenes ekthet: TTK 47(1976) 179-200.

THÖRNELL G.,   Pastoralbrevens äkthet, (Svenskt arkiv för humanistiska avhandlingar 3), Göteborg 1931.

THRAEDE K.,   Grundzüge griechisch-römischer Brieftopik, (Zetemata 43), München 1970.

THURÉN J., Die Struktur der Schlußparänese 1 Tim 6, 3-21: ThZ 26(1970) 241-253.

TORM F., Paulus' breve til Timoteus og Titus indledede og fortolkede, 2.Aufl. Kopenhagen 1932.

- Die Psychologie der Pseudonymität im Hinblick auf die Literatur des Urchristentums, SLA 2, Gütersloh 1932.

- Über die Sprache in den Pastoralbriefen: ZNW 18(1917f.) 225-243.

TRILLING W., Untersuchungen zum 2. Thessalonicherbrief, EThSt 27, Leipzig 1972.

TRUMMER P., Die Chance der Freiheit. Zur Interpretation des μᾶλλον χρῆσαι in 1 Kor 7, 21: Bib. 56(1975) 344-368.

- Einehe nach den Pastoralbriefen. Zum Verständnis der Termini μιᾶς γυναικὸς ἀνήρ und ἑνὸς ἀνδρὸς γυνή: Bib. 51(1970) 471-484.

- "Mantel und Schriften" (2 Tim 4,13). Zur Interpretation einer persönlichen Notiz in den Pastoralbriefen: BZ 18(1974) 193-207.

VÖGTLE A., Kirche und Schriftprinzip nach dem NT: BiLe 12(1971) 153-162, 260-281.

- Die Schriftwerdung der apostolischen Paradosis nach 2 Petr 1, 12-15, in: NT und Geschichte, (Fs. O.CULLMANN), Zürich-Tübingen 1972, 297-305.

- Die Tugend- und Lasterkataloge im NT, NTA 16 4/5, Münster 1936.

WARD R.A., Commentary on 1/2 Timothy and Titus, Waco (Texas) 1974.

WEGENAST K., Das Verständnis der Tradition bei Paulus und in den Deutero-paulinen, WMANT 8, Neukirchen 1962.

WEIDINGER K., Die Haustafeln. Ein Stück urchristlicher Paränese, UNT 14, Leipzig 1928.

WENDLAND H.-D., Ethik des NT. Eine Einführung, GNT 4, Göttingen 1970.

WENINGER F., Die Pastoralbriefe in der Kanongeschichte zur Zeit der Patristik, Diss. masch. Wien 1964 (1966).

WIKENHAUSER A.-SCHMID J., Einleitung in das NT, 6.Aufl. Freiburg-Basel-Wien 1973.

WINDISCH H., Zur Christologie der Pastoralbriefe: ZNW 34(1935) 213-238.

ZAHN Th., Geschichte des ntl. Kanons 1 u. 2, Erlangen-Leipzig 1888-1892.

ZEHRER F., Die Psalmenzitate in den Briefen des hl. Paulus, Habilitations-schrift masch. Graz 1951.

ZEILINGER F., Der Erstgeborene der Schöpfung. Untersuchungen zur Formalstruktur und Theologie des Kolosserbriefes, Wien 1974.

2, 20ff	225
3, 1	91, 122
3, 2	188 Anm. 121
3, 3	93
3, 3f	125 Anm. 82
3, 6f	122
3, 7	188 Anm. 121
4, 6	122
4, 7	188 Anm. 121
4, 11	123
4, 13	121
4, 21	121 Anm. 65
5, 14. 26	185
6, 5. 9	239
6, 21	134
Phil	241
1, 1	112f, 214, 219
1, 7	204 Anm. 207
1, 9-26	119
1, 12-14	204 Anm. 207
2, 6-11	198 Anm. 176
2, 12f	190 Anm. 128
2, 12ff	91
2, 19-22	113f
2, 19. 24	124 Anm. 73
2, 19-25	114 Anm. 37
2, 20	77
3, 1	101f
3, 1-4, 1	117,
	175 Anm. 62
3, 6. 8	126
3, 11. 15	140 Anm. 140
3, 20	195
4, 3	114 Anm. 36
4, 8	228
4, 11-13	119
Kol	91f
1-2	181
1, 1	113
1, 24	204 Anm. 209
2, 9-23	166
2, 20f	167
3, 18-4, 1	238
3, 20	199 Anm. 180
3, 22	239

3, 23f	199 Anm. 180
4, 1	239
4, 7	134
4, 7-17	92
4, 10-14	134
4, 14	133
4, 15f	110
4, 16	92,
	125 Anm. 82
4, 18	91
1 Thess	
1, 1	112f
1, 3	237 Anm. 372
1, 10	195 Anm. 153
2, 7	112 Anm. 22
3, 1	113 Anm. 28
3, 6	237 Anm. 370
5, 8	237 Anm. 370
5, 12	214
5, 27	125 Anm. 81
2 Thess	89f
1, 1	113 Anm. 26
1, 4	237 Anm. 372
2, 2	65
2, 8	200 Anm. 186
3, 7f	83
3, 10	83f
1 Tim	217
1, 1	185 Anm. 107,
	196 Anm. 162
1, 2	113
1, 3	21, 45, 76, 114f,
	131 Anm. 108,
	137 Anm. 128, 163
1, 3-7	130
1, 4	85, 163
1, 5	235ff
1, 5-10	192f
1, 6	137 Anm. 128
1, 7	163 Anm. 13,
	165 Anm. 20
1, 8	75, 165, 191f
1, 8ff	130, 235
1, 8-11	116
1, 9	192

4, 3–5	163	6, 3	194 Anm. 149,
4, 4	234		196 Anm. 162,
4, 6	216		198 Anm. 174,
4, 7	168,		230 Anm. 334
	230 Anm. 334	6, 5	81,
4, 8	150,		157 Anm. 230,
	168 Anm. 39,		230 Anm. 334
	231	6, 6	230 Anm. 334
4, 10	185 Anm. 107	6, 7	16, 42
4, 11	123 Anm. 71	6, 10	16, 42,
4, 12	77		137 Anm. 128
4, 13	85, 114, 123ff	6, 11	230 Anm. 334,
4, 14	77, 127f, 220, 222		237
5, 1	215	6, 14	194 Anm. 149,
5, 3–16	42 Anm. 215,		196 Anm. 162,
	217ff		200ff
5, 4	230 Anm. 334	6, 15	201
5, 8	206 Anm. 217	6, 17	42
5, 9	151	6, 18	190 Anm. 129
5, 10	149 Anm. 184,	6, 18f	191
	151 Anm. 193,	6, 20	44,
	190 Anm. 129		222 Anm. 289,
5, 14	112 Anm. 24,		239
	151,	6, 20f	136
	231 Anm. 341	6, 21	137 Anm. 128
5, 15	137 Anm. 128		
5, 17	155,	2 Tim	129, 132, 246
	190 Anm. 127,	1, 2	113 Anm. 32,
	224		196 Anm. 162
5, 18	45, 108, 151f, 155,	1, 3	76, 235f
	169 Anm. 44,	1, 3f	125–129
	198 Anm. 174,	1, 3–5	125f, 129,
	213 Anm. 246		203 Anm. 199
5, 19	108	1, 4	76,
5, 19–22	157–160		114 Anm. 38
5, 22	220	1, 5	77, 132,
5, 23	79, 167		219 Anm. 278
5, 24	137 Anm. 128,	1, 6	77, 220, 222
	167	1, 6f	127f
5, 24f	191	1, 6–15	189
5, 25	190 Anm. 129	1, 7	222
6	81f	1, 8	91, 129,
6, 1	239f		169 Anm. 41,
6, 1ff	234 Anm. 355		185 Anm. 106,
6, 2	123 Anm. 71,		190,
	240		196 Anm. 164
		1, 8ff	186 Anm. 108

+)   Anstelle eines vollständigen Literaturverzeichnisses (ohne Herausgeber).
      Das Erstzitat enthält jeweils die volle bibliographische Angabe. Verschiede-
      ne Werke desselben Autors sind jeweils durch + gekennzeichnet.